編著 河上源一　監修 ブルース・ハード

TOEIC IS A REGISTERED TRADEMARK OF ETS.
THIS PUBLICATION IS NOT ENDORSED OR APPROVED BY ETS.

本書は2011年9月刊行の『カラー版 TOEIC®テストに でる順英単語』の改訂版です。

KADOKAWA

まえがき

本書は2001年の刊行以来，版を重ねてきたものですが，この度，全面的な改訂をして再出発することになりました。

「TOEICテストにでる順」という基本コンセプトはそのままに，新たに，いくつかの要素を加えて，単調になりがちな単語学習に，楽しく取り組めるような，そして，反復学習のしやすい構成に改編しました。

※ここで言う「TOEIC」は，厳密には「TOEIC L&R」を指しますが，語彙に関しては，その他のテストも「L&R」の範囲内ですので，以下区別せず使います。

改訂の具体的な内容は以下のとおりです。

・最新のデータに基づいて約2500語を再選定。
（選定にあたっては，基本語をさらに充実させました。詳しくは次ページの「本書の特長と使い方」をご覧ください）

・2500語を「でる順」に約500語ずつの5つのパートに分け，さらに，各パートを，単語のレベルによって2つのセクションに分けました。
（次ページの図をご覧ください）

・各セクションの語を，品詞別に12語ずつのグループに分け，「名詞①」→「動詞①」→「形容詞①」のように，順番に配列しました。

このような分類と配列で，TOEICの目標値に焦点を合わせて，どこからでも読み始めることができるようになっています。

本書が，高い目標に向かって一歩一歩登って行くあなたのガイドになるものと確信しております。

2023年9月　編著者

本書の特長と使い方

❶ 2500 語の選定

今回の改訂にあたって，日本・韓国で出版されている「公式問題集」，日本および英･米で出版されている「模擬問題集」などをデータ化し，最新のデータベースを再構築して，すべての単語の頻度を調べました。

このデータベースによって，中学校・高校 1 年レベルの基本語，および，固有名詞などを除いて，頻度順 2500 語を選び出しました。

この選定作業のプロセスは初版時と同じですが，今回は，基本語であっても，TOEIC に特徴的な語義で使われるものを，可能な限り収録したことが大きな特長です。

❷ 各パートに2つのセクション

TOEIC がビジネス英語中心であるため，頻度が高い語の中には，一般の英語学習の観点では難易度の高い語も含まれます。 これらを一緒に学習するのは困難がともないます。 そこで，同じ頻度の語を単語レベルによって2つに分けました。 このレベル分けには CEFR-J *を参考にして，下の図のような配置にしました。

* CEFR（Common European Framework of Reference for Languages）「ヨーロッパ言語共通参照枠」は言語のコミュニケーション能力を示す国際標準規格。
CEFR-J は CEFR を日本の英語教育に応用すべく投野由紀夫教授（東京外国語大学）を中心に開発された枠組みです。

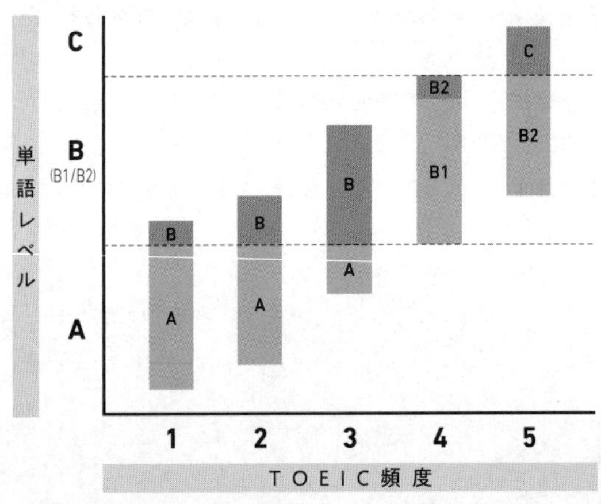

CEFR-J では単語を以下の 4 つのレベルに分けています。

A1	小学校~中学 1 年程度
A2	中学 2 年~高校 1 年程度
B1	高校 2 年~大学受験レベル
B2	大学受験~大学教養レベル

本書では, A1 と A2 を A レベルと 1 つにまとめました。B1 と B2 はこのまま踏襲し, さらに, このリストに含まれない語を C レベルとしました。ただし, CEFR-J は単語の品詞ごとにレベル分けをしていますので, 完全には一致していないことがあります。

❸ 品詞ごとに 12 語ずつのグループ。

同一セクションの語を品詞によってグループ分けし, さらに 12 語ずつの小グループに分けました。このとき, できるだけ意味の関連する語・類義語をまとめるようにしています。こうすることで, 意味的に関連する語や同意語・反意語などをまとめて覚えることができます。同意語については, その違いや使い分けなどについても, 簡潔に解説しています（❻をご覧ください)。

❹ 例文についている参照語マークと注

例文の後に ➲ trade (252) のように, 単語と参照番号がついているものがあります。この番号は, それぞれの単語の見出し番号です。

この参照番号によって, もし, 例文中にわからない語があれが, その単語の解説個所に飛ぶことができます。参照番号は, B レベル以上の語について, 初出から 2 回目程度, スペースの許す限り入れてあります。

なお, 斜体字の番号は, その番号の見出し語の派生語であることを示します。

さらに, 本書に収録できなかった語で, 重要なものについては, ▶印で「注」をつけました。

❻ その他の記号

▶ は派生語を示します。派生語として約 1000 語を収録しました。

♣印は, それぞれの語についての補足的な解説が書かれています。特に, ❸で触れたように, 同意語の違いや使い分けなどについて, ここで解説しています。

目　次

音声のご利用方法

●パソコンで聴く方法

https://www.kadokawa.co.jp/product/322303002015/

上記のURLへアクセスいただくと、mp3形式の音声データをダウンロードできます。
「特典音声のダウンロードはこちら」という一文をクリックしてダウンロードし、ご利用ください。

※音声はmp3形式で保存されています。お聴きいただくにはmp3ファイルを再生できる環境が必要です。
※ダウンロードはパソコンからのみとなります。携帯電話・スマートフォンからはダウンロードできません。
※ダウンロードページへのアクセスがうまくいかない場合は、お使いのブラウザが最新であるかどうかご確認ください。また、ダウンロードする前にパソコンに十分な空き容量があることをご確認ください。
※フォルダは圧縮されています。解凍したうえでご利用ください。※音声はパソコンでの再生を推奨します。一部のポータブルプレーヤーにデータを転送できない場合もございます。※なお、本サービスは予告なく終了する場合がございます。あらかじめご了承ください。

●スマホで聴く場合

abceed
AI英語教材エービーシード

abceed アプリ（無料）
Android・iPhone 対応

https://www.abceed.com/

ご利用の場合は、QRコードまたはURLより、スマートフォンにアプリをダウンロードし、本書を検索してください。

※abceedは株式会社Globeeの商品です（2023年10月時点）。

デザイン：chichols

PART 1

1-504

Level A 384 語

Level B 120 語

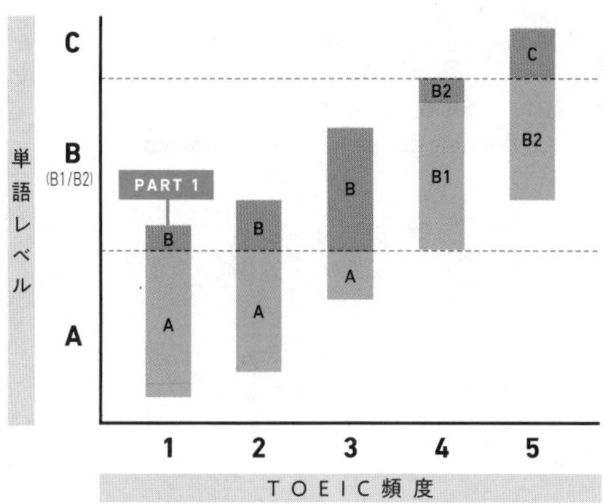

トラック 1-1

名詞 ①

1	**company** [kʌ́mpəni]	名 会社, 同席[同行]すること

▶ accompany (1271)
- What **company** do you work for?(何という会社に勤めているのですか)
- I've enjoyed your **company** very much.(ご一緒できて本当に楽しかったです)

2	**business** [bíznəs]	名 事業・商売, 取引, 業務

▶ businessman 名 (男性の)実業家《businessperson がふつう》
- I'm in the trading **business**.(貿易業についています) ➲trade (252)
- do **business** with an Italian company(イタリアの企業と商売[取引]をする)
- Bryan is in Paris on **business**.(ブライアンは業務[仕事]でパリにいます)

▸ on business「仕事で・商用で」

3	**office** [ɑ́fəs]	名 事務所, 会社・職場, 役所

▶ official (144)
- the head **office**(本社, 本店)
- **office** hours(営業時間・就業時間)
- public **offices**(公共機関) ➲public (46)

4	**customer** [kʌ́stəmər]	名 客・顧客

▶ custom (684) ▶ customize (2314)
- A server is bringing coffee for the **customers**.
(給仕が客にコーヒーを運んでいる)

5	**service** [sə́ːrvəs]	名 接客・サービス, (公共の)事業《通信・交通・電力など》

▶ serve (189)
- Do you have room **service**?(ルームサービスはしていますか)
- There's bus **service** to the airport.(空港へはバスの便がある)

6	**product** [prɑ́dəkt]	名 製品

▶ produce (326) ▶ production (101)
- I would like to order the following **products**:
(以下の製品を注文したいと思います) ➲following (37)

7	**sale** [séil]	名 販売, 特売, 《~s で》販売[営業]部, 《~s で》売上(高)

▶ sell 動 (~を)売る[売れる]

- Tickets will go on **sale** tomorrow.
  (チケットは明日発売です) ▶ go on sale「販売される」
- an opening **sale** (開店記念特売)
- a **sales** staff (販売[営業]部員) ➲ staff (32)
- **Sales** have been growing so far.
  (これまでのところ売上は伸びている) ▶ so far「今(まで)のところ」

8	**order** [ɔ́ːrdər]	名 注文(品), 順序, 命令 動 (~を)注文する, (~を)命じる

- I'd like to place an **order**. (注文をしたいのですが)
- Your **order** will arrive on May 24. (ご注文の品は5月24日に届きます)
- alphabetical **order** (アルファベット順) └➲ arrive (71)
- I'd like to **order** 40 copies of "How to Write E-mail".
  (『How to Write E-mail』を40冊注文します) ➲ copy (127)

♣「A社に注文する」は order ~ from A company という。名詞の場合は place an order for ~ with A company となる。

9	**store** [stɔ́ːr]	名 店, 蓄え　動 (~を)蓄える・保管する

▶ storage (487)

- When does the **store** open[close]?
  (その店は何時に開店[閉店]しますか) ➲ close (20)
- They should be **stored** at low temperatures.
  (それらは低温で保管しなければならない) ➲ temperature (556)

10	**price** [práis]	名 価格, 《~s で》物価　動 (~に)値段をつける

- What's the **price**? (おいくらですか)
- rise[fall] in **prices** (物価の上昇[下落]) ➲ rise (477), fall (351)
- reasonably **priced** goods (手ごろな値段の商品) ➲ reasonably *(1456)*, goods (876)

11	**schedule** [skédʒuːl]	名 予定(表) 動 《be ~d で》(~の)予定である (for, to do)

- Let me check my **schedule**. (私の予定を調べてみます)
- We are **scheduled** to stay here for 3 days.
(3日間ここに滞在する予定です)

12	**plan** [plǽn]	名 計画・予定, 案　動（～の）計画を立てる

- Do you have **plans** for tomorrow?（明日予定はありますか）
- I'm **planning** to move in early next month.
  （来月初めに引っ越す計画を立てている）　▸ move in「（新居へ）引っ越す」

動詞 ①

13	**work** [wə́ːrk]	動 勤めている（in, at, for）, 働く,（機械などが）作動する 名 仕事, 職, 作品

- What company do you **work** for?（何という会社に勤めているのですか）
- My phone's not **working**.（私の電話が通じない［故障している］）
- What kind of **work** do you do?（どのようなお仕事をなさっていますか）

14	**refer** [rifə́ːr]	動（～を）参照する（to）,（～に）関連する・言及する（to）

▸ reference (931)　▸ referral (2396)
- For details, **refer** to p.25 of the user manual.
  （詳細についてはマニュアルの 25 ページをご参照ください）　➲ detail (100), manual (941)
- Questions 32 through 34 **refer** to the following conversation.
  （問題 32 から 34 は次の会話に関連しています）《Part 3 の問題文》　➲ conversation (58)

15	**meet** [míːt]	動（人と）会う,（人と）約束して会う（with）, （人を）出迎える,（必要・条件などを）満たす

〔meet - met - met〕　▸ meeting 名 会議, 会合
- I'll **meet** you at 8 o'clock.（8 時に会いましょう）
- Can you **meet** with me tomorrow morning?
  （明日の朝，会えませんか）
- Our staff will **meet** you at the airport.
  （スタッフが空港でお出迎えいたします）　➲ staff (32)
- **meet** the needs of customers（顧客のニーズに応える）　➲ need (16)

16	**need** [níːd]	動（～を）必要とする,（～する）必要がある（to do） 名 必要（性）,《～s で》必要なもの・ニーズ

- Do you **need** any help?（手伝いが必要ですか［何かお手伝いしましょうか］）
- We **need** to take a break.（休憩する必要がある）　➲ break (238)
- There is no **need** to pay now.（今すぐ支払う必要はありません）
- meet the **needs** of customers（顧客のニーズに応える）　➲ meet (15)

17 **call** [kɔ́:l]
動 (～に)電話をかける, (～を)呼ぶ
名 電話, (電話の)呼び出し,

▸ caller 名 電話をしてきた人

- I'll **call** you again sometime next week. (来週のいつか, もう一度お電話します)
- Please **call** me "Ben." (「ベン」と呼んでください)
- Could you please give me a **call** at 555-5820?.
  (555-5820 までお電話いただけますか)

18 **want** [wʌ́nt]
動 (～が)欲しい・～したい (to do),
(～に…して)ほしい (to do)　名 不足・欠乏

- I **want** a table at the window. (窓際の席にしてください)
- Do you **want** to go out to eat? (外に食べに行きたい? [外食にしない?])
- Do you **want** me to pick up anything from the café?
  (カフェで何か買ってきましょうか) ▸ pick up「手に入れる・買う」
- We will have to stop this project for **want** of funds.
  (財源不足のためこの計画を中断しなければならないだろう) ➲ project (388), fund (466)

19 **open** [óupən]
動 (～を)開ける[開く], (～を)始める[始まる]
形 (ドア・店などが)開いている, (一般の人に)開放されている

▸ opening 名 開業・開店, (職などの)空き・欠員 (= job opening)
形 初めの・冒頭の

- Can you **open** the window? (窓を開けてもらえませんか)
- The store **opens** at 9:00 a.m. (その店は午前 9 時に開店する)
- The front door was wide **open**. (玄関が開け放してあった)
- Our office is **open** from 9 a.m. to 6 p.m.
  (営業時間は午前 9 時から午後 6 時までです)
- This event is free and **open** to the public.
  (このイベントは無料で一般に公開されている) ➲ public (46)

20 **close** [klóuz]
動 (～を)閉める[閉まる], (～を)終える[終わる]
形 [klóus] (距離・時間などが) (～に)近い (to), 綿密な　副 接近して

▸ closing 名 閉鎖, 閉店　形 終わりの, 閉会の　▸ closely (2010)
▸ closure (2058)

- What time does the post office **close**?
  (郵便局は何時に閉まりますか) ➲ post (122)
- The meeting **closed** at 4 p.m. (会議は午後 4 時に終わった)
- The hotel is **close** to the station. (そのホテルは駅に近い)
- take a **closer** look (詳しく調べる)
- My parents live **close** by. (私の両親は近くに住んでいる)

21 **change** [tʃéin(d)ʒ] 動 (外見・性質などを)変える[変わる], (〜を)〔別のものに〕換える 名 変化・変更, 小銭

- The weather **changed** and it began to rain.
  (天候が変わり雨が降り出した) ➲weather (203)
- Please click here to **change** your password. ▸password
  「パスワード」(パスワードを変更するには, こちらをクリックしてください) ➲click (665)
- a schedule **change**(予定の変更) ➲schedule (11)
- I'd like some small **change**.(小銭が欲しいのですが)

♣ exchange (305) は「〔人と〕(物を)交換する」。

22 **offer** [ɔ́(:)fər] 動 (〜を)勧める・申し出る, (〜を)提供する 名 申し出

- Can I **offer** you something to drink?
  (何か飲み物をお持ちしましょうか)《機内などで》
- We would like to **offer** you a 10% discount.
  (10%の割引をいたします) ➲discount (396)
- I am very pleased to accept your **offer**.
  (お申し出を喜んでお受けいたします) ➲accept (240)

23 **provide** [prəváid] 動 (〜に…を)提供する・供給する(with, for), (〜に)備える(for, against)

▸ provision 名 供給, 準備 ▸ provider 名 (サービスなどの)提供業者
▸ provided (1160)

- **provide** customers with high quality service
  (顧客に高品質のサービスを提供する) ➲quality (132)
- Please **provide** us with the following information:
  (以下の資料をお送りください) ➲following (37), information (25)
- **provide** for the future(将来に備える) ➲future (217)

24 **receive** [risíːv] 動 (〜を)受け取る

▸ receipt (172) ▸ reception (975) ▸ recipient (1976)

- I **received** your letter of September 12.
  (9月12日付の手紙を受け取りました)

PART 1 LEVEL A LEVEL B

名詞②

25 **information** [ìnfərméiʃən] — 名 情報, 案内(所)

▶ inform (455)

- Please send me **information** on your products.
  (貴社の製品についての情報を送ってください) ➲ product (6)
- tourist **information** (旅行案内) ➲ tourist *(106)*

26 **event** [ivént] — 名 出来事, 行事

- an epoch-making **event** (画期的な出来事)
- an annual **event** (年中行事) ➲ annual (888)

27 **contact** [kάntækt] — 名 連絡(先), 接触 / 動 (～に)連絡する, (～と)接触する

- **contact** information (連絡先(情報))
- We have had no **contact** since last year.
  (私たちは昨年来連絡をとっていません)
- If you have any questions, please feel free to **contact** us.
  (もしご質問があれば遠慮なくご連絡ください) ➲ free (42)

28 **room** [rú:m] — 名 部屋, 空間, 余地

- a one-**room** apartment (ワンルームのアパート)
- There isn't enough **room** for all these bags.
  (このバッグ全部を収納できるスペースがありません)
- There's no **room** for doubt. (疑問の余地がない) ➲ doubt (761)

29 **site** [sáit] — 名 (建物などの)場所, 用地, (ウェブ)サイト (= website (751))

- a construction **site** (建設場所[現場・用地]) ➲ construction (412)

♣「現場」か「用地」は文脈による。

30 **area** [éəriə] — 名 地域・区域, (活動などの)分野

- a parking **area** (駐車区域・駐車場)
- He worked in various **areas**, including design and IT.
  (彼はデザインや IT など, さまざまな分野で仕事をした) ➲ various (936), including *(61)*

♣「地域・区域」を表す最も一般的な語。 ➲ zone (706), district (908), region (907)

31 **job** [dʒɑ́b] 名 勤め口, 仕事

- I've taken a **job** in New York.(私はニューヨークで職についた)
- a hard **job**(困難な仕事)

32 **staff** [stǽf] 名《集合的に》職員・スタッフ

▸ staffing 名 人員配置, 人事

- The company has a **staff** of 100.
  (その会社は100名の社員がいる[社員が100名である])
- a **staff** member of the company(その会社の社員)

♣ staff は職員[社員]全体を指す。1人を指すときは a staff member とする。

33 **manager** [mǽnidʒər] 名 支配人, 経営者, (会社の)部長

▸ manage (309)

- I'd like to speak to the **manager**, please.(支配人と話したいのですが)
- a sales[marketing] **manager**(営業[販売]部長) ➲ sale (7), marketing (105)

34  **design** [dizáin] 名 設計, デザイン 動 (~を)設計する・デザインする

▸ designer 名 デザイナー

- I don't like this **design**.(私はこのデザインは好きではありません)
- This museum is **designed** to help people experience science at work.
  (この博物館は人々が実際に科学を体験する手助けとなるように設計されている)
  ➲ experience (60)

35 **report** [ripɔ́ːrt] 名 報道, 報告(書) 動 (~を・~ついて)報道する・報告する(on)

▸ reporter 名 記者 ▸ reportedly (2519)

- news **reports**(報道)
- This is our company's annual **report**.(これがわが社の年次報告書です)
  ➲ annual (888)
- The story was **reported** in the media.(この話はメディアで報道された)
  ➲ media (901)
- They are **reporting** on a train accident on TV.(テレビで列車事故について報道している) ➲ accident (774)

36  **date** [déit] | 名 日付,《to date で》現在までのところ,《up to date で》最新(式)の 動 (~に)日付をつける

- What's the **date** today?(今日は何日ですか)
- The book has sold a million copies to **date**.
  (その本は今までに 100 万部売れている)
- keep the computer system up to **date**
  (コンピュータのシステムを最新のものに保つ)
- I am writing in reply to your letter **dated** June 12.
  (6 月 12 日付の手紙へのお返事です) ➲reply (624)

♣ up to date は up-to-date ともつづり, 形容詞として使う。

形容詞 ①

37  **following** [fálouiŋ] | 形 次の, 以下の(⇔ previous (894)) 名 次のもの

▸ follow (263)

- Please answer the **following** questions:(以下の問いに答えてください)
- The **following** has been decided.(下記の事項が決定されました) ➲decide (182)

38  **likely** [láikli] | 形《be ~で》~しそうな(to do, that), 見込みのある 副《very, most などに続けて》おそらく

▸ unlikely 形 ありそうもない, 可能性の低い

- He is **likely** to win the game.[= It is **likely** that he will win the game.]
  (彼は試合に勝ちそうだ) ➲win (334)
- She is the most **likely** candidate.
  (彼女は最も有望な候補者だ) ➲candidate (490)
- What will the man most **likely** do next?
  (この男性は次に何をする可能性が最も高いだろう?)《Part 3 の問題文》

39  **last** [lǽst] | 形 この前の, 最後の 動 続く・長続きする, 長もちする

▸ lasting 形 長続きする

- **last** week[month](先週[先月])
- the **last** week in April(4 月の最終週)
- The meeting **lasted** for six hours.(会議は 6 時間に及んだ)

♣ last は late の最上級で「(時間が)最も遅い」が基本の意味。

40 **sure** [ʃúər]　形《be ～で》(～を)**確信している** (of, about, that), **必ず～する** (to do)　副 **もちろん・いいよ**

▶ surely 副 確かに・必ず
- Are you **sure** about that? (それは確かですか)
- I'll be **sure** to tell her. (必ず彼女に伝えておくよ)
- Make **sure** to back up the file. ▶ back up「バックアップを取る」
  (ファイルを必ずバックアップしなさい) ➲ file (299)
- **Sure**, no problem. (もちろん，かまいませんよ[どういたしまして])《依頼を受けて[感謝の言葉を受けて]》

41 **online** [ánláin]　形 副 **インターネット(上)の[で]**

- **online** shopping (オンライン・ショッピング)
- buy tickets **online** (オンラインでチケットを買う)

42 **free** [fríː]　形 **無料の, 自由な, 暇な**　副 **無料で**

▶ freedom (846)
- The first 20 minutes of parking is **free**. (最初の 20 分の駐車は無料です)
- Please feel **free** to call me again. (どうぞ遠慮なくまた電話してください)
  ▶ feel free to do「自由に～する」→「遠慮なく～する」
- Are you **free** on Saturday night? (土曜の夜はあいてますか)
- Buy two CDs and get another **free**. (CDを2枚買って1枚を無料で手に入れよう)

43 **complete** [kəmplíːt]　形 **全部そろった・完全な** (⇔ incomplete (2452)), **まったくの・完全な** (= total (892))　動 (～を)**完成させる**

▶ completely 副 完全に・すっかり　▶ completion (1316)
- a **complete** set of tools (道具一式)
- a **complete** failure (まったくの[完全な]失敗) ➲ failure (1414)
- We expect the work to be **completed** by next month.
  (その仕事は来月までに完成する見込みです)

44 **possible** [pásəbl]　形 (実行)**可能な, 起こりうる** (⇔ impossible「不可能な」), 《as ... as possible で》**可能な限り…に**

▶ possibility 名 可能性　▶ possibly (821)
- Would it be **possible** to change the date of the meeting to next week?
  (お会いするのを翌週に変更することは可能でしょうか) ➲ change (21), date (36)
- It's **possible** she might be late for work.
  (彼女が遅刻することはありえることです)
- I'd like to see you as soon as **possible**. (できるだけ早くお会いしたいのですが)

45 **local** [lóukəl] 形 地元の, 各駅停車の (⇔ express (256))
名 普通列車

▶ locally 副 地元で, 局地的に

- a **local** newspaper (地元[地方]新聞)
- Where can I catch a **local** train for Nara?
(奈良行きの普通列車に乗るにはどこへ行けばいいですか) ➲catch (566)

♣ local train は日本語の「ローカル線の列車」とは意味が異なるので注意。

46 **public** [pʌ́blik] 形 公衆の, 公共の (⇔ private (215))
名《in public で》人前で,《the ～で》一般(大衆)

▶ publicly 副 人前で, 公然と ▶ publicize (2030) ▶ publicity (1951)

- a **public** telephone (公衆電話)
- a **public** service (公共事業, 行政事務)
- I get really nervous in **public**.
(人前ではすごく緊張してしまう) ➲nervous (1120)
- The event is free and open to the **public**.
(このイベントは無料で一般に公開されている) ➲open (19)

47 **concerned** [kənsə́ːrnd] 形《be ～で》(～を) 心配する (about),
(～に) 関係している (in, with)

▶ concern 名 心配, 関心事 動 (～に) 関係する, (人を) 心配させる

- There's nothing to be **concerned** about. (心配することなど何もないよ)
- I am not **concerned** with that. (私はそのことには関係ありません)

♣ 他人のこと(健康・安全など)や社会的な問題などについて気遣う。 ➲worried (379), anxious (744)

48 **ready** [rédi] 形 (～する) 用意[準備]ができた (to do),
喜んで～する (to do)

▶ readily (2360)

- Dinner's **ready**. (夕食の用意ができました)
- Are you **ready** to go? (出かける用意はできた?)
- I am always **ready** to help you. (いつでも喜んでお手伝いします)

名詞 ③

49	**problem** [prάbləm]	名 問題, 課題

- What's the **problem**?(どうかしました?)
- solve a **problem**(問題を解く[課題を解決する]) ➲ solve (719)

50	**review** [rivjúː]	名 (再)調査・検討, 批評 動 (〜を)再調査する, (〜を)復習する, (〜を)批評する

▸ reviewer 名 批評家, 評論家

- The data is now under **review**.(データはただいま精査中です) ➲ data (438)
- a book[movie] **review**(書評[映画評])
- We will have to **review** the matter in some detail.
  (問題をもう少し詳しく検討する必要があるだろう) ➲ matter (369), detail (100)
- **review** for an exam(試験のために復習する)

51	**request** [rikwést]	名 依頼, 要請　動 (〜を)要請する

- We will accept your **request** on the following conditions:
  (以下の条約付きであなたの申請を受理します) ➲ accept (240), condition (204)
- Thanks very much for your letter **requesting** our catalog.
  (カタログ請求のお手紙, ありがとうございます) ➲ catalog (953)

52	**account** [əkáunt]	名 勘定・口座, (ユーザ登録)アカウント 動 《account for で》(ある割合を)占める

▸ accounting 名 会計・経理　▸ accountant (1165)

- open a savings **account**(普通預金口座を開く) ➲ saving *(253)*
- an Internet **account**(インターネット・アカウント)
- Overseas sales now **account** for more than 50% of our business.
  (現在, 海外売上高は事業の 50%以上を占めている) ➲ overseas (552)

53	**cost** [kɔ́(ː)st]	名 代価・費用, 犠牲　動 (費用・時間・労力が)かかる

▸ costly (1935)

- The **cost** will be approximately $300.
  (費用はおおよそ 300 ドルです) ➲ approximately (1497)
- We must finish this work at any **cost**.
  (ぜひともこの仕事を終えなければならない)
  ▸ at any cost「どんなに犠牲をはらっても」→「ぜひとも」
- How much does it **cost**?(それはいくらかかりますか)

54 **program** [próugræm]
名（事業・活動などの）**計画**,（教育・訓練などの）**プログラム**, **番組**,（コンピュータ）**プログラム**　動 **プログラムを書く**

▶ programmer 名（コンピュータ）プログラマー
- a workplace improvement **program**
（職場環境改善プログラム［計画］）　➲ workplace (1305), improvement *(230)*
- a management training **program**
（管理者研修プログラム）　➲ management (411), training (78)
- a children's TV **program**
（子ども向けテレビ番組）
- **programmed** control（プログラム制御）　➲ control (367)

55 **way** [wéi]
名（～の・～する）**方法・やり方**（to do, of doing）, **道筋**, **方角**, **道のり**

- The easiest **way** to go there is to take a taxi.
（そこに行く一番簡単な方法はタクシーに乗ることです）
- Could you show me the **way** to the post office?
（郵便局へ行く道を教えていただけますか）　➲ show (64)
- Please come this **way**.（どうぞこちらへ）
- We have come a long **way**.（私たちは長い道のりを歩んできました）《比喩的な意味でも使う》

♣ way は「方法」を表す基本的な語。 ➲ method (364)

56 **part** [pá:rt]
名 **部分**, **部品・パーツ**, **役割**　動（～と）**別れる**（from）

▶ partial (1694)
- the major **part** of the funds（資金の大部分）　➲ major (212), fund (466)
- machine **parts**（機械の部品）　➲ machine *(1330)*
- play an important **part** in the project
（その計画において重要な役割を果たす）　➲ project (388)

57 **position** [pəzíʃən]
名（会社などの）**地位・役職**, **位置**, **姿勢**
動〔ある位置に〕（～を）**置く・配置する**

- apply for the **position** of branch manager
（支店長の職に応募する）　➲ apply (159), branch (196)
- tell the time from the **position** of the sun（太陽の位置で時を計る）
- a standing[sitting] **position**（立った［座った］姿勢）
- The vase is **positioned** on the edge of the table.
（花びんはテーブルの端に置かれている）　➲ edge (1520)

♣ 会社の重役など, 特定の重要な「地位」は post (122)。

58	**conversation** [kὰnvərséiʃən]	名 (～との・～についての) **会話** (with, about[on])

▶ converse 動 会話する

- It was good to have this **conversation** with you today.
  (本日この話し合いができてよかったです)
- have **conversations** about films (映画について語り合う) ➲ film (300)

59	**subject** [sʌ́bdʒekt]	名 **話題・主題, 学科** 形 《be ～ to で》(～を) **免れない・必要とする**

- Let's change the **subject**. (話題を変えましょう) ➲ change (21)
- This price is **subject** to change.
  (この値段は変更することがあります[変更を免れません])

♣ subject は会話や本などが取り上げる事柄(人・物・事)のこと。日本語では「トピック」や「テーマ」というが, topic は会話や本などの一部[一場面]の内容。theme (2236) は subject を通して示されるアイデアやメッセージのこと。ふつう抽象的な言葉で表現される。

60	**experience** [ikspíəriəns]	名 **経験**　動 (～を) **経験する**

▶ experienced 形 経験豊かな, ベテランの

- We have a great deal of **experience** with computers.
  (わが社はコンピュータに関して豊かな経験があります)
- It was the biggest earthquake I ever **experienced**.
  (それは今まで経験した中で一番大きな地震だった) ➲ earthquake (1086)

動詞 ②

61	**include** [inklúːd]	動 (～を) **含む・入れる** (⇔ exclude (2071))

▶ including 前 …を含めて

- Does the price **include** tax? (その価格に税金は含まれていますか)

62	**check** [tʃék]	動 (～を) **調べる**, (～を…に) **確認する** (with) 名 **検査・点検**, (レストランなどの) **勘定書, 小切手**

▶ check-in (1464)　▶ checkout (1465)

- I'll **check** and let you know soon. (調べてすぐにお知らせいたします)
- You'd better **check** with your manager. (マネージャーに確認した方がいい)
- There is a security **check** at the gate. (ゲートでセキュリティチェックがあります)
- May I have my **check**, please? (勘定書をください) ➲ security (461)

63 **suggest** [sʌgdʒést]

動 (~を)**提案する・勧める** (doing, that)

▶ suggestion 名 提案

- Could I **suggest** meeting on Tuesday?
  (火曜日にお会いするのはいかがでしょうか)
- I **suggest** you take a taxi.(タクシーで行ってはどうでしょう)

♣ 上の例文は suggest の後の that が省略されている。suggest に続く that 節では動詞の原形を使うことを確認しておこう。

64 **show** [ʃóu]

動 (~を)**見せる・示す**,〔研究・調査などが〕(~を)**示す**, (~を)**案内する** 名 **展示会, ショー**

〔show - shown[showed] - shown[showed]〕

- Could you **show** me this bag?
  (このかばんを見せてもらえますか)
- Research **shows** that women live longer than men.
  (調査は女性が男性よりも長生きすることを示している) ➲research (97)
- I'll **show** you around the factory.(工場をご案内しましょう)
- a trade **show** (展示会[見本市]) ➲trade (252)

65 **indicate** [índikèit]

動〔調査・研究などが〕(~を)**示す**,〔人・手紙などが〕(~を)**暗に示す・ほのめかす**, (~を)**指し示す**

▶ indication 名 徴候, 指示 ▶ indicator (2275)

- Research **indicates** that women live longer than men.
  (調査は女性が男性よりも長生きすることを示している)
- What is **indicated** about the event?
  (このイベントについて何が暗に示されていますか?)《Part 7 の問題文》
- This arrow **indicates** the loss of energy.
  (この矢印はエネルギーの減少を示す)

♣ show は事実やデータを具体的に示しているのに対して, indicate は傾向や可能性を間接的に示している・示唆しているという意味合い。

66 **mean** [míːn]

動 (~を)**意味する・表す**, (~の)**つもりで言う**, (~する)**つもりである** (to do)

〔mean - meant[mént] - meant〕 ▶ meaning 名 意味 ▶ meaningful (1847)

- The red light **means** "stop."
  (赤信号は「止まれ」を意味する)
- What do you **mean**?
  〔相手の言葉に対して〕(どういう意味?[どういうこと?])
- I didn't **mean** to hurt you.(君を傷つけるつもりはなかった) ➲hurt (840)

PART 1 LEVEL A LEVEL B

67 **notice** [nóutəs] 動(～に)気がつく 名 通知, 予告

▶ notify (870) ▶ noticeable (1793)

- Did you **notice** the Fragile sticker?
  (「割れ物注意」のステッカーに気づきましたか) ➲fragile (2505), sticker (1481)
- **Notice** of a public meeting (パブリックミーティング[市民集会]のお知らせ)
- I'm sorry to have to make this request on such short **notice**.
  (急にこんなお願いをしなければならず申し訳ありません)
  ▶ on short notice「急な知らせで・予告なしに→急に」

68 **sign** [sáin] 動(～に)署名する,《sign up で》(～に)申し込む(for) 名 標示・標識

▶ signal (1806) ▶ signature (1262) ▶ signage 名《集合的に》標識・看板

- Please **sign** both copies and return one to us.(両方にサインして1通を返送してください) ➲copy (127), return (112)
- **sign** up for the seminar (セミナーに申し込む) ➲seminar (899)
- post a **sign** on the wall (壁に標示を貼る[貼り紙をする]) ➲post (122)

♣ sign up は, 氏名・連絡先などを記入すること。日常的な場面でよく使う。 ➲register (425)

69 **increase** [inkrí:s] 動 増える・(～を)増やす 名 [ínkri:s] 増加(⇔ decrease (1324))

- The sales **increased** by 13%.(売上(高)は13%増加した)
- **increase** sales by 13% (売上(高)を13%増加させる)
- an **increase** in sales of 13% (13%の売上増)

70 **move** [mú:v] 動 動く・(～を)動かす, 移転する 名 移転, 行動

▶ movement 名(政治的・社会的)活動, 運動

- Don't **move**.(動くな)
- One of the men is **moving** a chair.(男性の1人が椅子を動かしている)
- We are **moving** our office to London.(わが社はオフィスをロンドンに移転します)
- a **move** into a new office (新しいオフィスへの移転)

71 **arrive** [əráiv] 動(～に)着く・到着する(at, in, on)(⇔ depart (913)), 〔物が〕届く

▶ arrival 名 到着

- As soon as you **arrive** in Osaka, please let me know.
  (大阪に着いたらすぐ知らせてください)

- The order **arrived** in good condition.
（注文品は良い状態で届きました） ➲condition (204)

72 **ship** [ʃíp] | 動（～を）輸送する,（～を）出荷［発送］する　名 船

▶ **shipping** 名 発送・出荷,《集合的に》船　▶ **shipment** (485)

- How much does it cost to **ship** by air?
（航空便で送るといくらかかりますか）
- Your order will be **shipped** tomorrow.
（ご注文の商品は明日発送されます）
- a passenger[cargo] **ship**（客［貨物］船）

♣ 輸送手段は船とは限らない。

名詞 ④

73 **list** [líst] | 名 表・リスト　動〔名簿などに〕（～を）載せる

- May I see the wine **list**, please?（ワインリストを見せていただけますか）
- The specials are **listed** on the menu.
（特別料理はメニューに載せてあります） ➲special (85)

74 **article** [ɑ́:rtikəl] | 名（～についての）記事 (about, on), 品物

- I recently read a magazine **article** about galaxies.
（最近，星雲に関する雑誌記事を読んだ）
- **articles** for everyday use（日用品）

75 **form** [fɔ́:rm] | 名（文書の）書式, 形・形状
動（～を）形づくる・構成する

- Please fill out the **form** and send it to us.
（この用紙に必要事項を書き込んで，送ってください） ➲fill (164)
- a novel in the **form** of a diary（日記体の小説）
- We **formed** a circle.（私たちは円陣を組んだ）

76 **type** [táip] | 名（物・事の）型・タイプ,（人の）タイプ
動（～を）タイプする・入力する

- What **types** of music do you prefer?（どんなタイプの音楽が好きですか）
- He is really my **type**.（彼は私の好みのタイプです） └➲prefer (234)
- **Type** your password, then press "Return."
（パスワードを入力して「リターン」キーを押します）

77	**system** [sístəm]	名 制度, 装置, 方式・システム

▶ systematic 形 体系的な
- an education **system**（教育制度） ➲education (538)
- an air(-)conditioning **system**（空気調節システム） ➲conditioning *(204)*
- an operating **system**（オペレーティング・システム《略》OS） ➲operate (301)

78	**training** [tréiniŋ]	名 訓練・養成,（スポーツの）トレーニング

▶ train 動 訓練する ▶ trainer 名 コーチ, トレーナー ▶ trainee (1542)
- job **training**（職業訓練）
- a management **training** program（管理者研修プログラム）

♣ 災害時の「避難訓練」は drill (1085)。

79	**director** [dəréktər]	名 取締役,（組織の）責任者・部長,（映画・テレビなどの）監督

▶ direct (141)
- a board of **directors**（取締役会） ➲board (145)
- marketing **director**（マーケティング部長）

80	**minute** [mínit]	名（時間・角度の）分, ちょっとの間,《~s で》議事録

- It's only a five-**minute** walk from here.（ここから歩いてたったの 5 分です）
- Wait a **minute**.（ちょっと待ってください）
- take the **minutes** of the meeting（会議の議事録を取る）

81	**end** [énd]	名 終わり, 突き当たり・端 動 終わる・（~を）終わらせる

- at the **end** of this month（今月の終わり[今月末]に）
- at the **end** of the corridor（廊下の突き当たりに） ➲corridor (2097)
- at both **ends** of the bridge（橋の両端に）
- The tour **ends** with a traditional fish-and-chips lunch.（ツアーは伝統的なフィッシュ・アンド・チップスのランチで終わります） ➲traditional (599)

82	**purpose** [pə́ːrpəs]	名 目的, 目標

- What is the **purpose** of your visit today?（今日は何の目的でお越しですか）
- She achieved her **purpose**.（彼女は目標を達成した） ➲achieve (574)

♣「目的」「目標」の意味の最も一般的な語。 類義語に **aim** (1317), **goal** (225), **target** (564), **object** (1773), **objective** (1778) などがある。

83	**mark** [mɑ́ːrk]	名 印, …台・水準 動 (～に)印をつける, 〔年・日が〕(記念日などに)あたる

▸ marked 形 著しい, 目立つ
- a check[question] **mark**(チェック[クェスチョン]マーク)
- reach[break] the $500 million **mark**
  (5 億ドル台に達する[を突破する])
- You must **mark** your answers on the separate answer sheet.
  (解答は別の解答用紙にマークしなさい)《TOEIC の指示文》 ➲separate (210)
- This year **marks** the company's 20th anniversary.
  (今年は会社創立 20 周年にあたる) ➲anniversary (372)

84	**software** [sɔ́(ː)ftwèər]	名 ソフトウェア(⇔ hardware (1329))

- accounting **software**(会計ソフト) ➲accounting *(52)*

形 容 詞 ②

85	**special** [spéʃəl]	形 特別な[の], 大切な 名 特別[臨時]のもの《特別番組・特別料理・特価品など》

▸ specially 副 特別に, 特に(= especially (384)) ▸ **specialize** (962)
- a **special** price(特別価格・特価)
- a **special** friend(特別な友だち[親友])
- today's **special**(本日の特別メニュー[おすすめ料理])

86	**even** [íːvn]	形 平らな, (速度などが)一定の 副 ～(で)さえ, ～すら

▸ evenly 副 等分に, 規則正しく
- an **even** surface(平らな表面) ➲surface (1288)
- swim at an **even** pace(イーブンペースで泳ぐ)
- **Even** expert drivers can make mistakes.
  (熟練したドライバーでさえミスをすることがある) ➲expert (313)
- I haven't **even** met her yet.(私はまだ彼女に会ったことさえない)

87	**international** [ìntərnǽʃənl]	形 国際的な

▸ internationally 副 国際的に, 世界的に
- an increase in **international** trade(国際貿易の増加) ➲trade (252)

88 **human** [hjúːmən]
形 人間の, 人間的な　名 人間(= human being)

- **human** resources(人的資源, 人事部[課])　➡resource (439)
- **human** emotion(人間らしい感情)　➡emotion (1870)
- No robot can replace a **human** (being).
  (どんなロボットも人間の代わりにはなれない)　➡replace (254)

89 **own** [óun]
形 自分自身の　動 (〜を)所有する

▶ owner 名 所有者
- He started a business of his **own**.(彼は自分自身の事業を起こした)
- The hotel is **owned** by a Chinese businessman.
  (そのホテルは中国人実業家が所有している)

90 **additional** [ədíʃənl]
形 追加の, そのほかの

▶ additionally 副 追加して, そのうえ
- an **additional** fee(追加料金)　➡fee (104)
- Please give me a call if you need **additional** information.
  (そのほかに何か情報が必要でしたらお電話ください)　➡information (25)

91 **extra** [ékstrə]
形 追加の, 余分の　副 余分に, 特別に
名 余分のもの

- Is there any **extra** charge?(追加料金はありますか)　➡charge (420)
- You have to pay **extra** for an express train.
  (急行列車には別に料金がかかります)
- He will have to study **extra** hard to pass the exam.
  (彼は試験にパスするために特別懸命に勉強しなければならないだろう)　➡pass (191)

92 **due** [d(j)úː]
形《be 〜で》(到着する・〜する)予定で(at, in, to do),
期日[期限]で,《〜 date で》期日[期限]

▶ overdue (1940)
- The flight from New York is **due** at 10:30.
  (ニューヨークからの便は10時30分に到着予定です)
- When is the event **due** to take place?
  (その行事はいつ行われる予定ですか)　▸ take place「行われる」
- Rent is **due** on the fifth of the month.(賃貸料の支払い期日は月の5日です)
  └➡rent (236)
- Please submit the report by the **due** date.
  (期日までにレポートを提出してください)　➡submit (406)

♣ due to A「A が理由で(= because of)」と混同しないように注意しよう。

93 **professional** [prəféʃənl]
形 プロの, 職業上の・専門職の
名 プロ（《略》pro）, 専門家（⇔ amateur (2169)）

▶ **professionally** 副 プロとして　▶ **profession** (1306)
- a **professional** soccer player（プロのサッカー選手）
- **professional** training（職業訓練, 専門教育）
- a tennis[golf] **professional**（テニス[ゴルフ]のプロ）

94 **popular** [pάpjələr]
形（～に）人気のある（among, with）, 大衆的な

▶ **popularity** 名 人気
- This model is very **popular** with young people.
（この型は若者に大変人気がある）　➲ model (151)
- a **popular** spot for watching the sunset
（夕日を眺めるのに人気のスポット）　➲ spot (558)
- a **popular** entertainment（大衆芸能）　➲ entertainment (536)

95 **pleased** [plíːzd]
形《be ～で》（～して）うれしい, 喜んで～する（to do）,
（～で）喜んでいる・満足している（with, about, that）

▶ **please** 動（～を）喜ばせる　▶ **pleasing** 形 心地よい, 楽しい
- (I am) **pleased** to meet you.
（お会いできてうれしいです[はじめまして]）《初対面のあいさつ》
- I'll be **pleased** to help you.（喜んでお手伝いいたします）
- I'm really **pleased** with the results.
（その結果にはとても満足している）

96 **present** [préznt]
形《be ～で》出席している（⇔ absent (1552)）,《名詞の前で》現在の
名 贈り物　動 [prɪzént]（～を）提出[提示]する,（～を）贈る

▶ **presence** 名 出席・同席, 存在　▶ **presentation** (413)
▶ **presently** 副 現在・目下
- He will be **present** at his son's wedding.
（彼は息子の結婚式には出席するだろう）
- the **present** economic conditions
（現在の経済状況）　➲ economic (1255)
- The report will be **presented** at the next meeting.
（報告書は次回の会議で提出されるだろう）

名詞 ⑤

97 research [ríːsəːrtʃ] | 名 研究, 調査　動 (～を)研究[調査]する

▶ researcher 名 研究者

- **research** and development (研究開発《略》R&D) ➡ development (304)
- do market **research** on the new product (新製品について市場調査をする) ➡ market (105)
- **research** the market (市場を調査する)

98  **survey** [sə́ːrvei] | 名 調査, 概観　動 [sərvéi] (～を)調査する

- carry out[conduct] a market **survey** (市場調査を行う) ➡ conduct (445)
- More than 50% of those **surveyed** agreed. (調査対象者の 50%以上が賛成した)

♣ survey はアンケートなどによる調査をいう。research は「調査・分析をすること」の意味で「不可算名詞」。

99 feature [fíːtʃər] | 名 特徴, (雑誌・番組などの)特集　動 (～を)特集する, (～を)特徴として備える

- This car has many safety **features**. (この車は多くの点で安全性に特徴がある) ➡ safety (462)
- a **feature** on traveling abroad (海外旅行の特集記事)
- be **featured** in a magazine (雑誌で特集される)

100 detail [díːteil] | 名《～s で》詳細, 細部,《in detail で》詳しく　動 (～を)詳細に述べる

▶ detailed (1250)

- Let's discuss the **details** over lunch. (詳細についてはお昼を食べながら話し合いましょう)
- explain in **detail** (詳しく説明する) ➡ explain (168)
- **detail** each of the changes (それぞれの変更点を詳しく説明する)

101 production [prədʌ́kʃən] | 名 製造, 生産(高)

▶ product (6)　▶ produce (326)

- **production** costs (製造原価)
- mass **production** (大量生産) ➡ mass (1774)

102 **material** [mətíəriəl]
名 原料・材料, 資料
形 物質の, 物質的な (⇔ spiritual (1869))

- raw **materials** (原材料) ➲raw (1101)
- building **materials** (建材)
- employee training **materials** (社員研修資料) ➲employee (385)
- the **material** world (物質世界)

103 **budget** [bʌ́dʒət]
名 予算　動 (～の) 予算を立てる (for)

- expand[cut] the **budget** (予算を拡大する[削減する]) ➲expand (430)
- **budget** for buying a new car (新しい車を買う予算を立てる)

104 **fee** [fíː]
名 (入場・入会の) 料金, 授業料, 手数料, (弁護士・医者などの) 報酬

- an entrance **fee** (入場料) ➲entrance (202)
- a registration **fee** (登録[参加]料) ➲registration (905)
- attorney's **fees** (弁護士報酬)

♣ 他の「料金」は **rate** (154), **charge** (420), **fare** (697) を参照。

105 **market** [mɑ́ːrkit]
名 市場・マーケット, (取引) 市場
動 (～を) 市場に出す・市販する

▸ **marketing** 名 営業・販売　▸ **marketable** 形 よく売れる, 市場向きの

- buy some fish at the **market** (市場で魚を買う)
- the international **market** (国際市場) ➲international (87)
- **market** the new version of the software
(ソフトウェアの新バージョンを販売する)

106 **tour** [túər]
名 (周遊) 旅行, 見学・視察
動 (場所を) 旅行する・見学する

▸ **tourism** (1290)　▸ **tourist** 名 旅行者

- I'd like to make a bus **tour** of England.
(イギリスのバス旅行をしたいのですが)
- a plant **tour** (工場見学[視察]) ➲plant (180)
- **tour** a factory (工場を見学する)

♣ tour はあちこちを見て回ること。「観光旅行」のほか,「工場視察」などの意味もある。「旅行」一般を表す語は **travel** (157), **trip** (146) など。

107 interview [íntərvjùː]
名 インタビュー, 面接
動 (～に)インタビューする・面接する

▸ interviewer 名 面接する人
- The reporter had an **interview** with the President.
  (その記者は大統領にインタビューした)　➲ reporter (35)
- a job **interview** (就職の面接)
- **interview** the President (大統領にインタビューする)

108 appointment [əpɔ́intmənt]
名 (人と会う)約束, (医者などの)予約,
　(～への)任命 (as, to)

▸ appoint (1473)
- I have an **appointment** to see Mr. Collins at 10:30.
  (コリンズ氏に 10 時 30 分にお会いする約束をしております)
- make an **appointment** to see a doctor (医者の[診察の]予約をする)
- his **appointment** as CEO (CEO への任命)　▸ CEO「最高経営責任者」

動詞 ③

109 set [sét]
動 (～を…に)置く, (～を)設定する　名 セット

〔set - set - set〕　▸ setting 名 環境
- He **set** the box down on the floor. (彼は箱を床に置いた[下ろした])
- He's **setting** a clock. (彼は時計(の時間を)を設定して[合わせて]いる)
- a cookware **set** (調理器具のセット)　▸ cookware「調理器具」

♣「セット」は関連のあるものの「ひとそろい」。特に「道具」のセットは kit (778)。

110 pay [péi]
動 (お金を)支払う, (請求書・家賃などを)払う,
　(注意などを)払う　名 給料・報酬

▸ payment 名 支払い(額)　▸ payable (2084)
- Can I **pay** by credit card? (カードで払えますか)　➲ credit (131)
- **pay** the rent (家賃を払う)　➲ rent (236)
- You should **pay** more attention to your health.
  (自分の健康にもっと注意を払うべきだ)　➲ attention (273)
- a **pay** raise (賃上げ, 昇給)　➲ raise (350)

111 choose [tʃúːz]
動 (～を)選ぶ・選択する

〔choose - chose - chosen〕　▸ choice (242)
- I can't decide which one to **choose**. (どちらを選ぶべきか決められない)

♣「選ぶ」の意味の一般的な語。類義語に select (446), pick (235) などがある。

112	**return** [ritə́ːrn]	動 戻る・(~を)戻す 名 戻る[戻す]こと,《~s で》利益・収益

- I'd like him to call back when he **returns**.
  (彼が戻りましたら折り返し電話をしてほしいのですが)
- I would like to **return** these papers.
  (これらの答案[レポート]を返したいと思います)
- get high **returns**(高い利益を得る)

♣ a return ticket は「帰りの切符」だが,《英》では「往復切符」の意味がある。《米》の「往復切符」は a round-trip ticket という。

113	**hold** [hóuld]	動 〔手に〕(~を)持つ,(~を)持ち続ける,(会などを)催す 名 握ること

〔hold - held - held〕
- One of the girls is **holding** a sketchbook.
  (女の子たちの1人はスケッチブックを手にしている)
- Please **hold** the line for a moment.
  (しばらく切らずにお待ちください)《電話で》 ➲ moment (611)
- The workshop will be **held** next Saturday afternoon.
  (ワークショップは次の土曜の午後に行われます) ➲ workshop (435)

114	**repair** [ripéər]	動 (~を)修理する 名 修理

▸ repairman 名 修理工(= repairer)
- Can you get this **repaired**?(これを修理してもらえますか)
- The **repairs** will cost about $1,000.(修繕費は約1,000ドルです)

115	**create** [krieit]	動 (~を)創造する・創り出す,(問題などを)引き起こす

▸ creation 名 創造 ▸ creative (598) ▸ creature (1039)
- We are trying to **create** a new market.
  (わが社は新しい市場を創り出そうとしています)
- **create** confusion for consumers
  (消費者に混乱を引き起こす[消費者を混乱させる])

116	**discuss** [diskʌ́s]	動 (~を…と)話し合う・議論する(with)

▸ discussion 名 議論
- I'd like to **discuss** this subject with you in person.
  (この件についてあなたと直接会って話し合いたいのですが) ➲ subject (59)

117 ■■	**expect** [ikspékt]	動 (～を)予期する, (～を)期待する, 《be ～ing で》(～するだろうと)待っている

▸ expectation 名 予想, 期待

- I didn't **expect** him to come.(彼が来るとは思わなかった)
- What do you **expect** me to do about it?
  (それについて私に何を期待しているの[やってほしいの])
- We're **expecting** some rain.(雨が降るのを待っている[降るはずだ])

♣ be expecting で「妊娠している」という意味。

118 ■■	**mention** [ménʃən]	動 (～に)言及する　名 (～への)言及(of)

- As I **mentioned** on the phone, ...
  (電話でも申し上げましたが…)
- What is NOT **mentioned** in the notice?
  (通知の中で言及されて「いない」ことは何ですか)《Part 7 の問題文》　➲ notice (67)
- He made no **mention** of it in his speech.
  (彼は演説でそのことについて言及しなかった)

119 ■■	**share** [ʃéər]	動 (～を)分ける, (～を)共有する 名 シェア・市場占有率, 株式(= stock (486))

▸ shareholder 名 株主(= stockholder *(486)*)

- Can I **share** a glass of wine with you?
  (ワイン1杯を分けて飲みませんか)
- **share** information with each other(互いに情報を共有する)
- a market **share** of 60%(60%の市場シェア)　➲ market (105)
- **share** prices(株価)

120 ■■	**add** [ǽd]	動 (～を)加える, 《add to で》(～を)増す

▸ added 形 追加の, 余分の　▸ addition 名 追加(すること), 追加分
▸ additional (90)

- I have nothing to **add**.(つけ加えることはありません)
- **add** a little salt to the dish(料理に塩を少々加える)　➲ dish (529)
- The news **added** to our happiness.
  (その知らせで私たちは一層うれしくなった)

♣ add to を「～を加える」の受け身形 be added to と混同しないよう注意。

名詞 ⑥

121 **line** [láin] ｜ 名 線, 路線, 行列, 電話線, (同種の)商品ライン

- a straight[curved] **line**(直[曲]線) ➲curve (1731)
- a network of bus **lines**(バス路線網) ➲network (1242)
- They are waiting in **line** for the tickets.
(チケットを買うために列をつくって待っている) ▸ wait in line「1 列に並んで待つ」
- Please hold the **line**.
(切らずにお待ちください)《電話で》 ➲hold (113)
- a new **line** of sports shoes
(スポーツシューズの新しいライン[新製品])

♣ 横の並びを **row** (560) という。 行進する「行列」は **procession**。

122 **post** [póust] ｜ 名 (会社などの重要な)地位, 郵便(= mail (219)), 柱
動〔掲示板・ウェブサイトに〕(~を)掲示する・アップする

▸ postal 形 郵便の ▸ postage 名 郵便料金

- He resigned his **post**.(彼は職を退いた) ➲resign (1917)
- a **post** office(郵便局)
- The schedule will be **posted** on our website.
(スケジュールはウェブサイトに掲載されます) ➲schedule (11)

♣「郵便」は米語では **mail** がふつう。 ただし「郵便局」は **post office** という。

123 **address** [ədrés] ｜ 名 住所, (公式な)演説・式辞
動 (~に)宛名を書く, (~で・~に)講演する

▸ addressee 名 受取人

- May I have your name and **address**?(お名前と住所をいただけますか)
- give an opening **address**(開会の演説をする[開会の辞を述べる]) ➲opening *(19)*
- Thank you for your letter of May 5 **addressed** to Peter Ross.
(ピーター・ロス宛て 5 月 5 日付のお手紙ありがとうございました)

♣ **address** は公式な場で行う「演説・式辞」。**speech** は一般的に行う「演説・講演」。

124 **message** [mésidʒ] ｜ 名 伝言, (携帯電話の)メール(= text message), (人が)伝えようとしていること

- Could I leave a **message**?(伝言をお願いしたいのですが)
- a telephone **message**(電話の伝言[メッセージ])
- Did you get my text **message**?(メール届いた?)
- Their action sends a clear **message** to the world.
(彼らの行動は世界に明確なメッセージを送っている) ➲action (562), clear (214)

125 **note** [nóut] | 名 覚え書き・メモ,《~s で》(講義などの) 記録・ノート 動 (~に) 注目する・注意を払う

▶ notable 形 注目に値する
- make a **note** of his e-mail address (彼の E メールアドレスをメモする)
- take **notes** of the lecture (講義のノートを取る)
- Please **note** that the library is closed on Mondays. (図書館は月曜休館ですのでご注意ください)

♣ 日本語の「メモ」に memo (882) は使わない。

126 **library** [láɪbrèri] | 名 図書館, 図書室

▶ librarian 名 図書館員, 司書
- a public **library** (公共図書館)

127 **copy** [kápi] | 名 写し, (本などの) ~部 [冊] 動 (~を) 複写する・コピーする

▶ photocopy (1640)
- Here's a **copy** of my report. (これが私の報告書のコピーです)
- Her book has sold over 50,000 **copies**. (彼女の著書は 5 万部以上売れている)
- He asked me to **copy** my report. (彼は私の報告書をコピーさせてほしいと言った)

128 **technology** [teknálədʒi] | 名 科学技術

▶ technological (1699)
- information **technology** (情報技術《略》IT)

129 **course** [kɔ́ːrs] | 名 講座, 針路, (スキー・ゴルフなどの) コース

- Is there a final for this **course**? (この講座には最終試験がありますか) ➲ final (139)
- change one's **course** (針路を変える)
- a golf **course** (ゴルフコース)

♣ 競技用トラックやプールの区切られた「コース」は lane (340) を使う。

130 **issue** [íʃuː] | 名 問題 (点), (雑誌などの) …号 動 (書類などを) 発行する, (声明・命令などを) 発する

- Global warming is one of the biggest **issues** today. (地球温暖化は今日の重大問題の 1 つだ) ➲ global (945)

- the January **issue** of "TIME" magazine(『タイム』誌の１月号)
- **issue** a certificate(証明書を発行する) ➲certificate (928)
- A heavy rain warning was **issued** this morning.
  (大雨警報が今朝発令された) ➲warning *(1382)*

131 **credit** [krédit]
名 **信用取引**(クレジット), **信用**
動 (口座に) **入金する・振り込む**

- What kind of **credit** cards do you accept?
  (どのクレジットカードを受け付けますか)
- a customer's **credit** history
  (顧客の信用履歴)《信用取引の履歴》
- Your refund will be **credited** to your bank account.
  (返金はお客様の銀行口座に入金されます) ➲refund (465)

132 **quality** [kwáləti]
名 **品質** (⇔ quantity (980))

- products of high **quality**(高品質の製品)
- provide customers with high **quality** service
  (顧客に高品質のサービスを提供する) ➲provide (23)

♣ 名詞の前では high quality を high-quality とつづることが多い。

形容詞 ③

133  **expensive** [ikspénsiv]
形 **高価な** (⇔ cheap (693), inexpensive (641))

▸ expense (464)
- I'm afraid it's too **expensive** for me.(それは私には高すぎると思います)

134  **busy** [bízi]
形 (～で) **忙しい** (at, with, (in) doing),
(人・車で) **混雑している**, (電話が) **話し中の**

- I've been very **busy** with work.(仕事で大変忙しいです)
- a **busy** street(混雑している通り[繁華街])
- I tried to call him, but the line was **busy**.(彼に電話をしたが話し中だった)

135  **personal** [pə́ːrsənl]
形 **個人の, 個人的な**

▸ person 名 人　▸ personally 副 個人的に(は)　▸ personality (844)
- These are for my **personal** use.(これは私の身の回り品です)
- May I ask you a **personal** question?
  (個人的な[立ち入った]ことを聞いていいですか)

136	**successful** [səksésfəl]	形 (計画・仕事などに)成功した

▸ successfully 副 うまく, 首尾よく　▸ success (271)
- The marketing campaign was **successful**.
  (その販売キャンペーンは成功だった)　➲ marketing *(105)*, campaign (467)
- a **successful** businessman (成功した実業家)

137	**fair** [féər]	形 公正な, (肌・髪が)明るい色の 名 見本市, 展示会 (= show (64))

- That's not **fair**. (それはずるいよ)
- Her skin is very **fair**. (彼女は肌がとても白い)
- a trade **fair** (見本市)

♣ TOEIC では a trade show が多い。

138	**latest** [léitist]	形 最近の・最新の, 《at the latest で》遅くとも

- What's the **latest** news? (最近変わったことはありましたか)
- I'll be able to ship it by this weekend at the **latest**.
  (遅くとも今週末までには出荷できると思います)

♣ latest は late の最上級で「(順序が)最も遅い」が基本の意味。

139	**final** [fáinl]	形 最後の・最終の, 最終的な　名 決勝戦, 最終試験

▸ finally 副 ついに, 最後に　▸ finalist 名 決勝進出者 [チーム]
- the **final** chapter (最終章)
- make a **final** decision (最終的な決定を下す)　➲ decision *(182)*
- the 2002 World Cup **finals** (2002 年ワールドカップの決勝戦)

140	**short** [ʃɔ́:rt]	形 短い, 《be ~で》(~が)不足している (of)

▸ shorten 動 (~を)短くする [短くなる]　▸ shortage 名 不足　▸ shortly (1501)
- Let's have a **short** rest. (ちょっと休もう [短い休みをとろう])　➲ rest (949)
- We are a little **short** of cash. (少し現金が不足している [足りない])

141	**direct** [dərékt]	形 副 直接の [に] 動 (~に)道を教える, (~を・~に)向ける・導く

▸ directly (990)　▸ direction (150)　▸ director (79)
- a **direct** flight to San Jose (サンノゼ行き直行便)
- Does this train go **direct** to Chicago? (この列車はシカゴに直行しますか)

• Can you **direct** me to the gate?（入り口までの道を教えてくれますか）
• Please **direct** any questions to the manager.
（質問はマネージャーに向けてください[までお願いします]）

142	**excellent** [éksələnt]	形 優れた・すばらしい

▶ excellence 名 優秀さ　▶ excel (2216)
• I thought it was an **excellent** idea.（それはすばらしい考えだと思った）

143	**assistant** [əsístənt]	形 補助の, 副…　名 助手

▶ assist (915)
• **Assistant** Manager of the Sales Department
（営業部副支配人）　➲ department (387)
• a teaching **assistant**（教育助手《略》TA）

144	**official** [əfíʃl]	形 公式の, 公の　名 公務員, 職員

▶ officially 副 公式に　▶ office (3)
• make an **official** statement（公式声明を発表する）　➲ statement (347)
• government **officials**（国家公務員）

名詞 ⑦

145	**board** [bɔ́ːrd]	名 板, 重役会,《on board で》(船・飛行機などに) 乗って 動 (乗り物に) 乗り込む

▶ boarding 名 搭乗
• a bulletin **board**（掲示板）　➲ bulletin (1398)
• a **board** meeting（取締役会議）
• get on (**board**) the plane（飛行機に搭乗する）
• Where can I **board** the ship?（乗船場はどこですか）　➲ ship (72)

146	**trip** [tríp]	名 旅行, 出張

• We are going on a **trip** to Canada this summer.
（私たちはこの夏, カナダ旅行に行く予定です）
• Mr. Wada is now on a business **trip**.
（ワダ氏は現在出張中です）

♣ trip は「旅行」を表す一般的な語。 行き先や目的などの表現を伴うことが多い。動詞（旅行する）の意味では使わない。 ➲ tour (106), travel (157)

250 500 750 1000 1250 1500 1750 2000 2250 2500

147 **traffic** [trǽfik] | 名 交通(量)

- air[sea] **traffic**(航空[海上]交通)
- The **traffic** is very heavy today.(今日は交通量が非常に多い) ➲heavy *(1153)*
- **traffic** accident(交通事故)

148 **passenger** [pǽsən(d)ʒər] | 名 乗客, 旅客

- The streetcar is filled with **passengers**.
  (路面電車は満員の乗客を乗せている)

♣ 車の助手席を the passenger seat という。

149 **air** [éər] | 名 空気, 空中, 飛行機(の) 動 (~を)放送する

- an **air** conditioner(空気調節装置, エアコン) ➲conditioner (2468)
- travel by **air**(飛行機で旅をする) ➲travel (157)
- The program will be **aired** tomorrow.(その番組は明日放送される)

150 **direction** [dərékʃən] | 名 方向, 《~s で》指示・説明(書)

▸ direct (141)
- the opposite **direction**(反対の方向) ➲opposite (742)
- Read the **directions** carefully.(指示[説明]書を注意して読みなさい)

151 **model** [mɑ́dl] | 名 型式, (~の)手本・模範, 模型, (ファッション)モデル(= fashion model)

- the latest **model**(最新型) ➲latest (138)
- He is a **model** of leadership.(彼はリーダーシップの模範だ) ➲leadership *(158)*
- a full-scale **model**(実物大の模型) ➲scale (698)

152 **furniture** [fə́:rnitʃər] | 名 《集合的に・単数扱い》家具

- a set of kitchen **furniture**(台所用家具ひとそろい) ➲set (109)
- a piece of antique **furniture**(骨董家具の1つ) ➲antique (1460)

♣ 1点の家具を表すときは a piece of とする(複数は ... pieces of)。

153 **unit** [jú:nit] | 名 単位(量), (完成品の)1個, (1つの機能を持つ)装置

- a **unit** of length[weight](長さ[重量]の単位) ➲weight (628)

- a **unit** price（単価）
- How much would it cost for 30 **units**?
  （30 個ではいくらになりますか）
- an air(-)conditioning **unit**（空調設備） ➲conditioning *(204)*

154 

rate [réit]	名 割合, 料金　動（～を）評価する

▸ rating 名 格付け
- tax **rates**（課税率・税率） ➲tax (1006)
- What is the **rate** for the room?（この部屋の料金はいくらですか）
- He is **rated** as the top golf player.
  （彼はトップゴルフ選手と評価されている）

♣ rate は使用量・時間などで計算される料金。 他の「料金」は **fee** (104), **charge** (420), **fare** (697) を参照。

155 

case [kéis]	名 場合, 事例, 事件・訴訟

- In that **case**, I'll call again next week.
  （その場合は，来週もう一度電話をします）
- This is a very interesting **case**.（これは大変興味深い例です）

156 

bill [bíl]	名 請求書, 紙幣, 法案　動（～に）請求書を送る

- I'll send you the **bill**.（請求書をお送りします）
- a five-dollar **bill**（5 ドル紙幣）
- Would you like to pay now, or be **billed** later?
  （今お支払いになりますか，のちほど請求書をお送りいたしますか）

♣ レストランなどの「勘定書」の意味もあるが，《米》では **check** (62) がふつう。

動詞 ④

157 

travel [trǽvl]	動 旅行する,（物が）移動する・進む・伝わる 名 旅行,《~s で》（遠方への）旅行

- **travel** by air[train]（飛行機[列車]で旅行する）
- Light **travels** faster than sound.（光は音よりも速く進む）
- air[rail] **travel**（飛行機[鉄道]旅行）
- **travels** around the world（世界一周旅行）

♣「旅行」一般を表すときは不可算名詞扱い。 複数形にすると各地を訪ねる長距離旅行の意味。

158 	**lead** [líːd]	動 (～を・～へ)導く,〔道などが〕(～に)通じる(to), リードする, (～な生活を)送る　名 先導

〔lead - led - led〕

▶ leader 名 指導者　▶ leadership 名 指導力　▶ leading 形 主要な

- She **led** us to our seats.(彼女は私たちを席に導いた)
- Where does this road **lead**?(この道はどこへ通じるのか)
- The East is **leading** the West 5 to 2.(東が西を 5 対 2 でリードしている)
- **lead** a peaceful life(平穏な人生を送る)

159 	**apply** [əplái]	動 (職・会社などに)応募する・申し込む(to, for), (～を…に)応用する(to)

▶ application (417)　▶ applicant (860)　▶ applicable (1941)

- **apply** for a job(仕事に応募する)
- **apply** new technology to the basic design
  (新しい技術を基本設計に応用する)　➲ technology (128), basic (216)

160	**prepare** [pripéər]	動 (～を)用意する, (～に)備える(for), 《be ～d to do で》～する用意がある

▶ preparation 名 準備

- Your table is being **prepared**.
  (あなたのテーブルはまもなく用意が整います)
- He is busy **preparing** for the meeting next week.
  (彼は来週の会議の準備で忙しい)
- We are **prepared** to offer you an annual salary of $120,000.
  (あなたに 12 万ドルの年俸を出してもよいと思っています)　➲ annual (888), salary (1169)

161	**join** [dʒɔ́in]	動 (組織・人・活動などに)加わる・参加する, (～を)つなぐ

- Mr. Taro Wada will **join** our company as of April 1.
  (4 月 1 日付でワダ・タロウ氏がわが社に入社します)　▶ as of「(日時)以降に」
- Would you **join** us for a drink?(一緒に一杯いかがですか)
- **join** a workshop(ワークショップに参加する)　➲ workshop (435)
- **join** hands(手をつなぐ, 手を携える)

162	**enjoy** [endʒɔ́i]	動 (～(すること)を)楽しむ(doing)

▶ enjoyment 名 楽しむこと, 享受　▶ enjoyable (1689)

- I've really **enjoyed** this evening.(今夜は本当に楽しかったです)
- I've really **enjoyed** talking with you.
  (あなたとお話ができて本当に楽しかったです)

163 **run** [rʌ́n] | 動 走る, (~を)動かす[動く], (~を)経営する・運営する, (記事・広告などを)掲載する

▸ running 形 走る・走っている, 稼動中の

- The buses **run** every ten minutes.(バスは 10 分おきに走っている)
- The new engine **runs** more quietly.
  (新型のエンジンは動きがより静かだ)
- His father **runs** a big company.
  (彼の父親は大企業を経営している[の経営者だ])
- **run** an ad in a paper(新聞に広告を掲載する) ➲ad (193)

164 **fill** [fíl] | 動 (~を)満たす(⇔ empty (644)), (~を…で)いっぱいにする(with), 《fill out[in] で》(書類などに)書き込む

- Please **fill** it up.(満タンにしてください)《ガソリンスタンドで》
- The hall was **filled** with people.(ホールは人でいっぱいだった)
- Please **fill** out the form and send it to us.
  (この用紙に必要事項を書き込んで, 送ってください) ➲form (75)

165 **happen** [hǽpn] | 動 起こる, 偶然~する(to do)

▸ happening 名 出来事

- What **happened**?(何が起きたのですか)
- Do you **happen** to know his address?
  (ひょっとして彼の住所を知っていますか) ➲address (123)

166 **support** [səpɔ́ːrt] | 動 (人・考えなどを)支持する, (物を)支える 名 支持, (技術)支援・サポート

▸ supporter 名 支持者, 支援者

- I **support** Roger's view on this.
  (これに関して私はロジャーを支持します) ➲view (198)
- You can count on my full **support**.
  (私は全面的に支持しますよ) ➲count (571)
- technical[tech] **support**(技術サポート)

167 **delay** [diléi] | 動 (~を)延期する・遅らせる 名 延期, 遅れ

- We cannot **delay** any longer.(これ以上延期はできない)
- Departure was **delayed** by bad weather.
  (悪天候のために出発が遅れた) ➲departure *(913)*
- We apologize for the **delay**.(遅れたことをお詫びします) ➲apologize (311)

168  **explain** [ikspléin] | 動 (～を)説明する

▸ explanation 名 説明　▸ explanatory 形 説明[解説]のための

- Could you **explain** that again?
（もう一度それを説明してもらえませんか）

名詞 ⑧

169  **paragraph** [pǽrəgræ̀f] | 名 (文章の)段落, パラグラフ

- This is the key **paragraph** in the article.
（ここは記事の中の重要な段落です）

170  **record** [rékərd] | 名 記録, 最高記録
動 [rikɔ́:rd](～を)記録する・録音する　形 記録的な

- Don't you have any **record** of my order?
（私の注文についてそちらに記録がないのですか）
- break sales **records**（売上記録を更新する）
- In Fukuoka, 260 mm of rain was **recorded** on Tuesday.
（福岡では火曜日に 260 ミリの雨が記録されました）
- **record** sales[profits]（記録的売上[利益]）

171 **result** [rizʌ́lt] | 名 結果, 成果　動 (～な)結果に終わる(in),
(～から)結果として生じる(from)

- I will let you know as soon as we get the test **results**.
（テストの結果がわかり次第あなたに知らせます）
- I hope that the plan will **result** in much more sales.
（その企画で売上が増えるといいですね）
- Our big success **resulted** from constant effort.
（私たちの大きな成功は, 絶え間ない努力の賜物[結果]です）

♣「結果」を表す一般的な語。 ➲ effect (553), consequence (1063)

172 **receipt** [risí:t] | 名 領収(書), 受領

▸ receive (24)

- Can I have a **receipt**, please?（領収書をもらえますか）
- Delivery will be within two weeks of **receipt** of your order.
（ご注文をいただいてから 2 週間以内にお届けします）　➲ delivery (424)

173 **point** [pɔ́int] 名 点, (カードなどの) ポイント, 要点 動 (～を) 指し示す (at, to), (～を) 指摘する (out)

- an objective **point** (目標地点) ➲ objective (1778)
- I see your **point**. (要点[言いたいこと]はわかるよ)
- She **pointed** directly at him.
  (彼女はまっすぐ彼を指さした) ➲ directly (990)
- The teacher **pointed** out the mistakes in my composition.
  (先生は私の作文の誤りを指摘した) ➲ composition *(1886)*

174 **sample** [sǽmpl] 名 見本, 標本 動 (～を) 試食[飲]する, 試す

- Let me offer you a free **sample**. (試供品をお受け取りください) ➲ offer (22)
- I'd like to take a blood **sample**. (血液のサンプルをとりたいのですが)
- **sample** a dish (料理を試食する) ➲ dish (529)

175 **award** [əwɔ́ːrd] 名 賞, 賞品 動 (人に賞を) 与える

- win an Academy **Award** (アカデミー賞を獲得する) ➲ win (334)
- He was **awarded** the Medal of Honor this year.
  (彼は今年, 名誉勲章を授与された) ➲ honor (537)

176 **opportunity** [àpərt(j)úːnəti] 名 (～の・～する) 機会・好機

- investment **opportunities** (投資の機会) ➲ investment *(863)*
- I hope you will have an **opportunity** to come to Lexington soon.
  (レキシントンにおいでになる機会が早く訪れることを願っています)

♣ 目的・願望を実現できそうなよい機会。「(偶然に来る) 機会」は chance (269)。

177 **state** [stéit] 名 状態・状況, 国家, 州 動 (～を) 述べる

▸ stated 形 述べられた, 前述の ▸ statement (347)

- What's the **state** of the Japanese yen today?
  (今日の円の状況はどんなですか)
- Would you please **state** your name? (お名前を言っていただけますか)

♣「述べる」の意味は《フォーマル》。

178 **task** [tǽsk] 名 仕事, 任務

- complete a **task** (仕事を完遂する) ➲ complete (43)

179 **skill** [skíl] | 名 **技能・技術, (優れた)技量・熟練**

▶ skilled 形 熟練した　▶ skillful (2188)

- He has basic computer **skills**. (彼は基本的なコンピュータ技能がある)
- She showed great **skill** on the piano. (彼女はピアノで優れた腕前を見せた)

180 **plant** [plǽnt] | 名 **植物, 工場(設備)**　動 (〜を)**植える**

- The room is filled with **plants** and flowers.
  (その部屋は草花であふれている)
- a car manufacturing **plant** (自動車製造工場)　➲ manufacture (429)
- The trees are **planted** along the center line.
  (センターライン沿いに樹木が植えられている)

動詞 ⑤

181 **cover** [kʌ́vər] | 動 (〜を)**覆う**, (〜を)**カバーする**《扱う・補償する・報道する》
名 **覆い, 表紙**

▶ coverage (2269)

- **cover** a sofa with a blanket (ソファーを毛布で覆う)
- **cover** a lot of subjects (いろんなテーマ[主題]を扱う)　➲ subject (59)
- Will my insurance **cover** this?
  (これは保険でカバーされますか)　➲ insurance (929)
- the **cover** of Business World Magazine (ビジネス・ワールド誌の表紙)

182 **decide** [disáid] | 動 (〜(すること)を)**決める・決心する**

▶ decision 名 決定, 決心

- Have you **decided** yet? ((ご注文は)もうお決まりですか)
- I've **decided** to set up my own company.
  (私は会社を設立することを決めた[決心した])　▸ set up「設立する」

183 **turn** [tə́ːrn] | 動 (向きを)**変える・向く**, (〜を)**回す[回る]**, (〜に)**変える[変わる]** (into, to)　名 **順番, 回転, 変化**

- **Turn** right at the next corner. (次の角を右に曲がりなさい)　➲ corner (343)
- She **turned** the door knob. (彼女はドアノブを回した)
- Water is **turned** into steam by heat. (水は熱で蒸気に変わる)
- Next time it's my **turn**. (次回は私の番です)
- make a left **turn** [=make a **turn** to the left] (左へ曲がる)

184 **release** [rilíːs]
動 (～を…から)解放する(from), (レコード・映画などを)発売[公開]する　名 発売, 公開・公表

- She was **released** from the hospital last week.
  (彼女は先週退院した)
- A new version of the N-300 will be **released** next month.
  (新バージョンのN -300 は来月発売です)　➲ version (1172)
- a new product **release** (新製品発表)
- a press **release** (プレスリリース)《報道向け発表》　➲ press (426)

185 **invite** [inváit]
動 (～を)招待する, (～に…(すること)を)勧める・要請する(to do)

▸ invitation 名 招待(状)
- I'd like to **invite** you to[for] dinner. (あなたを夕食にお招きしたいのですが)
- He was **invited** to lead the group. (彼はそのグループを導くよう要請された)

186 **introduce** [ìntrəd(j)úːs]
動 (～を)紹介する, (～を)導入する・取り入れる

▸ introduction 名 導入, 紹介　▸ introductory 形 導入の, 入門の
- Let me **introduce** you to Mr. Saito. (サイトウ氏を紹介いたします)
- We have recently **introduced** our new Model 2000 to the market.
  (わが社は最近, 新型 2000 を市場に導入しました[発売しました])

187 **encourage** [enkə́ːridʒ]
動 (～を)励ます, (～するように)奨励する(in, to do)
(⇔ discourage (1628))

▸ encouragement 名 激励・奨励　▸ encouraged 形 勇気[元気]づけられた
▸ encouraging 形 励みになる
- I was greatly **encouraged** by his success.
  (彼の成功に大いに励まされた)
- **encourage** people to start their own business
  (人々に自分の事業を立ち上げるように奨励する)

188 **agree** [əgríː]
動 (～に)賛成する(with) (⇔ oppose (830)), (～(すること)に)合意[同意]する(to, to do) (⇔ disagree (672))

▸ agreement (923)
- I **agree** with you. (あなたに賛成です)
- **agree** to the request (依頼に同意する[応じる])　➲ request (51)
- We **agreed** to meet again next week. (来週また会うことで合意した)

189 **serve** [sə́ːrv] 動 (食事などを)出す, (～に)仕える, (～に)役立つ

▸ service (5) ▸ server 名 給仕, (ネットワーク)サーバー, (取り分け用)スプーン
- We don't **serve** alcohol.(お酒はお出ししていません)
- How can I **serve** you?(何か承りましょうか)
- It'll **serve** the purpose.(それは目的にかなうだろう) ➲purpose (82)

190 **display** [displéi] 動 (～を)陳列する 名 展示・陳列(品), 表示(装置)

- Merchandise is **displayed** in a store window.
(商品が店のウィンドウに陳列されている) ➲merchandise (877)
- His latest works are on **display** in the gallery. ► on display「展示されて」
(彼の最新の作品がギャラリーに展示されている) ➲latest (138)

191 **pass** [pǽs] 動 通り過ぎる, (時が)過ぎる・(時を)過ごす, (～を)手渡す, (試験などに)合格する 名 通行許可証

▸ passage (1061)
- **pass** through customs(税関を通過する) ➲custom (684)
- time **passes**(時がたつ)
- **pass** a busy day(あわただしい1日を過ごす) ➲busy (134)
- Please **pass** me the salt.(塩を取ってください)
- a commuter **pass**(通勤定期券) ➲commuter *(2032)*

192 **drive** [dráiv] 動 (～を)運転する, (人を)車に乗せていく, (～を)追いやる 名 ドライブ, (組織的な)運動・キャンペーン

〔drive - drove - driven〕
- Don't drink and **drive**.(飲んだら乗るな)
- Why don't I **drive** you home?(家まで車で送るよ)
- It **drives** me crazy.(それが私をいらいらさせる)
- the fund-raising **drive**(募金運動)

♣「運動・キャンペーン」の意味ではcampaign (467)と同義だが, driveは自発的な活動から広がった運動を指すことが多い。

名詞 ⑨

193 **advertisement** [ædvərtáizmənt] 名 広告・宣伝(《略》ad)

▸ advertise (404) ▸ advertising (194)
- put[place] an **advertisement** in the paper(新聞に広告を出す)

• a classified **advertisement**[ad]((部門別)案内広告，求人広告)

▸ classified「分類された」

194	**advertising** [ǽdvərtàiziŋ]	名 広告(業)，《集合的に》広告

▸ advertise (404)

• work in **advertising**(広告業で働く[広告に携わる])

• newspaper[press] **advertising**(新聞広告)

♣ ad(advertisement)は「(個々の)広告」，advertisingは「(集合的に)広告」，あるいは「広告業」を指す。

195	**agency** [éidʒənsi]	名 代理業，代理店

▸ agent 名 代理店・代理人

• an advertising[a travel] **agency**(広告[旅行]代理業)

196	**branch** [brǽn(t)ʃ]	名 支店，部門，枝

• the London **branch** of the Manhattan Bank(マンハッタン銀行のロンドン支店)

• open a **branch** office(支店を開設する)

• cut the dead **branches** from a tree(木から枯れ枝を切り落とす)

197	**level** [lévl]	名 水準・程度，高さ・高度　形 平らな 動 (～を)平らにする

• Stock prices are now at the lowest **level** in 10 years.
(株価は目下，過去10年間で最安値をつけている) ➲ stock (486)

• 1,000 meters above[below] sea **level**(海抜[海面下]1,000メートル)

• a **level** surface(平らな[傾いていない]面)

198	**view** [vjúː]	名 (～に対する)見方・意見，眺め 動 (～を)見る・眺める，(～を…と)見なす

▸ viewpoint 名 観点，立場

• In my **view**, that is wrong.(私の意見では，それは間違っている)

• I'd like a room with a **view** of the lake.(湖の見える部屋をお願いします)

• She's **viewing** the screen.(彼女はスクリーンを見ている) ➲ screen (247)

• The project was largely **viewed** as a success.
(このプロジェクトはおおむね成功したと見られている)

♣「見る・眺める」の意味では《フォーマル》。TOEICでは問題文でよく使うが，日常語ではlook atやwatchがふつう。

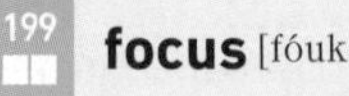

199	**focus** [fóukəs]	名 (興味・関心の)**中心・焦点**, (カメラなどの)**焦点** 動 (～に)**焦点を合わせる**(on)

- My main **focus** is on work.(私の一番の関心は仕事にある)
- The image is in **focus**.(この映像はピントが合っている) ▸ in focus「焦点が合って」
- Could you **focus** on the issue at hand please?
  (目の前の問題に焦点を合わせていただけますか) ▸ at hand「近くの[に]」

200	**section** [sékʃən]	名 **区分**, (会社の)**部[課]**

- I'd like the nonsmoking **section**.(禁煙席[禁煙の区域]をお願いします)
- He joined our sales **section** this year.(彼は今年我々の販売課に加わりました)

201	**front** [frʌ́nt]	名《the ～で》**前部・正面**, 《in front of で》(～の)**前に[で, の]** 形 **前部の, 正面の**(⇔ back「後部(の)・裏(の)」, rear (1943))

- the **front** of a car(車の前部[フロント部])
- Please stop in **front** of that building.(あの建物の前で止めてください)
- the **front** seat(前の座席)
- the **front** door(正面入り口)

202	**entrance** [éntrəns]	名 **入り口**(⇔ exit (910)), **入ること・入場, 入学・入社**

▸ enter (232)

- the **entrance** to a house(家の玄関)
- an **entrance** fee(入場料) ➲ fee (104)
- take an **entrance** exam(入学[入社]試験を受ける) ➲ exam (750)

203	**weather** [wéðər]	名 **天気・天候**

- What's the **weather** going to be like today?(今日の天気はどうなりそうですか)
- the **weather** (forecast)(天気予報) ➲ forecast (1563)

♣ 文脈で明らかなときは the weather で「天気予報」。

204	**condition** [kəndíʃən]	名 **状態**, 《～s で》**状況**, (契約などの)**条件** 動 (髪・肌などの)**調子[状態]を整える**

▸ conditioning 名 調整 ▸ conditioner (2468) ▸ conditional (2498)

- How did the doctor describe her **condition**?
  (医者は彼女の状態をどう説明したの?) ➲ describe (260)
- housing **conditions**(住宅事情[状況]) ➲ housing (1215)
- I want to present one **condition**.(条件を 1 つ提示したい) ➲ present (96)

形容詞 ④

205  **fine** [fáin]　形 結構な, 良い, 細かい, 元気な　名 罰金　動 (~に)罰金を科する

▶ finely 副 細かく

- Anytime would be **fine** with me.(私はいつでも結構ですよ)
- It's a **fine** day, isn't it?(良いお天気ですね)
- a **fine** line(細い線)
- a parking **fine**(駐車違反の罰金)
- He was **fined** $500 for speeding.
  (彼はスピード違反で 500 ドルの罰金を科せられた)

206  **correct** [kərékt]　形 正しい, 適切な　動 (誤りを)訂正する

▶ correctly 副 正しく, 正確に　▶ correction 名 訂正, 訂正箇所

- Am I **correct**?(私(の言っていること)は正しいですか)
- make a **correct** decision(適切な判断をする)　➲decision *(182)*
- **Correct** the errors, if any.(誤りがあれば正しなさい)　➲error (272)

207 **real** [rí:jəl]　形 現実の, 本当の(= genuine(2193), ⇔ false (1135))　副 本当に, とても(= really)

▶ really 副 本当に, 本当は　▶ realistic 形 現実的な　▶ reality 名 現実(性)

- The movie is based on **real** events.
  (この映画は現実の出来事に基づいている)　➲base (306)
- What is his **real** name?(彼の本当の名前[本名]は何ですか)
- **real** leather(本革)

♣ real estate で「不動産」の意味(estate (934))。

208  **original** [ərídʒənl]　形 元の, 独創的な　名 原物・原本

▶ originally 副 最初は, 元は　▶ origin (1606)

- the **original** plan(原案)
- an **original** plan(独創的な案)
- I'll make a copy and give you the **original**.
  (コピーを 1 部とったうえで, 原本をあげましょう)

♣ 上の例の original plan がどちらの意味になるかは文脈によって決まる。

209  **necessary** [nésəsèri] | 形 必要な, 必然的な(⇔ unnecessary「不必要な」)

▶ necessarily (2359) ▶ necessity (2274)

- the **necessary** information(必要な情報)
- It is **necessary** to study these materials before taking the exam.
  (試験を受ける前にこの資料を勉強しておく必要がある) ➲ material (102)
- a **necessary** consequence(必然的結果) ➲ consequence (1063)

210  **separate** [sépərət] | 形 離れた・別の, 別々の / 動 [sépərèit](～を)隔てる, (～を)分離する

▶ separately 副 別々に ▶ separation 名 分離

- The factory is **separate** from the office.
  (工場は事務所とは別のところにあります)
- Could we have **separate** checks?(勘定は別々にしてもらえますか) ➲ check (62)
- The two towns are **separated** by a river.(2つの町は川で隔てられている)

211  **regular** [régjələr] | 形 規則的な, 通常の, 普通の (⇔ irregular 形 不規則な, 不定期の)

▶ regularly (383)

- keep **regular** hours(規則正しい生活をする)
- a **regular** meeting(定例会議)
- **regular** size(普通[レギュラー]サイズ)

♣「普通の」は最も一般的であるという意味合い。 ➲ average (591), normal (690), common (689)

212  **major** [méidʒər] | 形 大きな・主要な, 重大な(⇔ minor (1593)) / 動 (～を)専攻する(in)

▶ majority (1557)

- We also accept **major** credit cards.
  (大手のクレジットカードでのお支払いもお受けします)
- a **major** problem(重大な問題)
- I'm **majoring** in French.(フランス語を専攻しています)

213 **senior** [síːnjər] | 形 (役職などが)上位の(⇔ junior「下位の」), 高齢の / 名 年長者, 上司(⇔ junior「年少者, 部下」)

- a **senior** vice president(上席副社長)
- a **senior** citizen(高齢者)《an old person の婉曲表現》 ➲ citizen (635)
- He is five years my **senior**.(彼は私の 5 歳年上です)

214 **clear** [klíər] — 形 明快な, 明白な・はっきりした, 晴れた 動 (~を)片付ける, 晴れる

▶ clearly 副 明らかに ▶ clearance (2437)

- make the point **clear**(論点を明確にする) ➲point (173)
- The difference was very **clear**.(その違いは極めて明白だった)
- a **clear** sky(晴れ渡った空)
- Could you please **clear** those books from the desk?
  (机の上の本を片付けてくれませんか)

♣ はっきりと見えていて疑いようがない。 ➲plain (1545)

215 **private** [práivət] — 形 個人の, 私有の, 私的な, 内密の (⇔ public (46))

▶ privacy (1565)

- take **private** lessons(個人レッスンを受ける)
- a **private** company(私企業・個人会社)
- a **private** letter(私信)
- Please keep this matter **private**.
  (この件は内密にしておいてください) ➲matter (369)

216 **basic** [béisik] — 形 基本の, 基礎的な, 基本的な 名 《~s で》基本・原則

▶ base (306) ▶ basically 副 基本的には

- **basic** ideas(基本的な考え方)
- a **basic** course in computers(コンピュータの基礎講座) ➲course (129)
- **basic** human rights(基本的人権)
- go back to the **basics**(原点に帰る)

名詞 ⑩

217  **future** [fjúːtʃər] — 名 未来, 将来 形 未来の

- No one knows what'll happen in the **future**.(未来のことは誰にもわからない)
- provide for the **future**(将来に備える) ➲provide (23)
- **future** plans(将来計画)

218  **interest** [íntərəst] — 名 興味・関心, 利息, 利害・利益 動 興味[関心]を持たせる

▶ interested 形 《be ~で》(~に)興味[関心]を持っている(in)

- Thank you for your **interest** in our products.
  (当社製品に関心をお持ちいただきありがとうございます)

- an **interest** rate（利率） ➲rate (154)
- protect the public **interest**（一般の人の利益[公益]を守る） ➲protect (961)
- That doesn't **interest** me much.（それにはあまり興味がわきませんね）

219 **mail** [méil] 名 郵便(物)（= post (122)） 動 郵送する, 投函する

- Please send this letter by air[surface] **mail**.
（この手紙を航空便[普通郵便]で送ってください） ➲surface (1288)
- Please **mail** or fax the instructions.
（指示書は郵便かファックスで送ってください） ➲instruction (483)
- Can you **mail** this for me?（これを投函してくれない?）

♣ e-mail は electronic mail の略。 ➲electronic (938)

220 **meal** [míːl] 名 食事

- I enjoyed the special **meal** very much.（その特別料理はとてもおいしかった）

♣ 食事の「時間」と, その時食べる「料理」の両方の意味。 食べる時間帯によって, breakfast, lunch, dinner になる。

221 **party** [pάːrti] 名 パーティー, 一行, 政党

- a dinner[luncheon] **party**（晩餐[午餐]会） ➲luncheon (1266)
- How many in your **party**?（何名様ですか）
- the Democratic[Republican] **Party**（民主[共和]党）

222 **host** [hóust] 名（パーティーの）主人(役), 主催者 動（~を）主催する

- act as **host** at a party（パーティーでホストを務める）
- the dinner **hosted** by the Prime Minister（首相主催の晩餐会）

223 **festival** [féstəvl] 名 祭り, 祭典

- a film[music] **festival**（映画[音楽]祭） ➲film (300)

224 **head** [héd] 名 頭,（組織の）長 動（~へ）向かう（to, for, forward）

- My **head** hurts.（頭が痛む） ➲hurt (840)
- the **head** of our department（私たちの部の部長） ➲department (387)
- The ship is **heading** for Hawaii.
（船はハワイに向かっている）

• After checking in, we will **head** to the room.
（チェックインを済ませたら，客室へ向かいます） ➲check in *(1464)*

♣ head「(～へ)向かう」は be headed ともいう。head office は➲office (3)。

225  **goal** [góul] 名 目標，ゴール・決勝点

• Our **goal** is to increase company sales by 10% this year.
（会社の目標は今年度売上を 10%上げることです） ➲sale (7)

• He scored two **goals** during the game.
（試合で彼は 2 つのゴールを決めた） ➲score (1873)

226  **response** [rispáns] 名 応答，反応

▶ respond (912)

• Here is my **response** to your inquiry.
（お問い合わせにお答えします） ➲inquiry (952)

• a positive **response** from the public
（大衆からの肯定的[好意的]な反応） ➲positive (1203)

227  **sentence** [séntəns] 名 文，判決

• A word, phrase, or **sentence** is missing in parts of each text.
（各テキストの一部に単語，フレーズ，センテンスが欠けている）《Part 6 の指示文》 ➲missing (542)

• a suspended **sentence**（執行猶予付きの判決） ➲suspend (2310)

228 **reason** [rí:zn] 名 理由，道理

▶ reasonable (1456)

• Do you mind my asking the **reason** for that decision?
（そのように決定した理由をお尋ねしてもよろしいでしょうか） ➲mind (344)

• listen to **reason**（道理に耳を傾ける）

動詞⑥

229	**allow** [əláu]	動 (～(すること)を)**許す** (to do) (⇔ forbid (1029)), (～(すること)を)**可能にする**

- Parking is not **allowed** here.
  (ここに駐車することはできません[駐車禁止です])
- Please **allow** me to introduce myself.
  (自己紹介をさせてください) ➲introduce (186)
- The Internet **allows** us to access information almost instantly.
  (インターネットはほとんど瞬時に情報にアクセスすることを可能にする) ➲instantly *(789)*

♣ ～するのを妨げない[容認する]という意味。 ➲permit (478)

230	**improve** [imprú:v]	動 (～を)**改善する・向上させる, 良くなる**

▶ improvement 名 改善, 向上

- **improve** the quality of our products
  (製品の品質を向上させる) ➲quality (132)
- His health gradually **improved**.
  (彼の健康は徐々に回復した) ➲gradually (1151)

231	**consider** [kənsídər]	動 (～を)**よく考える**, (～を…と)**見なす** (as, to be)

▶ consideration 名 考慮, 思いやり ▶ considerable (1602)

- We're **considering** moving out into the country.
  (私たちはその国へ引っ越すことを検討中です)
- She **considered** herself (to be) lucky. (彼女は自分が幸運だと考えていた)

232	**enter** [éntər]	動 (～に)**入る**, (～を)**入力[記入]する**, (活動・競技などに)**参加する**

▶ entrance (202) ▶ entry (1257)

- May I **enter** the room now? (いま部屋に入ってもいいですか)
- **Enter** your name and a password. (名前とパスワードを入力してください)
- **enter** a design contest (デザインコンテストに参加する) ➲contest (318)

233	**spend** [spénd]	動 (お金・時間を)**費やす**

〔spend - spent - spent〕 ▶ spending 名 支出, 消費

- I **spent** all my money. (お金を使い果たした)
- How do you **spend** your free time? (自由な時間をどう過ごしていますか)

234	**prefer** [prifə́ːr]	動 (〜を(…より))**好む**(to), (〜することを)**好む**(to do, doing)

▸ preference 名 好み
- I'd **prefer** a window seat.(できれば窓側の席がいいのですが)
- I **prefer** rice to bread.(パンよりご飯が好きだ)
- I **prefer** to sit in the front of the plane.(私は飛行機の前の方に座るのが好きだ)

235	**pick** [pík]	動 (〜を)**選ぶ・選び出す**(out), (物を)**取りに行く**(up), 〔車で〕(人を)**迎えに行く**(up)

- He **picked** his words carefully.(彼は慎重に言葉を選んだ)
- Will you **pick** out a book for me?(本を選んでくれますか)
- Where can I **pick** up the tickets?(チケットはどこへ取りに行けばいいのですか)
- I'll **pick** you up at around 9 o'clock at your hotel.
(9 時ごろホテルに迎えに行きます)

♣ pick「選ぶ・選び出す」は日常の場面で好きなものを選ぶこと。 ➲choose (111)

236	**rent** [rént]	動 (〜を)**賃借り[賃貸し]する**　名 **賃貸料, 家賃**

▸ rental (444)
- I would like to **rent** a car for three days.(3 日間, 車を借りたいのですが)
- How much is the **rent**?(賃貸料[家賃]はいくらですか)

237	**care** [kéər]	動 (〜を)**世話する**(for), (〜を)**気にかける**(about) 名 **世話, 注意**

- She **cares** for elderly patients.(彼女は高齢の患者を世話している)
➲elderly (1117), patient (549)
- He didn't **care** about the cost.(彼は費用のことなど気にしなかった)
- Take **care** of yourself.(お体を大切に[自分の世話をする])
▸ take care of「〜を世話する」

♣ take care of は care for と同義。 日常語では take care of がよく使われる。

238	**break** [bréik]	動 (〜を)**壊す[壊れる]**, (〜を)**破る**　名 **小休止**

〔break - broke - broken〕
- **break** a cup[window](コップ[窓ガラス]を割る)
- **break** a promise(約束を破る) ➲promise (587)
- Let's take a coffee **break**.(コーヒーブレーク[休憩]を取りましょう)

239	**lose** [lúːz]	動 (〜を)失う, (〜を)損する(⇔ gain (959)), (〜に)負ける(⇔ win (334))

〔lose - lost - lost〕 ▶ loss (1415)

- I've **lost** my passport.(パスポートを失くしてしまった) ➲passport (1462)
- The company **lost** $100,000 on the project.
  (その事業で会社は 10 万ドルの損失を出した)
- We **lost** the game 3-0.(3 対 0 で試合に負けた)

240	**accept** [əksépt]	動 (〜を)受け取る, (〜を)受け入れる(⇔ refuse (1478))

▶ acceptance 名 受諾, 容認 ▶ acceptable (738)

- Do you **accept** credit cards?(クレジットカードを使えますか) ➲credit (131)
- **accept** an invitation(招待を受け入れる[に応じる]) ➲invitation *(185)*

名 詞 ⑪

241	**opinion** [əpínjən]	名 意見, 《in my opinion で》私の考えでは…

- What is your **opinion**?(あなたの意見はどうですか)
- In my **opinion**, we should start the project as soon as possible.
  (私の考えでは, 可能な限り早くこの事業を開始すべきだと思う)

242	**choice** [tʃɔ́is]	名 選択(する権利・機会), 選択肢

▶ choose (111)

- make a difficult **choice**(難しい選択をする)
- I have no **choice** but to do it.
  (それをやるより他にどうしようもない[選択の余地がない])
- We have two **choices**: take a taxi or walk.
  (私たちには 2 つの選択肢があります。タクシーに乗るか歩くかです)

243	**mistake** [məstéɪk]	名 間違い, 誤り 動 (〜を)誤解する

〔mistake - mistook - mistaken〕

- He admitted that he had made a **mistake**.
  (彼は間違ったこと認めた) ➲admit (762)
- She **mistook** my meaning.
  (彼女は私の言いたかったことを誤解してしまった)

♣ 人の知識や判断が正しくなかったことをいう。 ➲error (272)

244 **fashion** [fǽʃən] | 名 流行(の物)《服・髪型など》

▶ fashionable (1745)
- She always wears the most up-to-date **fashions**.
  (彼女はいつも流行の最先端をいく服を着ている)　➲wear (262), date (36)
- a **fashion** model[designer](ファッションモデル[ファッションデザイナー])

245 **brand** [brǽnd] | 名 銘柄, 商標　動 (~に)商標名をつける

▶ branded 形 (有名)ブランドの
- a popular ice cream **brand**(人気のあるアイスクリームのブランド)　➲popular (94)
- a **brand** name(商標名)

♣ brand は, ある会社の特定の商品名(会社名ではない)。「有名ブランド(品)」を name brand という。company's branded products は「自社ブランド製品」。

246  **license** [láis(ə)ns] | 名 免許(状)　動《be ~ed で》許可を受けている

▶ licensed 形 免許[認可]を受けた
- Can I see your driver's **license**?(運転免許証を見せてもらえますか)
- Are you **licensed** to carry a gun?(銃を携帯する許可を得ていますか)

247 **screen** [skríːn] | 名 (テレビ・映画などの)スクリーン　動 (映画などを)上映する, (~を)選考する・検査する

▶ screening 名 (病気などの)検査, (適性などの)審査・選考
- a projector **screen**(プロジェクターのスクリーン)　➲projector (515)
- The film will be **screened** next week.(その映画は来週上映される)
- We **screened** over 30 applicants.(30 人以上の応募者を選考した)

248  **figure** [fígjər] | 名 数値・金額, 数字, 人影　動 (~と)考える(that), 《figure out で》(問題・答えが)わかる・解決する

- sales **figures**(売上高, 販売数)
- Are these **figures** accurate?(この数字は正確なものですか)　➲accurate (1486)
- I **figured** it was a good chance.(それはいい機会だと思った)　➲chance (269)
- We can't **figure** out what's wrong.(何が悪いのかがわからない)

249  **code** [kóud] | 名 記号・コード, 規則・規定

- an area **code**(市外局番)　➲area (30)
- an access **code**(アクセスコード)

- The company has a strict dress **code**.
  (その会社には厳しい服装規定がある) ➲strict (1091), dress (521)

250	**quarter** [kwɔ́ːrtər]	名 4分の1, 15分, 四半期

▶ quarterly (1348)
- A **quarter** of the members were absent.
  (メンバーの4分の1が欠席した) ➲absent (1552)
- It's a **quarter** to[past] three.(3時15分前[過ぎ]です)
- the first[second] **quarter** of the year(1年の第1[第2]四半期)

251	**cash** [kǽʃ]	名 現金　動 (～を)現金にする

▶ cashier 名 現金出納係・レジ係
- **Cash** or credit card?((お支払いは)現金ですか, クレジットカードですか)
- I'll pay in **cash**.(現金で支払います)
- I would like to **cash** this check.(この小切手を現金化したいのですが)

252	**trade** [tréid]	名 貿易　動 (～を・～と)貿易する・取引する(in, with), (～を…と)交換する(with)

▶ trading 名 取引　▶ trader 名 商人, トレーダー　▶ trademark 名 (登録)商標
- an increase in international **trade**(国際貿易の増加) ➲international (87)
- **trade** in electronic goods(電子製品を取引する) ➲goods (876)
- **trade** with China(中国と貿易をする)

動詞 ⑦

253	**save** [séiv]	動 (～を)救う, (～を)節約する, (～を)蓄える, (～を)保存する

▶ saving 名 節約, 《～ s で》貯蓄
- **save** the planet from global warming
  (地球温暖化から地球を救う) ➲planet (1010)
- **save** time and money(時間とお金を節約する)
- **save** money (up) for the future(将来のために貯蓄をする)
- Make sure to **save** the file to your computer.
  (必ずファイルをコンピュータに保存してください) ➲sure (40)

♣ save money は「節約する」と「ためる」の意味になるが, up を入れると「ためる」の意味が強調される。

254 replace [ripléis] 動 (～を…と)取り替える(with), (～に)取って代わる

▸ replacement (883)

- Please **replace** this broken vase with a similar one.
  (この割れた花びんを同じようなものと取り替えてください) ➲similar (376)
- Who do you think will **replace** Mr. M as CEO?
  (誰がM氏に代わってCEOになると思いますか)

255 appreciate [əprí:ʃièit] 動 (～に)感謝する, (～を)(正しく)認識する, (物・事の)良さがわかる

▸ appreciation 名 感謝, (通貨の)値上がり

- I really **appreciate** your support.
  (ご支援を心より感謝いたします) ➲support (166)
- **appreciate** the importance of protecting personal information
  (個人情報保護の重要性を認識する) ➲protect (961)
- **appreciate** good wine(ワインの良さがわかる)

256 express [iksprés] 動 (～を)表現する・表す 形 名 急行の(列車)(⇔ local (45)), 速達の(便)

▸ expression 名 表現, 表情

- I can't **express** how sorry I am.(お詫びの言葉もありません)
- Is this an **express** train?(この列車は急行ですか)
- **express** delivery(速達便) ➲delivery (424)

257 publish [pʌ́bliʃ] 動 (～を)出版する, (～を)発表する

▸ publication 名 出版 ▸ publisher 名 出版社

- The book was **published** in 1923.(その本は1923年刊です)
- He **published** the report in "The Journal of Medicine".
  (彼はその報告書を『The Journal of Medicine』誌に発表した) ➲journal (1632)

258 sound [sáund] 動 (～のように)聞こえる・思われる, (～を)鳴らす[鳴る] 名 音 形 健全な

- It **sounds** like a good idea.(それはいい考えだと思うよ)
- **sound** an alarm(警報を鳴らす) ➲alarm (796)
- Don't make a **sound**.(音をたてるな)

259 **remember** [rimémbər]
動 (～(したこと)を・～することを)**覚えている**(doing, to do), (～を)**思い出す**

- Do you **remember** her?(彼女を覚えていますか)
- I **remember** meeting her once.(彼女に一度会ったことを覚えている)
- **Remember** to switch the computer off. ▸switch off「(～の)電源を切る」
(コンピュータの電源を切るのを覚えていて[忘れないで])
- I can't **remember** where I put it.(それをどこに置いたか思い出せない)

260 **describe** [diskráib]
動 (～の様子を)**述べる・描写する**

▸ description 名 描写・記述
- Will you please **describe** what it is like?
(それがどんなものか説明してくれませんか)

261 **belong** [biló(:)ŋ]
動 (～に)**所属する**(to), (人の)**所有である**(to)

▸ belonging 名《～ s で》持ち物・所持品
- I **belong** to the Research & Development Department.
(私は研究開発部に所属しています)
- That **belongs** to him.(それは彼のものです)

262 **wear** [wéər]
動 (衣類などを)**着用している**, (～を)**すり減らす[すり減る]** (out, etc.) 名 **衣服, 摩耗**

〔wear - wore - worn〕
- The girl is **wearing** dark glasses.(その少女は黒メガネをかけている)
- My shoes have **worn** out.(靴がすり減ってしまった)
- Where is the ladies **wear** section?(女性服の売り場はどこですか)
- normal **wear** and tear ➲section (200)
(通常の使用による摩耗と裂傷)《売買契約などで使われる表現》 ➲tear (805)

♣ 日本語では着用しているものによって,「着ている・履いている・かぶっている・かけている」などになる。wear の合成語については footwear (2368)。

263 **follow** [fálou]
動 (～に)**ついて行く**, (忠告などに)**従う**, 《as follows で》**次の通りで[に]**

▸ following (37) ▸ follower 名 (思想などの)信奉者, ファン
- Please **follow** me.(私の後に続いてください)
- I suggest you **follow** his advice.
(彼の忠告に従った方がいいよ) ➲suggest (63), advice (275)
- My new address is as **follows**:(新しい住所は次の通りです) ➲address (123)

264 
continue [kəntínjuː] ｜ 動 続く・(～を)続ける(with, to do, doing)

▶ continued 形 連続した, 継続した　▶ continuous (1831)　▶ continual (1832)

- Dry weather will **continue** through the weekend.
  (乾燥した天候は週末いっぱい続くでしょう)
- I will **continue** to study the problem.(その問題の研究を続けるつもりだ)

名詞 ⑫

265 
age [éidʒ] ｜ 名 年齢, 時代, 《～s で》長い間

- at the **age** of fifteen(15 歳で)
- the space **age**(宇宙時代)
- I haven't seen you for **ages**!(長い間会っていませんでしたね)《久しぶりですね》

266 
period [píəriəd] ｜ 名 期間, 時期, ピリオド・終止符

▶ periodical (2234)

- an 18-month trial **period**(18 カ月の試用期間) ➲ trial (1401)
- an early **period** in history(歴史の初期)

267
exercise [éksərsàiz] ｜ 名 運動, 練習(問題)
動 運動する, (権利などを)行使する

- Take regular **exercise** to keep fit.
  (健康を維持するために規則正しい運動をしなさい) ➲ fit (375)
- piano **exercises**(ピアノの練習)
- **Exercise** regularly.(定期的に運動しなさい) ➲ regularly (383)
- **exercise** the right to vote(投票権を行使する) ➲ vote (563)

♣ 健康のための「運動」, 知識・技術を高める「練習(問題)」。「練習する」の意味では practice(268) がふつう。

268 
practice [prǽktis] ｜ 名 練習, 実行, 慣習
動 (～を)練習する, (～を)実行する

▶ practical (1208)　▶ practitioner 名 開業医[弁護士]

- **Practice** makes perfect.(習うより慣れろ)《ことわざ》
- put the plan into **practice**(計画を実行する)
- business **practice**(商習慣)《商取引における慣行》
- **practice** karate every day(毎日空手の練習をする)

♣ 技術・技能を身につける「練習」。定期的に反復練習するという意味。個人の習慣は habit (800), 社会的な習慣・慣習は custom (684)。

269 **chance** [tʃǽns] | 名 (偶然の)**機会**, (予想通りになる)**見込み**

- I hope I'll have a **chance** to see you again.
  (またお目にかかる機会があるよう願っています)
- There's a good **chance** of showers this evening.
  (今晩にわか雨の見込みが高い)

♣「(よい)機会」はopportunity (176)。客観的な見込み・可能性はpossibility *(44)*。

270 **effort** [éfərt] | 名 **努力**, (エネルギーを集中した)**取り組み**

- We'll make every **effort** to do it.
  (それをするために私たちはあらゆる努力をします)
- We must make an immediate **effort** to reduce costs.
  (私たちは早急に経費削減の努力をしなければならない[取り組まなければならない])

➲immediate *(991)*, reduce (427)

♣ 1 番目の例では an every effort とはしない。2 番目の例は具体的な行為を指しているので an をつける。

271 **success** [səksés] | 名 **成功**, 《a ～で》**成功した事・人**

▸ succeed (757) ▸ successful (136)

- I wish you **success** in your new business.
  (あなたの新しい事業のご成功をお祈りいたします)
- The event was a big **success**.(そのイベントは大成功だった)

272 **error** [érər] | 名 **誤り・ミス**

- **errors** in programming(プログラミングのエラー)
- correct a billing **error**(請求ミスを訂正する) ➲correct (206), bill (156)

♣ 人の知識・判断のほか, 技術的なミスなども表し, mistake (243)よりも範囲が広い。ときに非難する意味合いも含む。

273  **attention** [əténʃən] | 名 **注意・配慮**, **注目**

▸ attend (398) ▸ attentive (2119)

- Would you please pay more **attention** to packing next shipment?
  (次回の出荷時には梱包にもっと配慮してください) ➲pack (518), shipment (485)
- May I have your **attention**, please!
  (皆さまにご案内いたします[ご注目ください])《アナウンスで》

274 solution [səlúːʃən]

名 解決(策・法), 溶液

▶ solve (719)

- We need to find a new technological **solution**.
  (新たな技術的解決策を見出す必要がある)　➲technological (1699)
- chemical cleaning **solution**(化学洗浄液)

275 advice [ədváis]

名 助言・忠告

▶ advise (329)

- provide expert **advice**(専門家のアドバイスを提供する)　➲expert (313)
- Can I give you some **advice**?(ちょっと助言[忠告]をさせてもらえますか)

276 strategy [strǽtədʒi]

名 戦略

▶ strategic 形 戦略的な

- a marketing **strategy**(マーケティング戦略, 販売戦略)

形容詞⑤・副詞①

277 medical [médikəl]

形 医学の, 医療の

▶ medication 名 薬剤　▶ medicine (775)

- **medical** science(医学)
- **medical** care(医療・診療)　➲care (237)

278 helpful [hélpfəl]

形 役立つ, (人が)助けになる

- Thank you for your advice. It was very **helpful**.
  (ご助言ありがとうございました。とても役に立ちました)
- Thanks, you've been very **helpful**.(ありがとう, 本当に助かりました)

279 daily [déili]

形 毎日の, 日常の　副 毎日

▶ monthly (893)　▶ weekly *(893)*　▶ hourly (1741)　▶ annually *(888)*

- a **daily** newspaper(日刊紙)
- on a **daily** basis(毎日)
- One tablet three times **daily**.(1錠を1日3回)　➲tablet (1438)

280 national [nǽʃənl] 形 全国的な, 国立の, 国家の

▶ nation (721)　▶ nationality (1032)

- the **national** average (全国平均)　➲ average (591)
- a **national** park (国立公園)
- **national** interests (国益)

281 advanced [ədvǽnst] 形 進歩した・高度な, 上級の

▶ advance (408)

- **advanced** production technology (進んだ[高度な]製造技術)　➲ technology (128)
- an **advanced** business degree (上級経営学学位)　➲ degree (316)

282 recently [ríːsntli] 副 最近

▶ recent 形 最近の, 近ごろの

- That store opened quite **recently**. (あの店はごく最近開店した)

♣ recently は「過去」および「現在完了形」で使い, 現在時制ではふつう使わない。 ➲ lately (1858)

283 forward [fɔ́ːrwərd] 副 前方へ[に], 《look forward to で》～を楽しみに待つ 動 (～を)転送する

▶ backward 副 後方へ[に]

- move **forward** to the next step (次のステップに向かって前に進む[前進する])
- I'm looking **forward** to hearing from you soon. (すぐにお便りをもらえることを楽しみにしています)
- I **forwarded** your e-mail to two of my friends. (君の E メールを友だち 2 人に転送したよ)

♣ forward は前方への移動に焦点がある。

284 ahead [əhéd] 副 前方へ[に], 《ahead of で》(時間・場所)の前に[へ]

- I think we should go **ahead** with this plan. (この計画を進めるべきだと思います)
- We are three days **ahead** of schedule. (予定より 3 日早い)

♣ ahead は目標・到達点が意識されている。

285 
instead [instéd]
副 その代わりに,
《instead of で》~ではなく, ~の代わりに

- How about going to the movies **instead**?(代わりに映画に行くってのはどう?)
《movie については film(300) の注参照》
- The total will be $8,500 **instead** of $8,300.
(合計は 8,300 ドルではなく 8,500 ドルでしょう)
- I will go see him **instead** of you.(あなたの代わりに私が彼に会いに行くよ)

286 
probably
[prάbəbli]
副 たぶん, おそらく

▸ probable 形 ありそうな ▸ probability 名 見込み
- He is **probably** very busy.(彼はたぶんとても忙しいよ)

287 
actually
[ǽk(t)ʃuəli]
副 実は, 実際に(は)

▸ actual 形 現実の, 実際の
- Well, **actually**, you still owe me $50.
(実は, あなたはまだ私に 50 ドルの借りがあります) ➲owe (1480)
- Let me show you what **actually** happened.
(実際に何が起きたのかをご説明いたしましょう)

288
usually
[júːʒuəli]
副 いつもは, 普通は

▸ usual (545)
- I'm **usually** home by 7 o'clock.(普通は 7 時には帰宅しています)

名詞 ⑬

289 
floor [flɔ́ːr]
名 床, 階

- The worker is vacuuming the **floor**.
(作業員が床に掃除機をかけている) ➲vacuum (2302)
- What **floor** is your office on?(あなたの事務所は何階にありますか)

290
seat [síːt]
名 座席 動《be ~ed で》座る・座っている

- Please take[have] a **seat**.(どうぞお座りください)
- Please be **seated** at the table.(テーブルにご着席ください)

291 guide [gáid] 名 ガイド・案内人[書] 動 (〜を)案内する

▶ guidance (1687)
- a tour **guide** (観光ガイド)
- Where is the TV **guide**? (テレビガイド[番組案内]はどこ?)
- She **guided** the old woman to the station.
  (彼女はそのおばあさんを駅まで道案内した)

292 mall [mɔ́:l] 名 ショッピングモール, 遊歩道

- a large suburban shopping **mall**
  (郊外型大規模ショッピングセンター) ➲ suburban (2320)
- a pedestrian **mall** (歩行者遊歩道) ➲ pedestrian (2098)

293 shelf [ʃélf] 名 棚

- put the books on the **shelf** (棚に本を置く)

♣ 複数形は shelves。

294 tool [tú:l] 名 道具・工具, (〜するための)手段・ツール

- kitchen[gardening] **tools** (台所[庭仕事]用具)
- a power **tool** (電動工具)
- The Internet is a useful communication **tool**.
  (インターネットは便利なコミュニケーションツールである)

♣「手段・ツール」は, あることを実行するために使う道具の意味。 ➲ means (932)

295 cafeteria [kæfətíəriə] 名 カフェテリア《セルフサービスの食堂》

- the company[college] **cafeteria** (会社[大学]内カフェテリア)

296 chef [ʃéf] 名 コック長・シェフ

- **chef**'s special salad (シェフのスペシャルサラダ)

297 suit [sú:t] 名 スーツ・衣服
動 (〜に)適する・好都合である, (〜に)似合う

▶ suitable (638)
- a business **suit** (ビジネススーツ)

• Choose a computer that **suits** your needs.
（自分のニーズに合ったコンピュータを選ぼう）
• Your new hairstyle really **suits** you.（新しいヘアスタイルはとてもよく似合いますよ）

298  **bonus** [bóunəs] | 名 賞与・ボーナス

• All employees will receive a **bonus** this month.
（今月は全従業員にボーナスが支給される） ➲employee (385)

♣ 優れた業績などに対する特別手当。定期的に支給される日本の「ボーナス」とは異なる。

299  **file** [fáil] | 名（文書・コンピュータの）ファイル
動（～を）ファイルする,（～を）提出[申請]する

• I'll send you the **file** as an attachment.
（添付でファイルを送ります） ➲attachment (954)
• **file** the documents（書類をファイルする） ➲document (416)
• **file** an international patent（国際特許を申請[出願]する） ➲patent (2021)

300  **film** [fílm] | 名 映画（= movie） 動（～を）撮影する

• Did you enjoy the **film**?（その映画は楽しかったですか）

♣ film は movie とほぼ同義だが，日常語としては movie をよく使う。film は作品として，あるいは制作についての文脈でよく使う。「映画を見に行く」は go to the movies[a movie]，「映画館」は movie theather という。

動詞 ⑧

301  **operate** [ɑ́pərèit] | 動（機械などを）操作する・（機械などが）作動する，（事業などを）運営する，手術する

▸ operating 形 運営上の ▸ operator 名 機械などの操作員 ▸ operation (933)
• Please teach me how to **operate** this machine.
（この機械の操作の仕方を教えてください） ➲machine *(1330)*
• The machine can **operate** at high temperatures.
（この機械は高温でも作動する） ➲temperature (556)
• The firm **operates** abroad[overseas].（この会社は外国で事業を行っている）

302 **organize** [ɔ́ːrɡənàiz] | 動（催しなどを）準備する，（物・情報などを）整理する，（グループを）組織する

▸ organized 形 組織された ▸ organizer 名 主催者 ▸ organization (851)
• For newcomers, we have **organized** a welcome party.

（新人のために私たちは歓迎パーティーを準備した）　▸ newcomer「新人」

- **organize** a report into six sections（記事を 6 項目に整理する［まとめる］）
- **organize** a volunteer group（ボランティアグループを組織する）　➲ volunteer (459)

303	**cause** [kɔ́ːz]	動（～を）引き起こす　名 原因・理由

- Much damage was **caused** by the storm.
  （嵐で多くの被害が引き起こされた）　➲ damage (1237), storm (608)
- We are now investigating the **cause** of the problem.
  （ただいま，問題の原因を調査中です）　➲ investigate *(1754)*

304	**develop** [divéləp]	動（～を）発達させる［発達する］，（新製品・技術などを）開発する，（問題などが）発生する

▸ **development** 名 発達，開発　▸ **developed** 形 発達した
▸ **developer** 名 開発者，宅地開発業者

- AI technology has **developed** rapidly.（AI 技術が急速に発達した）
- We need to **develop** a new range of products.
  （私たちは一連の新製品を開発する必要がある）　➲ range (338)

♣「発達（する）」は人および社会・経済の発達をいう。
➲ advance (408), progress (1259)

305	**exchange** [ikstʃéin(d)ʒ]	動（～を…に）交換する（for），（～を…に）両替する（for） 名 交換，両替

- Could you **exchange** this shirt for one size larger, please?
  （このシャツを一回り大きいものに取り替えてもらえませんか）
- Can I **exchange** yen for dollars here?（ここで円をドルに両替できますか）
- the **exchange** of ideas and information（意見と情報の交換）

306	**base** [béis]	動《be ~d on で》（～に）基づいている 《be ~d in[at] で》（～に）拠点を置く　名 基部，基礎

▸ **basic** (216)

- The story is **based** on fact.（その話は事実に基づいている）
- The company is **based** in San Francisco.
  （その会社はサンフランシスコを拠点としている）
- the **base** of Mt. Everest（エベレスト山のふもと）
- a wage **base**（給与ベース）　➲ wage (1336)

307	**collect** [kəlékt]	動（～を）集める［集まる］，（～を）収集する，（～を）受け取る

▸ **collection** (516)

- **collect** a huge mass of data
  （莫大な量のデータを集める） ➲huge (1450), mass (1774)
- Garbage is **collected** every Wednesday and Friday.
  （生ごみは毎週水曜日と金曜日に収集されます） ➲garbage (729)
- **collect** baggage from the baggage claim
  （手荷物受取所から荷物を受け取る） ➲baggage (1463), claim (573)

308 	**remain** [riméin]	動（～(の状態))のままである, 残っている

▸ remainder 名 残り・残余　▸ remains 名 遺跡,（～の）残り物（of）
- She **remained** silent.（彼女は黙ったままだった）
- The situation **remains** the same.
  （状況は同じままである[変わっていない]） ➲situation (557)
- Much more still **remains** to be done.（まだなすべきことはたくさん残っている）

309 	**manage** [mǽnidʒ]	動 なんとか～する（to do）,（～を）経営[管理]する,（困難な事を）うまくやる

▸ management (411)　▸ managerial (1404)　▸ manager (33)
- I **managed** to meet the deadline.
  （なんとか締切りに間に合わせた） ➲deadline (418)
- **manage** a business effectively（効果的に企業を経営する） ➲effectively *(985)*

310 	**remind** [rimáind]	動（～に…を）思い出させる（of, to do, that）

▸ reminder (1980)
- May I **remind** you of your agreement to finish the work in three weeks?
  （3 週間以内にその仕事を終了するという契約を思い出してくださいますか） ➲agreement (923)
- **Remind** me to take my umbrella with me.（傘を持っていくのを忘れないように私に言ってね）

♣ May I [Let me] remind you ... は婉曲に忠告・警告する表現。

311 	**apologize** [əpɑ́lədʒàiz]	動（～に…のことで）謝る（to, for）

▸ apology 名 謝罪
- I **apologize** (to you) for not replying earlier.
  （もっと早くご返事ができなくて申し訳ありませんでした）

♣ be sorry for の丁寧な表現。

312 **believe** [bɪlíːv] 動 (~(ということ)を)信じる, (たぶん~と)思う

▶ belief 名 信念, 信仰, 信頼
- I **believe** she's telling the truth.(私は彼女が真実を話していると信じます)
- I **believe** we've met before.(以前お会いしたことがあると思いますが)

名詞 ⑭

313 **expert** [ékspəːrt] 名 専門家, 熟練者　形 熟練した

- We should get an **expert**'s opinion on this matter.
  (この問題については専門家の意見を聞くべきだ)　➲ opinion (241)
- an **expert** technician(熟練技術者)

314 **law** [lɔ́ː] 名 法律, 法則

▶ lawyer (633)
- obey[break] the **law**(法律を守る[破る])　➲ obey (2143)
- international trade **law**(国際商取引法)
- the **law** of energy conservation(エネルギー保存の法則)　➲ conservation *(2378)*

315 **author** [ɔ́ːθər] 名 著者・作者

- He is the **author** of "Successful Business Management".
  (彼は『Successful Business Management』の著者です)

316 **degree** [digríː] 名 学位, 程度, (温度などの)度

- He has a **degree** in engineering.(彼はエンジニアリングの学位を持っている)
  └➲ engineering (858)
- The job requires a high **degree** of skill.
  (その仕事には高度な技術が要求される)
- 25 **degrees** Celsius(摂氏 25 度《略》C)

♣ 温度の表示は,《米》では Fahrenheit「華氏(《略》F)」が多いが, 近年の TOEIC では Celsius が使われている。

317 **value** [vǽljuː] 名 価値, 価格　動 (~を)尊重する

▶ valuable (1303)
- increase[decrease] in **value**(価値[価格]が上がる[下がる])
- We would much **value** your professional opinion.

（あなたの専門家としてのご意見を尊重いたします） ➲professional (93), opinion (241)

318 **contest** [kántest] 名 競技（会）・コンテスト

▸ contestant 名（コンテストなどの）出場者

• enter a design **contest**（デザインコンテストに参加する） ➲enter (232)

319 **gallery** [gǽləri] 名《art gallery とも》美術館, 画廊

• There are several art **galleries** in the city.
（この市内にはいくつかの美術館があります）

♣「美術館」の意味では (art) museum と同義。「画廊」では展示と販売を行う。《米》では「画廊」の意味が多い。

320 **example** [igzǽmpl] 名 例,《for example で》例えば

• Will you give me a few **examples**?（いくつか例をあげてくれますか）
• Prices have increased greatly. For **example**, the price of meat has doubled.（物価は大幅に上昇している。例えば，肉の価格は 2 倍になった）

321 **complaint** [kəmpléint] 名 苦情・不平・クレーム

▸ complain (569)

• a customer **complaint**（顧客からの苦情[クレーム]）
• receive **complaints** about the battery life
（バッテリーの寿命に関する苦情が寄せられる）

♣ claim (573) はこの意味では使わない。

322 **image** [ímidʒ] 名 イメージ・印象, 映像・画像

▸ imagine (709)

• We need to improve our company **image**.
（わが社のイメージアップをはかる必要がある） ➲improve (230)
• a digital **image**（デジタル画像） ➲digital (939)

323 **landscape** [lǽn(d)skèip] 名 風景・景色, 風景画［写真］

▸ landscaper 名 造園家

• I enjoyed the beautiful **landscape** of Yosemite.（ヨセミテの美しい風景を満喫した）
• He is famous for his **landscapes**.（彼は風景画［写真］で有名である）

324 nature [néitʃər] | 名 自然, 性質・本質

▶ natural 形 自然の

- the preservation[conservation] of **nature**
  (自然保護) ➲preservation *(1434)*, conservation *(2378)*
- the **nature** of the problem (問題の本質)

動詞 ⑨

325 reach [ríːtʃ] | 動 (〜に)着く, (手などを)伸ばす(out), (〜に)達する 名 (手の)届く範囲

- How long does it take to **reach** Japan?
  (日本に到着するのにどれくらい時間がかかりますか)
- She is **reaching** out her hand for food.
  (彼女は食べ物を取ろうと手を伸ばしている)
- **reach** an agreement (合意に達する) ➲agreement (923)
- Keep this out of children's **reach**.
  (これは子どもの手の届かない所に置いてください)

326 produce [prəd(j)úːs] | 動 (〜を)製造[生産]する 名 [próud(j)uːs] 産物, 農産物

▶ producer 名 制作者, 生産者 ▶ product (6) ▶ production (101)

- We **produce** a wide range of motors.
  (さまざまな種類のモーターを製造しています) ➲range (338)
- agricultural **produce** (農産物) ➲agricultural *(1445)*

327 study [stʌ́di] | 動 (〜を)勉強する, (〜を)調査[研究]する 名 勉強, 研究, 書斎

- Where did you **study** Spanish? (スペイン語はどちらで勉強したのですか)
- We need to **study** the market. (市場を調査する必要がある)
- a case **study** (事例研究)

♣ study は「調査・研究」を表す一般的な語。research (97) は「(体系的に)情報を収集・分析すること」。

328 wonder [wʌ́ndər] | 動 (〜だろうかと)思う(wh-, if), (〜に)感嘆する(at) 名 驚き

- I **wonder** where she is now. (彼女はいまどこにいるのだろう)
- I **wonder** if you could join us?
  (ご一緒していただけませんか)《丁寧に誘う表現》 ➲join (161)
- **wonder** at the beauty of nature (自然の美しさに目を見張る)

- (It is) no **wonder** she refused his offer.
  (彼女が彼の申し出を断ったのは驚きではない[当然だ]) ➲refuse (1478)

♣ I wonder if ... で丁寧な「依頼・勧誘」を表す。I was wondering if ... とすると丁寧さが増す。

329	**advise** [ədváiz]	動 (～に…(すること)を)助言[忠告]する(to do), (～に…を)通知する(of)

▸ advice (275) ▸ advisory (2323) ▸ adviser 名 助言者

- He **advised** me to see the doctor.(彼は私に医者に診てもらうよう助言した)
- Please **advise** me of your decision.(貴社の結論をご通知ください)

♣ 上の例はビジネスで使う表現。Please be advised (that) で「通知します」の意味。

330	**miss** [mís]	動 (～を)し損なう, (～に)遅れる, (～が)いないのを寂しく思う

▸ missing (542)

- **miss** a TV program(テレビ番組を見逃す)
- **miss** the train(列車に乗り遅れる)
- We really **miss** you.(君がいなくて本当に寂しい)

331	**fix** [fíks]	動 (～を)修理する, (問題を)解決する, (日時・場所などを)決める

▸ fixed 形 (時間・数量などが)決められた・固定した ▸ fixture (2367)

- The repairmen are **fixing** the car.(修理工が車を修理している) ➲repair (114)
- **fix** a problem(問題を解決する)
- Have you **fixed** a date for the meeting yet?(もう会合の日を決めたかい?)

332	**gather** [gǽðər]	動 集まる・(～を)集める, (～と)推測する(that)

▸ gathering 名 集まり・集会, (情報などの)収集

- We all **gathered** around the stove.(みなストーブの周りに集まった)
- **gather** opinions from users(ユーザーからの意見を集める)
- I **gather** you've some ideas.(何かアイデアがあるようだね)

♣ 散らばっているものが集まる[を集める]という意味合い。

333	**perform** [pərfɔ́ːrm]	動 (～を)演奏[上演]する, (～を)遂行する

▸ performance 名 演奏[上演], 性能, 業績 ▸ performer 名 演者, 演奏者

- The play was **performed** at the National Theater.
  (その演劇は国立劇場で上演された)
- She **performed** her duties.(彼女は自分の義務を果たした) ➲duty (1244)

334  **win** [wín]

動 (戦い・試合に)**勝つ** (⇔ lose (239)), (賞などを)**獲得する**

〔win - won - won〕 ▸ winner 名 勝者, 当選者, 受賞者

- The Angels **won** the game two to one. (2 対 1 でエンゼルスが勝った)
- **win** first prize[the gold medal] (1 等賞[金メダル]を獲得する) ➲ prize (1284)

335  **celebrate** [séləbrèit]

動 (〜を)**祝う**, (特別な日を)**迎える**

▸ celebration 名 祝賀(会)

- Our company is **celebrating** its 50th anniversary this April.
  (わが社はこの 4 月に創立 50 周年を祝います[迎えます]) ➲ anniversary (372)

336  **search** [sə́ːrtʃ]

動 (…を求めて〜を)**捜索する・探す** (for), (〜を)**探し求める** (for, after) 名 **捜索**

- **search** the room (部屋を捜索する)
- **search** the Internet for information (インターネットで情報を探す[検索する])
- **search** for a job online (オンラインで仕事を探す)
- The **search** went on for weeks. (その捜索は何週間も続いた) ▸ go on「続く」

♣「探す」は look for が最も基本の語。search は物・情報などを求めて特定の場所を探すイメージ。

名詞 ⑮

337  **step** [stép]

名 (動作の)**一歩**, (ある過程の)**一歩・段階**, (対策への)**一歩・措置**, 《〜s で》**階段** 動 **歩を進める**

▸ step-by-step 形 段階的な

- Take a **step** back, please. (一歩下がってください)
- go through the **steps** (段階[手順]を踏む)
- take the necessary **steps** (必要な措置を取る)
- Would you **step** this way, please? (こちらへ歩み寄りくださいませんか)

♣ steps は屋外にある階段をいい, 屋内のものは stair (652)。

338 **range** [réin(d)ʒ]

名 **範囲・幅**, (ガス・電気)**レンジ[コンロ]** (= cooking stove) 動 〔範囲が〕(〜から…に)**及ぶ** (from, to)

- What is the price **range**? (値段(の範囲)はどのくらいですか)
- a wide **range** of goods (幅広い商品[幅広い品揃え])
- a gas **range** (ガスレンジ[コンロ])
- Prices **range** from $10.50 to $15.50.
  (値段の範囲は 10 ドル 50 セントから 15 ドル 50 セントまでです)

339 **bit** [bít] 名《a bit で》少し,《a bit of で》少しの・1つの

- I've arrived a **bit** early.(少し早く着いた)
- I have a **bit** of a fever.(私は少し熱がある) ➲fever (1082)

340  **lane** [léin] 名 車線, 小道,(トラック・プールなどの)コース

- a bicycle **lane**(自転車用車線)
- a fast[slow] **lane**(追い越し[走行]車線)
- winding country **lanes**(曲がりくねった田舎の小道)

♣ 競技用トラックやプールの「コース」は course (129) ではなく lane という。

341  **track** [trǽk] 名 ホーム[番線],《~s で》線路,《on track で》(活動などが)軌道に乗って 動(~を)追跡する

- The delayed train will be arriving on **track** 5.
  (遅れていた列車は5番線に到着します)
- We are on **track** for a July release.
  (7月のリリースに向けて順調に進んでいる) ➲release (184)
- You can **track** the delivery of your order online.
  (ご注文の配送状況をオンラインで追跡できます)

♣ track は列車が発着する線路番号のことで, 人が乗り降りする場所は platform (1233)。

342 **ground** [gráund] 名 地面,《~s で》理由・根拠,(研究の)分野

- A man is lying on the **ground**.(地面に男が横たわっている) ➲lie (714)
- I have good **grounds** for thinking like that.
  (そのように考える十分な根拠がある)

343  **corner** [kɔ́ːrnər] 名(通り・物などの)角,(場所の)隅・すみ

- Please turn right at the second **corner**.(2つ目の角を右に曲がってください)
- The café is on the **corner** of Main Street and Linden Avenue.
  (そのカフェはメインストリートとリンデンアベニューの角にある)
- A floor lamp is in the **corner** of the office.
  (オフィスの隅にフロアランプが置かれている)

♣ at the corner は角を「点」, on the corner は「面」と見ている。in the corner は内側の視点。

344 **mind** [máind]
名 心・精神, 考え
動《疑問・否定文で》(〜を)気にする

- What's on your **mind**?(何を考えて[心配して]いるの?)
- At the last moment he changed his **mind**.
(どたん場で彼は考えを変えた) ➲moment (611)
- Do you **mind** if I smoke?(タバコを吸ってもいいですか)

♣ 疑問文で「〜を気にしますか」→「〜を(しても)いいですか」の意味。

345 **role** [róul]
名 役割, (演劇の)役

- He played a leading **role** in the project.
(その計画で彼は先導的役割を果たした) ➲leading *(158)*
- play the leading **role**(主役を演じる)

346 **audience** [ɔ́:diəns]
名《集合的に》聴衆・観衆

- A large **audience** is gathering around the pool.
(多くの観衆がプールの周囲に集まっている)

347 **statement** [stéitmənt]
名 声明, 計算書・報告書

▶ state (177)
- make a brief **statement**(簡単な声明を出す) ➲brief (1352)
- a profit and loss **statement**(損益計算書《略》P/L) ➲profit (1170)

348 **challenge** [tʃǽlin(d)ʒ]
名 (やりがいのある)課題・難題, 挑戦　動 (〜に)挑む

▶ challenging 形 やりがいのある
- I want a job with more **challenge**.(もっとやりがいのある仕事をしたい)
- face a **challenge**(難題に直面する) ➲face (355)
- a **challenge** for the championship
(選手権[優勝]への挑戦) ➲championship (1058)

動詞 ⑩

349 **stand** [stǽnd]
動 立つ, (〜の状態)である,
《疑問文・否定文で》(〜を)我慢する　名 売店

- The tower **stands** on a hill.(その塔は丘の上に立っている)
- The thermometer **stands** at 20°C.(温度計は 20°Cを示している)

- I can't **stand** this toothache.(この歯痛には我慢できない) ➲ache (1583)
- a newspaper **stand**(新聞売り場)

350 **raise** [réiz] 動(~を)上げる, (~を)育てる 名 賃上げ

- All (those) in favor, please **raise** your hand.
(賛成の方はみな手を挙げてください) ➲favor (625)
- She was born and **raised** in the United States.
(彼女はアメリカで生まれ育った) ▸ born and raised「生まれ育った」
- The company is going to give us a **raise**.(会社は賃上げをするようだ)

351 **fall** [fɔ́:l] 動 落ちる, 下がる 名 落下・下落, 秋(= autumn)

〔fall - fell - fallen〕
- He **fell** off the chair.(彼は椅子から落ちた)
- The temperature **fell** to −30°C.(気温は −30°Cに下がった)
- The yen has **fallen** by about 20% since November.
(円は 11 月以来, 約 20%下落している)
- a **fall** in prices(物価の下落)

♣「秋」について辞書には《米》fall,《英》autumn とあるが TOEIC では両方使われている。

352 **drop** [drάp] 動(~を)落とす[落ちる], (~を)降ろす(off) 名 下落

- I **dropped** my camera.(カメラを落とした)
- Please **drop** me (off) at the corner.(角で降ろしてください) ➲corner (343)
- There's a 20% **drop** in production.
(生産が 20%下落している) ➲production (101)

♣ 重い物がまっすぐ下に落ちるイメージ。「(急に)下げる・下がる」の意味も含む。

353 **ride** [ráid] 動(乗り物・馬などに)乗る
名 乗る[乗せる]こと(on, in), 乗っている時間

〔ride - rode - ridden〕 ▸ rider 名 乗る人, 騎手, ライダー
- **ride** (on) a horse[bicycle](馬[自転車]に乗る)
- Can I give you a **ride**?(車で送りましょうか)
- It's within two hours' car **ride**.(車で 2 時間以内(の距離)です)

354 **seek** [síːk] 動 (〜を)**得ようとする・探す**, (〜しようと)**努める** (to do)

〔seek - sought - sought〕

- She is **seeking** a new position. (彼女は新しい職を探している) ➲position (57)
- We **seek** to develop our knowledge of this field.
  (この分野に関する知識を広めようと努めている) ➲develop (304)

♣「探す」は look for が最も基本の語。seek は《フォーマル》で，人・情報・助けなどを得ようと努力するイメージ。

355 **face** [féis] 動 (困難などに)**直面する・立ち向かう**, (〜に)**面している**
名 **顔, 人, 表面**

- I am **facing** the biggest challenge of my career.
  (生涯で最もやりがいのある課題に直面している) ➲challenge (348), career (861)
- My apartment **faces** the park. (私のアパートは公園に面している)
- a new **face** (新顔・新人)

356 **deal** [díːl] 動 (問題などを)**扱う** (with), (商品を)**扱う** (in)
名 **商取引, 契約**

〔deal - dealt - dealt〕

- **deal** with customer complaints (客の苦情処理をする) ➲complaint (321)
- The store **deals** in dry goods. (その店は布製品[乾物]を扱っています)
- make a **deal** (取引をする)

♣ dry goods は辞書には《米》で「布製品」,《英》で「乾物」とあるが, TOEIC には両方の意味で出る。

357 **earn** [ə́ːrn] 動 (お金・生活費を)**稼ぐ**, (利益・名声などを)**得る**

- **earn** $60,000 a year (年に 6 万ドル稼ぐ[年収 6 万ドル])
- How do you **earn** a living?
  (どのようにして生活費を稼いでいますか[生計を立てていますか]) ➲living (798)
- **earn** a reputation (名声を得る) ➲reputation (1373)

358 **retire** [ritáiər] 動 (〜を)**退職する・引退する** (from)

▶ retirement 名 退職

- He **retired** at the age of sixty. (彼は 60 歳で退職した)
- He **retired** from baseball. (彼は野球選手(の現役)を引退した)

♣ 定年などで辞めること。 ➲resign (1917)

359 **avoid** [əvɔ́id] | 動 (~(すること)を)**避ける**(doing)

- Try to **avoid** foods containing a lot of fat. ▸ fat「脂肪」
  (脂肪を多く含む食品を避けるようにしなさい) ➲contain (474)
- **avoid** giving a definite answer(確答を避ける) ➲definite *(1498)*

360 **chat** [tʃǽt] | 動 **おしゃべりする** 名 **おしゃべり**

- It's been nice **chatting** with you.(お話ができてよかったです)
- Please drop by for a **chat**.(ちょっと寄って話していってください)
  ▸ drop by「立ち寄る」

名 詞 ⑯

361 **activity** [æktívəti] | 名 **活動**

▸ active (1494)
- outdoor **activities**(戸外活動) ➲outdoor (1247)
- community **activities**(地域社会活動) ➲community (433)

362 **ability** [əbíləti] | 名 (~する)**能力**(to do), (学習上の)**能力・才能**

▸ able 形《be ~ to do で》~することができる, 有能な
- She has the **ability** to see both sides of an issue.
  (彼女は問題の両面を見る能力がある) ➲issue (130)

♣「能力」を表す一般的な語。

363 **talent** [tǽlənt] | 名 **才能, 才能のある人**

▸ talented 形 才能のある
- She has a real **talent** for painting.(彼女は本当に絵の才能がある) ➲real (207)

♣ **talent** は生まれつきの能力(才能)の意味。特に練習によって伸ばすことのできるものをいう。**gift** も同義で,こちらは限られた人が持つ特別の才能をいう。
➲genius (2134)
芸能人などの意味での「タレント」は **personality** (844)。

364 **method** [méθəd] 名 方法, 方式

- What **method** of payment will you use?
  (支払い方法はどうしますか) ➲payment *(110)*
- Japanese business **methods**(日本的経営方式)

♣ method は組織化・システム化された「方法」。 ➲way (55)

365 **source** [sɔ́:rs] 名 源, (情報などの)出所・情報源 動 (材料などを)仕入れる

- a **source** of energy(エネルギー源)
- a reliable **source** of information(信頼できる情報源) ➲reliable (1301)
- Ingredients are **sourced** from local producers.
  (食材は地元の生産者から仕入れています) ➲ingredient (1265)

366 **frame** [fréim] 名 枠・縁, 骨組み, 枠組み 動 (絵・写真などを)額に入れる

- a picture **frame**(額縁)
- a **frame** of a bicycle(自転車の骨組み)
- a time **frame**(時間枠)《時間的制約》
- a **framed** picture[photograph](額に入った絵[写真])

367 **control** [kəntróul] 名 管理, 制御 動 (~を)制御する・調節する

- quality **control**(品質管理) ➲quality (132)
- Things got a bit out of **control**.(事態は少し制御できなくなった) ➲bit (339)
- **control** the temperature in the room(部屋の温度を調節[コントロール]する)

368 **touch** [tʌ́tʃ] 名 接触, 《in touch で》(~と)連絡を取り合って(with) 動 (~に)触れる, (~を)感動させる

▶ touching 形 感動的な

- He felt a gentle **touch** on his shoulder.(彼は肩に優しい接触を感じた)
- Let's keep in **touch**!(連絡し合いましょう)
- Don't **touch** my things.(私の物に触らないで)
- The story **touched** me deeply.(その話は私を深く感動させた[深く感動した])

369 **matter** [mǽtər] 名 問題・事, (困った)問題 動 《主に疑問文・否定文で》重要である

- It's a very important **matter**.(それは非常に重要な問題です)
- What's the **matter** with you?(何か問題があるの?[どうかしたの?])

- It doesn't **matter** what she thinks.
（彼女がどう考えるかは重要ではありません[関係ありません]）

370 **advantage** [ədvǽntidʒ]
名 **利点**（⇔ disadvantage「不利（な点）」），
《take advantage of で》（機会などを）**利用する**

- What are the **advantages** of this product?（この製品の利点は何ですか）
- I hope that you will take **advantage** of this special offer.
（この特価オファーをぜひご利用ください）

371 **competition** [kàmpətíʃən]
名 **競争，競技会・コンテスト**

▸ compete (1228)　▸ competitor 名 競争相手，競合品
- price **competition**（価格競争）
- enter a cooking **competition**（料理コンテストに参加する）

 competition は広い意味で「競争」を表すが，「競技会」の意味では contest (318) と同義。

372 **anniversary** [æ̀nəvə́ːrsəri]
名（～周年の）**記念日**

- our tenth wedding **anniversary**（結婚 10 周年記念日）

形容詞⑥・副詞②

373 **social** [sóuʃl]
形 **社会の，社交的な**

▸ society (722)
- **social** problems（社会問題）
- **social** media（ソーシャルメディア）《SNS やブログなど》　 media (901)
- She's more **social** than I am.（彼女は私より社交的だ）

374 **certain** [sə́ːrtn]
形 **ある～，いくらかの・ある程度の，**
《be ～で》**確信している**（⇔ uncertain *(1656)*）

▸ certainly (817)　▸ certainty 名 確実性，確実なこと
- a **certain** type of products（ある特定のタイプの製品）
- cost a **certain** amount of money（ある程度の[一定の]額の費用がかかる）
- Are you **certain** that you saw him there?
（彼をそこで見たというのは確かですか）

「確信している」の意味では sure (40) よりも確信の度合いが強い。 日常会話では sure が多い。

375	**fit** [fít]	形 (～に)適した(for, to), 体の調子がよい 動 (～に)ぴったり合う 名 ぴったり合うこと

▶ fitness (948)
- I think he is **fit** for that job.(彼はその仕事に適していると思う)
- I am very **fit** and healthy.(私はとても元気で健康です)
- Let us help you find the best solution to **fit** your needs.
(お客様のニーズに最適な解決策を見つけるお手伝いをします)

➡ solution (274), need (16)
- I think she is a good **fit** for the job.(彼女はその仕事にぴったりだと思います)

♣ 上の文の a good fit for は「求人・求職」の文脈でよく使う。

376	**similar** [símələr]	形 同じような, 《be ～で》(～に)似ている(to)

▶ similarly 副 同じように, (それと)同様に ▶ similarity 名 類似(点)
- **similar** products(類似製品)
- His character is very **similar** to his mother's.
(彼の性格は母親によく似ている) ➡ character (773)

377	**delicious** [dilíʃəs]	形 とてもおいしい・(香りが)非常にいい

- The beef tasted **delicious**.(その牛肉はとてもおいしかった) ➡ taste (1443)

378	**ideal** [aidíːəl]	形 理想的な 名 理想

▶ ideally 副 理想的に(は), 完璧に
- That would be the **ideal** location for our conference.
(あそこなら会議に申し分ない場所でしょう) ➡ location (390)
- maintain[realize] an **ideal**(理想を持ち続ける[実現する])

379	**worried** [wə́ːrid]	形 《be ～で》(～を)心配して・不安に思って(about, that)

▶ worry 動 心配する・(～を)心配させる
- People are **worried** about the economy.
(人々は経済状態に不安を抱いている)
- I'm **worried** it might be too late to sign up.(申し込むのが遅すぎるのではないかと心配している) ➡ sign (68)

♣ 未来のことについて心配や不安を感じている。 ➡ concerned (47), anxious (744)

380 mainly [méinli]
副 主に

▶ main (501)

- The decrease in the market share was **mainly** due to foreign competition.
(市場占有率が落ちたのは主に海外での競争のためです) ➲competition (371)

♣ due to については due (92) 参照。

381 unfortunately [ʌnfɔ́ːrtʃənətli]
副 残念ながら・不運にも（⇔ fortunately (1147)）

▶ unfortunate 形 不運な

- **Unfortunately**, that day is not convenient.
(残念ですが，その日は都合が悪いです) ➲convenient (541)

382 fully [fúli]
副 完全に，すっかり

▶ full 形 いっぱいの，満ちた（⇔ empty (644)）

- I'm **fully** satisfied with it.（それには完全に満足している） ➲satisfy (568)
- We are **fully** booked for today.（今日は全室予約済みです） ➲book (397)

383 regularly [régjələrli]
副 定期的に，たびたび

▶ regular (211)

- The sales team meets **regularly**.
(営業チームは定期的にミーティングを開いている)
- They go out drinking **regularly**.（彼らはよく飲みに出かける）

♣「たびたび」の意味では often と同義になるが，「ほとんど定期的に近い」というニュアンス。「定期的」かどうかは文脈による。

384 especially [ɪspéʃəli]
副 特に・とりわけ

- I **especially** like this picture.（私は特にこの写真が好きです）

♣ specially *(85)*, particularly *(1205)* と同義。

250 500 750 1000 1250 1500 1750 2000 2250 2500

トラック 1-39

名 詞 ①

385 **employee** [emplɔ́iiː] 　名 従業員 (⇔ employer (1898))

▶ employ (864)
- I'm a government **employee**.（私は国家[地方]公務員です） ➲government (505)

386 **item** [áitəm] 　名 項目, 品目・1 品, (新聞記事などの) 1項目

- Let's move onto the next **item** on the agenda.
（議題の次の項目に移りましょうか） ➲agenda (900)
- Do you send **items** overseas?（海外への品物の発送はしますか）
- a news **item**（1 つのニュース記事） └➲overseas (552)

387 **department** [dipɑ́ːrtmənt] 　名 部, 部門, 学部[科]

- Which **department** do you belong to?（何部に所属していますか）
- Where's the furniture[ladies'] **department**? └➲belong (261)
（家具[女性用品]売り場はどこですか） ➲furniture (152)

♣「デパート」は a department store。

388 **project** [prɑ́dʒekt] 　名 計画・事業　動 [prədʒékt] (～を) 予測する

▶ projection 名 予測・見積もり　▶ projector (515)
- We are now working on a long-term **project**.
（私たちは今, 長期的事業に携っている） ➲long-term *(930)*
- The company's profit is **projected** to drop 11% this year.
（今年の会社の利益は 11%減少すると予想される） ➲profit (1170)

♣ 現在の状況・推移などに基づいて予測すること。 ➲predict (572), forecast (1563)

389 **client** [kláiənt] 　名 (弁護士・建築士などの) 依頼人・クライアント

- a **client** meeting（クライアントとのミーティング）
- Tokyo Electric Co. is one of our major **clients**.
（東京電気はわが社の重要な取引先です） ➲major (212)

♣ 一般の商店の「客」は customer (4)。

390 **location** [loukéiʃən] 　名 位置・場所

▶ locate (423)

• We have moved our office to a new **location** in California.
（わが社はカリフォルニアの新しい場所に移転しました）

391	**conference** [kánfərəns]	名（大規模な）会議,（個別の）会議・協議

▶ confer 動 相談する
- I'm attending the **conference** next week.（来週の会議に出席する予定です）
- a video **conference**（テレビ会議） └➲ attend (398)
- a press **conference**（記者会見）

♣「テレビ会議」はvideoconference, またはvideoconferencingと1語につづることが多い。 近年 online meeting ともいうが出現率は少ない。

392	**industry** [índəstri]	名 産業・工業

▶ industrial (1197) ┌➲ communication (535)
- the information and communication **industry**（情報通信産業）

♣ industry には「勤勉」の意味もあり, この形容詞が industrious「勤勉な」。

393	**supply** [səplái]	名 供給（量),《~ies で》必需品・用品 動（~に…を）供給する（with, to, for）

▶ supplier (884)
- Oil is now in short **supply**.（石油は現在供給不足である） ➲ short (140)
- office **supplies**（オフィス用品）
- **supply** factories with raw materials ➲ raw (1101), material (102)
[= **supply** raw materials to factories]（原材料を工場に供給する）

♣ with と to で supply の後の語順が逆になることに注意。

394	**equipment** [ikwípmənt]	名《集合的に・単数扱い》機器・設備

▶ equip 動 備えつける
- office **equipment**（事務機器）

♣ 機器・設備類の総称。 ➲ device (497), installation *(422)*

395	**facility** [fəsíləti]	名 設備・施設

▶ facilitate (1968)
- a storage **facility**（貯蔵設備） ➲ storage (487)
- airport **facilities**（空港施設）

♣ 複合的な「施設」は複数形《-ies》にする。

396	**discount** [dískaunt]	名 割引　動 (~を)割り引く

▶ discounted 形 割引された

- We offer a 10% **discount** for online bookings. ➲booking(397)
（オンライン予約をしていただきますと10%割引いたします） ➲percent (1424)
- This bag is **discounted** by twenty percent.（このバッグは2割引です）

動詞 ①

397	**book** [búk]	動 (ホテル・座席などを)**予約する**(= reserve (428)) 名 **本・書籍**

▶ booking 名 (ホテルなどの)予約(= reservation (428))

- **book** a room for two nights（2泊の部屋を予約する）
- The train is fully **booked**.（その列車はすべて予約されています[満席です]）

♣「予約」の意味では reserve(428) と同義。TOEIC ではどちらも使われる。

398	**attend** [əténd]	動 (~に)**出席する**, (~の)**世話をする**(to), (仕事などを)**処理する**(to)

▶ attendance 名 出席　▶ attendee 名 出席者, 参加者　▶ attention (273)

- Unfortunately, I cannot **attend** the meeting.（残念ながら会議に出席できません）
- Are you being **attended** to?
（誰かご用を承っておりますでしょうか）《店員が客に》
- I have a few other things to **attend** to.
（しなければならない仕事がいくつか残っています）

399	**hire** [háiər]	動 (~を)**雇う**

- **hire** temporary employees（臨時の従業員を雇う）

♣「雇う」の意味では employ (864) と同義。hire は「短期間, 特定の仕事」に使うことが多い。

400	**purchase** [pə́ːrtʃəs]	動 (~を)**購入する**　名 **購入**(品)

- I would like to **purchase** the following products:（以下の製品を購入します）
- the date of **purchase**（購入日）

♣ purchase は《フォーマル》な語で, ビジネスの場面で使う。日常語では buy(1534) や get がふつう。

401 **update** [ʌ̀pdéit] | 動 (～を)最新のものにする / 名 [ʌ́pdèit] 最新情報[版], 更新

- **update** a website(ウェブサイトを更新する)
- We have an **update** on the market.(市場の最新情報があります)

402 **require** [rikwáiər] | 動 (～を)必要とする, (～を)要求する・義務づける

▸ requirement (925)

- We **require** at least three years of accounting experience for this position.(このポストには最低 3 年間の経理の経験が必要です) ➲accounting (52)
- Drivers are **required** to keep to the speed limits. ➲limit (495)
  (運転手は制限速度を守ることが義務づけられている) ▸ keep to「(規則など)を守る」

403 **announce** [ənáuns] | 動 (～を)発表する・公表する

▸ announcement 名 発表, 公表 ▸ announcer 名 アナウンサー

- We are happy to **announce** that Mr. Ichiro Suzuki has joined our sales section. ➲section (200)
  (スズキ・イチロウ氏が私どもの営業部に入りましたことをご案内いたします)

404 **advertise** [ǽdvərtàiz] | 動 (～を)広告する・宣伝する

▸ advertisement (193) ▸ advertising (194)

- **advertise** a new product in newspapers
  (新製品を新聞で宣伝する[新聞に広告を出す])

405 **recommend** [rèkəménd] | 動 (～を)推薦する, (～(すること)を)勧める (doing, that)

▸ recommendation 名 勧告, 推薦 ▸ commend(2430)

- Could you **recommend** some good wines?
  (手ごろなワインを推薦してくれませんか) ➲consult (453)
- **recommend** consulting an expert(専門家に相談することを勧める)
- I **recommend** that you invest overseas.(海外に投資することを勧めます) ➲invest (863)

♣ that 節の動詞は原形を使う。

406 **submit** [səbmít] | 動 (～を…に)提出する (to)

▸ submission 名 提出(物)

- **submit** a report to the Government(政府に報告書を提出する)

250 500 750 1000 1250 1500 1750 2000 2250 2500

• I would like to **submit** our proposal.（私どもの案を提出したいと思うのですが）
➲ proposal (454)

407 **confirm** [kənfə́ːrm]
動（～を）確認する

▶ confirmation 名 確認

• I'd like to **confirm** the number of people who will attend.
（出席予定者数を確認したいのですが）
➲ attend (398)

408 **advance** [ədvǽns]

動 進む・発展する　名 進歩・発展,《in advance で》前もって　形 前もっての

▶ advanced (281)　▶ advancement 名 昇進, 進歩

• a major **advance** in AI technology（AI 技術の大きな進歩）

• You can reserve a seat a month in **advance**.
（1 カ月前に座席を予約できます）
➲ reserve (428)

• **advance** payment（前払い金）
➲ payment (110)

♣「進む・発展する」の意味は, 過去分詞（advanced (281)）で出ることが多い。「進歩・発展」は科学・技術などの分野についていう。 ➲ development (304), progress (1259)

名詞 ②

409 **firm** [fə́ːrm]

名 会社　形 堅い, しっかりした

▶ firmly 副 堅く, しっかりと

• He has worked for the **firm** for thirty years.（彼はその会社で 30 年働いてきた）

• The ground was **firm**.（堅い地面だった）

• She gave him a **firm** no.（彼女は彼にきっぱりと「いやだ」と言った）

♣「会社」の意味では company (1) の方が一般的だが, firm も区別なく使われる。

410 **corporation** [kɔ̀ːrpəréiʃən]
名 会社

▶ corporate 形 法人の

• The **corporation** was founded 75 years ago.（その会社は 75 年前に設立された）

♣ corporation は法的に認められた企業体（法人）で, ふつう「大企業」を指す。 会社名に使うことが多い。

411 **management** [mǽnidʒmənt]

名 経営, 管理,《集合的に》経営陣・管理職

▶ manage (309)

• business **management**（企業経営）

- time **management**(時間管理)
- top[middle] **management**(最高経営陣[中間管理職])

♣「管理」は組織全体の管理から, それぞれの業務における管理まで広い意味で使う。 ➲administration (1560)

412 **construction** [kənstrʌ́kʃən] | 名 建設, 建造物

▸ construct (1272)
- a **construction** site(建設現場)
- The building is still under **construction**.(そのビルはまだ建設中です)

▸ under construction「建設[工事]中で」

413 **presentation** [prìːzəntéiʃən] | 名 (口頭での)発表・説明, 贈呈・授与

▸ present (96)
- give[make] a **presentation**(プレゼンテーションを行う)
- the **presentation** of the Japan Prize(日本賞の授与(式))

414 **option** [ápʃən] | 名 選択(権), 選択できる物

▸ optional 形 選択の, 任意の　▸ opt (2476)
- You have the **option** of taking it or leaving it.(これを取るか残すか選択できます)
- We have no **option** but to cancel the order.
(我々は注文をキャンセルするしかない) ➲cancel (448)

415 **contract** [kántrækt] | 名 契約(書)　動 [kəntrǽkt](～と・～する)契約を結ぶ

- sign a **contract**(契約書にサインする) ➲sign (68)
- **contract** to build a house(家を建てることを契約する[家の建築を請け負う])

416 **document** [dákjəmənt] | 名 (公的な)文書
動〔文書・写真などに〕(～を)記録する

▸ documentation 名《集合的に》文書
▸ documentary 形 記録による　名 記録映画・ドキュメンタリー
- Will you please file these **documents**?
(これらの書類をファイルしてくれませんか) ➲file (299)
- **document** the results of a study(調査結果を記録する)

417 □□	**application** [æplikéiʃən]	名 申し込み(書)

▸ apply (159)
- an **application** for the job [= a job **application**] (求職申し込み)
- fill out an **application** (form) (申し込み用紙に記入する) ➲form (75)

418 □□	**deadline** [dédlàin]	名 締切日[時間], (最終)期限

- meet a **deadline** (締切りに間に合わせる)
- What's the **deadline** for this delivery?
  (配達の最終期限[納期]はいつですか)

419 □□	**package** [pǽkidʒ]	名 包み・小包, (商品の)パッケージ, (旅行などの)パック 動 (〜を)梱包[包装]する

▸ packaged 形〔食品などが〕パッケージ入りの
- I'd like to send this **package** by air. (航空便でこの小包を送りたいのですが)
- The date of manufacture is on the back of the **package**.
  (製造月日はパッケージの裏面にあります) ➲date (36), manufacture (429)
- a family holiday **package** (家族向け休日パック[パック旅行])
- The china needs to be **packaged** carefully.
  (陶器は慎重に梱包する必要がある) ▸ china「陶器」

420 □□	**charge** [tʃɑ́ːrdʒ]	名 料金, 責任 動 (〜に・金額を)請求する

▸ surcharge 名 追加料金, 追徴金
- telephone **charges** (電話料金)
- I am in **charge** of domestic sales.
  (私は国内販売に責任があります[担当しています]) ➲domestic (1345)
- The shop **charged** $100 for repairs.
  (店は修理代として100ドルを請求した[修理代は100ドルだった])

♣ charge は商品やサービスに対する「支払い額」を表す一般的な語。 他の「料金」は **fee** (104), **rate** (154), **fare** (697) を参照。

動詞 ②

421 □□	**promote** [prəmóut]	動 (〜を)促進する, (人を)昇進させる

▸ promotion (857)
- **promote** the sale of the products (製品の販売を促進する)
- He was **promoted** to vice president. (彼は副社長に昇進した)

422  **install** [instɔ́:l]
動 (装置などを)**取り付ける・設置する**,
(プログラムなどを)**インストールする**

▸ installation 名 設置, インストール, (取り付けられた)装置・設備
- I'd like to have solar panels **installed** on the roof.
（ソーラーパネルを屋根に設置したいと思っています） ➲solar (988)
- **install** a database system（データベース・システムをインストールする）

423  **locate** [lóukeit]
動《be ~d で》(~に)**位置する**(at, in, etc.),
(位置・場所を)**突き止める**

▸ location (390)
- The ticket counter is **located** on the first floor.
（チケット売り場は1階にあります） ➲counter (1219)
- Please deliver the baggage to my hotel as soon as you have **located** it.（荷物が見つかり次第ホテルへ届けてください） ➲baggage (1463)

424  **deliver** [dilívər]
動 (~を)**配達する**, (演説などを)**する**

▸ delivery 名 配達(物)
- Could you **deliver** it to the Hilton Hotel?
（それをヒルトンホテルまで届けていただけますか）
- He **delivered** the opening speech.（彼は開会の辞を述べた）

♣「演説をする」の意味では give が日常語。

425 **register** [rédʒistər]
動 (~に・~を)**登録する**　名 **登録簿[機]**

▸ registered 形 登録された　▸ registration (905)
- I'd like to **register** for this webinar.（このウェビナーに登録したいのですが）
▸ webinar「オンラインセミナー」《web＋seminar の造語》
- a cash **register**（金銭出納機, レジ）

♣ sign up よりも《フォーマル》な言い方で, 公的な手続きをする意味合い。 ➲sign (68)

426  **press** [prés]
動 (~を)**押す・押しつける**
名《集合的に》**報道機関, 報道陣**

▸ pressure (700)
- Which key do I **press** to start?（始動するにはどのキーを押すのですか）
- a **press** conference（記者会見） ➲conference (391)
- It will be announced to the **press** tomorrow.
（それは明日マスコミに発表されるだろう）

♣ 報道機関の意味では (mass) media (901) と同義だが, 特に報道・ジャーナリズムを指すときに使う。

427 **reduce** [rid(j)úːs] 動 (〜を)減少させる[減少する], (価格を)下げる

▸ reduction 名 減少させる[する]こと
- **reduce** production costs(生産コストを減少させる[削減する])
- Could you **reduce** the price by 5%?(価格を5%下げていただけませんか)

428 **reserve** [rizə́ːrv] 動 (〜を)予約する(= book (397)), (〜を)取っておく 名 蓄え

▸ reservation 名 予約(= booking*(397)*)　▸ reserved 形 予約された
- I'd like to **reserve** a table for two.(2人分のテーブル席を予約したいのですが)
- These seats are **reserved** for old and sick people.
(これらの席は老人や病人のために取ってあります[優先席です])
- **reserves** of food(食料の蓄え)

♣「予約」の意味では book (397) と同義。

429 **manufacture** [mæ̀njəfǽk(t)ʃər] 動 (〜を)〔大量に〕生産[製造]する 名 (大量の)生産・製造

▸ manufacturer (853)
- The company **manufactures** a wide range of kitchen products.
(その会社は台所用品を広範囲に製造している)　➲ range (338)

430 **expand** [ikspǽnd] 動 拡大[拡張]する・(〜を)拡大[拡張]する

▸ expansion 名 拡大, 拡張
- The economy is **expanding** at a slower pace than last year.
(経済は去年より一層ゆっくりしたペースで成長している)
- **expand** the export market(輸出市場を拡大する)

431 **extend** [iksténd] 動 (〜を)延長する[延びる・伸びる], (〜を)拡大する[広がる], (あいさつなどを)送る

▸ extension 名 延長　▸ extended 形 長期の　▸ extensive (1249)
- I'd like to **extend** my stay for a few days.
(もう2, 3日滞在を延ばしたいのですが)
- **extend** a deadline(締め切りを延ばす[延期する])　➲ deadline (418)
- **extend** the business to China(事業を中国に拡大する)
- Please **extend** my greetings to your family.
(家族の皆さまによろしくお伝えください)　➲ greeting *(618)*

♣「拡大する」の意味では expand(430) と同義だが, 現在のものが継続して大きくなるイメージ。

432 
launch [lɔ́:n(t)ʃ]
動 (活動・事業などを)始める, (~を)売り出す
名 (新製品などの)発売, 開始

- **launch** a campaign to raise money(募金活動を始める) ➲campaign (467)
- They are going to **launch** a new model.(新しい型が発売されるそうだ)
- the **launch** of new product lines(新しい製品ラインの発売)

名 詞 ③

433 
community [kəmjú:nəti]
名 地域社会・地域住民

- a **community** center(コミュニティセンター・公民館)
- the local **community**(地域住民)

434 
policy [páləsi]
名 政策・方針, 保険契約[証書] (= insurance policy)
➲insurance(929)

- a foreign **policy**(外交政策)
- a refund **policy**(払い戻し方針[ポリシー]) ➲refund (465)

435 
workshop [wə́:rkʃɑ̀p]
名 ワークショップ[研究会・研修会], 作業場

- a computer training **workshop**(コンピュータ研修会)
- a factory **workshop**(工場内の作業場)

436 
session [séʃən]
名 (特定の活動のための)時間・セッション, (議会などの)会期

- a question-and-answer **session**(質疑応答の時間)
- attend a training **session** on new vehicles(新車研修(の時間)に参加する)

♣ 本来は, 活動の「時間」を表すが, 活動そのものを意味することも多い。

437 
feedback [fí:dbæ̀k]
名 反応・意見・フィードバック

- constructive **feedback** from customers
(顧客からの建設的なフィードバック[意見]) ➲constructive *(1272)*
- give[provide] **feedback** on the website(ウェブサイトについて意見を寄せる)

438
data [déitə]
名 資料・情報・データ

- This **data** is [These **data** are] based on a survey taken throughout Europe.(これらの資料はヨーロッパ全体の調査結果に基づいている) ➲survey (98)

♣ data は datum の複数形なので，ふつうは複数扱いだが単数扱いすることも多い。TOEIC では両方の用法が見られる。

439 **resource** [ríːsɔ̀ːrs]　名《~s で》(自然・人・技術などの)**資源**

- natural[water] **resources**(天然[水]資源)
- human **resources**(人的資源，人事部[課])　➲human (88)
- IT **resources**(情報技術資源)

440 **property** [prápərti]　名 **不動産・物件**(= real estate)，**所有物・財産**

▸ proper (737)
- a list of rental **properties**(賃貸物件一覧)
- lost **property**(遺失物)
- private **property**(私有財産)

♣ property は不動産取引での「物件」を指す。real estate は「不動産」全般を指す。➲estate(934)

441 **process** [práses]　名 **過程，工程**　動 (~を)**処理[加工]する**

▸ processed 形 加工[処理]した　▸ processing 名 加工処理
- We are in the **process** of forming a plan.
(計画を作成する過程である[立案中である])
- a production **process**(製造工程)
- **process** a large order(大量注文を処理する)

442 **access** [ǽkses]　名 (場所・建物への)**接近**(方法)(to)，(情報などへの)**アクセス**(権)(to)　動〔コンピュータで〕(データなどに)**アクセスする**

▸ accessible 形 行きやすい
- The hotel is within easy **access** to the airport.
(そのホテルは空港のすぐ近くにある)
- Every member is given **access** to the database.
(すべてのメンバーにデータベースへのアクセス権が与えられています)
- **access** the Internet(インターネットにアクセスする)

443 **vehicle** [víːəkəl]　名 **乗り物**

- motor **vehicles**(自動車)
- a four-wheel-drive **vehicle**(4 輪駆動車)

♣ ふつう陸上の乗り物(car, bus, truck, bicycle など)を指すが，船・飛行機などを含むこともある。

444 **rental** [réntl]　名 賃貸(物件)　形 賃貸の

▸ rent (236)

- a car **rental**(カーレンタル)《車を賃借りすること・賃借りした車》
- Car **rentals** must be approved by your manager.
  (カーレンタルはマネージャーの承認が必要です)　➲ approve (469)
- a **rental** car(レンタルカー)《賃貸用の車》

♣ a car rental と a rental car は区別なく使われることも多い。

動 詞 ③

445 **conduct** [kəndʌ́kt]　動 (業務を)行う, (人を)案内する　名 [kándʌkt] 行い・行為

▸ conductor (1904)

- **conduct** an interview(面接を行う)　➲ interview (107)
- **conduct** a symphony orchestra(交響楽団の指揮をする)
- professional **conduct**(専門家らしい行為[ふるまい])

♣「(~を)行う」は carry out とほぼ同義。「案内する」の意味では guide (291) の堅い語。

446 **select** [səlékt]　動 (~を)選び出す

▸ selection 名 選択, 選ばれた物[人]　▸ selected 形 選ばれた

- **Select** any three books, and then pay for only two.
  (どの本でも 3 冊選んでください。そして, 2 冊分だけお支払いください)

♣ choose (111) よりも「慎重にベストのものを選ぶ」という意味合い。

447 **arrange** [əréin(d)ʒ]　動 (~を)手配する・取り決める, (~を)並べる

▸ arrangement 名 手配, 協定, 配列

- Have you **arranged** your accommodation?(宿泊は手配しましたか)
- **arrange** a meeting(会議を手配する[日取りを決める])　└➲ accommodation *(1232)*
- The chairs are **arranged** in a row.(椅子は一列に並べられている)　➲ row (560)

448 **cancel** [kǽnsl]　動 (~を)取り消す・中止する

▸ cancellation 名 取り消し, 解約

- Can I **cancel** this ticket?(このチケットをキャンセルできますか)
- The event was **canceled** because of rain.(イベントは雨のため中止になった)

449 **revise** [riváiz] 動 (～を)修正する, (～を)改訂する

▶ revision 名 改訂[修正]

- Enclosed is our **revised** invoice.
  (修正済みの送り状を同封します) ➲ enclose (1269), invoice (881)
- **revise** a training manual (訓練用マニュアルを改訂する) ➲ manual (941)
- a **revised** edition (改訂版)

450 **reschedule** [rìːskédʒuːl] 動 (～の)予定を変更する

▶ schedule (11)

- **reschedule** the meeting for next Wednesday
  (会議の予定を来週の水曜日に変更する)
- The press conference has been **rescheduled** for tomorrow.
  (記者会見は明日に変更された)

451 **resume** [riz(j)úːm] 動 (中止したものを)再開する

▶ resumption 名 再開

- We will **resume** the conference at 1:00. (1時に会議を再開します)

♣ résumé (2024) と混同しないよう注意。

452 **upgrade** [ʌpgréid] 動 (～を)アップグレードする (⇔ downgrade「格下げする」)
名 [ʌ́pgrèid] (部屋・ソフトなどの)アップグレード

- **upgrade** the printing system (印刷システムをアップグレードする)
- a software **upgrade** (ソフトウェアのアップグレード(版))

453 **consult** [kənsʌ́lt] 動 (専門家に)意見を求める, (辞書などを)調べる, (～と)相談する (with)

▶ consultation 名 相談, 諮問 ▶ consultant 名 コンサルタント

- **consult** an attorney (弁護士に相談する) ➲ attorney (1906)
- **consult** an encyclopedia (百科事典を調べる) ➲ client (389)
- I'll have to **consult** with my client. (依頼人と相談しなければなりません)

454 **propose** [prəpóuz] 動 (～(すること)を)提案する (doing, to do)

▶ proposal 名 提案, 申し込み ▶ proposition 名 提案, 主張

- We would like to **propose** the following solution.
  (以下の解決策を提案したいと思います)

• **propose** moving to a larger office(より広いオフィスへの移転を提案する)

♣「提案する」の意味では suggest (63) と同義(that 節では動詞の原形を使う)。suggest よりも《フォーマル》で, 会議で計画を提案するなどというときに使う。

455  **inform** [infɔ́ːrm] | 動 (~に…を)知らせる・通知する(about, of, that)

▶ information (25)　▶ informative 形 役立つ情報[知識]を与える

• Thank you for **informing** me of the status of my order.
(私の注文の状況についてお知らせいただきありがとうございます)　➲ status (1188)

• We would like to **inform** you that we have increased our prices as follows: (価格が以下のように値上げになりましたことをお知らせいたします)

456  **imply** [implái] | 動 (~を)ほのめかす・暗示する

▶ implication 名 含意

• What are you **implying**?(何が言いたいんだい?)　┌➲ mean (66)

• I didn't mean to **imply** that.(そういう含みで言ったつもりはありません)

名詞 ④

457  **colleague** [káliːg] | 名 同僚

• Mr. Walker, I'd like you to meet my **colleague**, Bryan Kay.
(ウォーカーさん, 私の同僚のブライアン・ケイを紹介します)

♣ 特に専門的な職業で一緒に働く人の意味(日本語の「同僚」よりも意味が広い)。同義の coworker (1163) は同じ職場で働く「同僚」。

458  **representative** [rèprizéntətiv] | 名 代表者　形 代表的な・典型的な

▶ represent (619)

• a sales **representative**(販売代理人, 営業担当者)

• a customer service **representative**(顧客サービス担当者[お客様相談窓口])

• This is a **representative** example of how to lose customer trust.
(これはこうして顧客の信用を失うという代表的[典型的]な例だ)　➲ trust (669)

♣ 1・2 番目の例では「会社を代表して顧客に接する人」と考える。

459 **volunteer** [vàləntíər] | 名 志願者・ボランティア　動 進んで~する(to do), (~を)進んで提供する

▶ voluntary (2079)

• register as a **volunteer**(ボランティアとして登録する)　➲ register(425)

- The Senior Center needs **volunteer** drivers.
  (シニアセンターではボランティアの運転手を必要としている[募集している])
- She **volunteered** to help senior citizens.
  (彼女は高齢者の手助けを買って出た)
- **volunteer** (one's) time (進んで時間を提供する[割く])

460	**maintenance** [méintənəns]	名 整備, 維持

▶ maintain (476)
- regular **maintenance** of equipment (機器の定期的整備) ➲equipment (394)

461	**security** [sikjúərəti]	名 安全・警備, 保障

▶ secure (983)
- Does the building have a **security** system?
  (この建物には警備[防犯]装置がありますか) ➲system (77)
- a social **security** system (社会保障制度)

♣ 盗難や攻撃などにあわないこと・あわないようにすること。

462	**safety** [séifti]	名 安全

▶ safe (547)
- a child **safety** seat (チャイルドシート[子ども用安全シート])
- For your **safety**, please don't lean on the doors.
  (危ないですからドアに寄りかからないでください) ➲lean (1327)

♣ 事故などにあわないこと・あわないようにすること。

463	**benefit** [bénəfit]	名《~s で》給付金・手当て, 利益・恩恵 動 利益[恩恵]を与える, (~から)利益を得る (from)

▶ beneficial (2346)
- social security **benefits** (社会保障給付金)
- **benefits** of high technology (高度な科学技術がもたらす恩恵)
- The new factory will **benefit** the community.
  [= The community will **benefit** from the new factory.]
  (その新しい工場はその地方に利益をもたらすだろう)

♣ benefit は金銭的な利益 (profit (1170)) だけではなく, 広い意味での (精神的・社会的) 利益を表す。

464 **expense** [ikspéns] | 名 費用, 《~s で》(業務上の) 経費

▶ expensive (133)

- at great **expense** (多額の費用をかけて)
- pay one's traveling **expenses** (旅費を払う)

465 **refund** [ríːfʌ̀nd] | 名 払戻し(金) 動 [rifʌ́nd] (料金などを) 払い戻す

- Could I have a **refund** for this? (これを払戻ししていただけますか)
- Please cancel my order and **refund** the money.
  (注文を取り消してお金を払い戻してください) ➲cancel (448)

466 **fund** [fʌ́nd] | 名 《~s で》資金・財源, 基金 動 (~に) 基金 [資金] を出す

- raise **funds** for scientific research
  (科学研究のための資金を集める) ➲research (97)
- The research is **funded** by the government.
  (その研究は政府から資金を受けている)

467 **campaign** [kæmpéin] | 名 (組織的) 活動 [運動]・キャンペーン

- carry out an aggressive sales **campaign**
  (積極的な販売活動を行う) ➲aggressive (1823)
- launch a new advertising **campaign**
  (新しい広告キャンペーンを開始する) ➲launch (432)

♣ drive (192) よりも組織的・計画的な活動 [運動] を表す。

468 **brochure** [brouʃúər] | 名 小冊子・パンフレット

- Please find our **brochure** enclosed.
  (同封のパンフレットをご覧ください) ➲enclose (1269)

♣ 宣伝・販売促進などのための印刷物。 この意味では pamphlet (2486) より多く使われる。

動詞 ④

469 **approve** [əprúːv]　動（～を）**承認する**，（～に）**賛成［賛同］する**（of）

▶ approval (1211)　▶ approved 形 認可された，公認の　┌➲ committee (506)

- The committee **approved** the budget.（委員会は予算案を承認した）
- The manager **approved** of our plan.（マネージャーは私たちの計画に賛同してくれた）

470 **recruit** [rikrúːt]　動（社員を）**採用［募集］する**　名 **新入社員**

▶ recruitment 名 新人募集

- **recruit** office staff（事務職員を採用する）
- a workshop for new **recruits**（新入社員のための研修会）

471 **participate** [pɑːrtísəpèit]　動（活動・行事などに）**参加する**（in）

▶ participation 名 参加　▶ participant 名 参加者，当事者

- **participate** in a debate（討論会に参加する）
- **participate** in a festival activity（お祭りの活動に参加する）

♣《フォーマル》な語で，join in や take part in などが日常語。積極的に参加する意味合い。

472 **download** [dáunlòud]　動（データなどを）**ダウンロードする**　名 **ダウンロード**（⇔ upload「アップロードする，アップロード」）

- **download** audio files from the Internet（音声ファイルをインターネットからダウンロードする）

473 **associate** [əsóuʃièit]　動（～を…に）**関係づける・関連づける**（with）　名 [əsóuʃiət]（仕事の）**仲間・同僚**　形 **副…**

▶ association (507)

- health problems **associated** with aging（加齢に関係している［伴う］健康問題）　▶ aging「加齢」
- a business **associate**（仕事仲間）《仕事上でつきあいのある人》
- a sales **associate**（店員・販売員）《店側の立場での表現》
- an **associate** marketing manager（マーケティング副部長）

♣「関係している」の associated は形容詞ともとれる。be associated with で「～に関係［関連］している」。多くの企業で社員を associate と読ぶ。また ... and Associates で会社名によく使われる。

474 **contain** [kəntéin]　動 (~を)中に含む

- Tofu **contains** a good deal of protein.
  (豆腐はタンパク質を豊富に含んでいる)　▸ protein「タンパク質」
- The brochure **contains** all the information you need.
  (パンフレットには必要な情報がすべて掲載されています)

475 **suppose** [səpóuz]　動 (~と)思う・推測する(that),《be ~d to do で》~することになっている

- I **suppose** it'd be best to ask him.(彼に聞いてみるのがベストだと思う)
- She's **supposed** to be back by now.(彼女はそろそろ帰ってくるはずだけど)
- You're not **supposed** to park here.
  (ここに駐車してはいけません)《~しないことになっている→してはいけない》

476 **maintain** [meintéin]　動 (~を)維持する・保つ, (~を)整備[保守]する

▸ maintenance (460)
- We are doing our best to **maintain** the highest standards.
  (わが社は最高水準を維持するためにベストを尽くしています)　➲ standard (926)
- The old building has been well **maintained**.
  (その古い建物はよく整備されている)

477 **rise** [ráiz]　動 上がる, 昇る　名 上昇, 増加

〔rise - rose - risen〕
- The cost of living has **risen** beyond my income.
  (生活費が収入以上に上がった)　➲ income (1335)
- Our sales **rose** by 14 percent.(わが社の売上高は 14%増加した)　➲ percent (1424)
- a sharp **rise** in prices(物価の急激な上昇)　➲ sharp (1410)
- a 4 percent **rise** in profits(利益の 4%増加)

♣ raise (350) と混同しないよう注意。

478 **permit** [pərmít]　動 (~を)許す・許可する　名 [pə́ːrmɪt] 許可(証)

▸ permission 名 許可
- Parking is not **permitted** here.(ここは駐車禁止です)
- Do you have a **permit** to park here?(ここに駐車する許可証は持っていますか)

♣ 権限のあるものが許可を与える。受け身形で使うことが多い。 ➲ allow (229)

479	**intend** [inténd]	動 (〜する)**つもりである** (to do),《be 〜ed で》(〜を)**対象にしている** (for)

▶ **intention** 名 意図・意志　▶ **intended** 形 意図された
▶ **intentional** 形 意図的な　▶ **intent** (2187)

- I **intend** to finish the report by Friday.
（金曜日までにレポートを終えるつもりです）
- This book is **intended** for young adults.
（この本は青少年向けです[を対象にしています]）

480	**involve** [inválv]	動 (〜(すること)を)**伴う** (doing), (〜を)**巻き込む**,《be 〜d で》(〜に)**かかわる・関係する** (in, with)

▶ **involvement** 名 かかわり合い, 参加

- This job **involves** some foreign travel.
（この仕事は海外旅行を伴います[海外出張がある仕事です]）
- He was **involved** in a traffic accident.（彼は交通事故に巻き込まれた[あった]）
- I am **involved** with the new project.
（新しいプロジェクトにかかわって[携わって]いる）

♣ be involved の involved は形容詞扱い（分詞形容詞）。

名 詞 ⑤

481	**coupon** [kú:pɑn]	名 **クーポン券, 割引券,** (無料)**引換券**

- Can I use this **coupon**?（このクーポン券は使えますか）
- a 10 percent off **coupon**（10%割引券）

482	**warranty** [wɔ́(:)rənti]	名 **保証**(書)

- a one-year **warranty** period（1 年の保証期間）
- extend **warranty** period（保証期間を延長する）　➲ extend (431)

♣ guarantee (969) も同義で使う。

483	**instruction** [instrʌ́kʃən]	名《〜s で》**使用説明**(書), **指示, 指導**

▶ **instruct** 動 指示する, 教える　▶ **instructor** 名 指導者・教師
▶ **instructional** 形 (教材などが)指導用の

- operating **instructions**（操作説明書）　➲ operate (301)
- follow the **instructions** of the tour guide（添乗員の指示に従う）
- individual **instruction**（個人教授・個別指導）

484 transportation [trænspərtéiʃən]

名 交通(機関・手段), 輸送(機関・手段)

▶ transport (1280)
- use public **transportation**(公共交通機関を使う)
- air **transportation**(空輸)

485 shipment [ʃípmənt]

名 積荷, 出荷・発送

▶ ship (72)
- receive a **shipment** of bricks(レンガの積み荷を受け取る)
- a delay in **shipment**(発送の遅れ)

486 stock [sták]

名 在庫(品), 株式(= share (119))
動 〔店が〕(商品を)置いている・在庫する

▶ stockholder 名 株主(= shareholder *(119)*)
- a large **stock** of merchandise(大量の商品在庫) ➲ merchandise (877)
- increases[decreases] in **stock** prices(株価の上昇[下落])
- The store **stocks** all kinds of paper.
(その店ではあらゆる種類の紙を置いている)

♣「株主」は shareholder*(119)* の方が多く使われる。

487 storage [stɔ́:ridʒ]

名 貯蔵・保管, (メモリの)記憶(容量)

▶ store (9)
- frozen **storage**(冷凍保存) ➲ frozen *(617)*
- **storage** space(収納スペース)
- **storage** capacity of 8 GB(8 ギガバイトの記憶容量)

488 airline [éərlàin]

名 航空会社

- Which **airline** do you usually fly?(どの航空会社をよく使いますか)
- an **airline** ticket(航空券)

♣ ... Airlines で航空会社名によく使われる。

489 resident [rézidənt]

名 居住者

▶ reside 動 住む ▶ residence (1994) ▶ residential (1248)
- local **residents**(地元[地域]住民)
- all **residents** in the community(すべての地域住民)

490 
candidate [kǽndədèit]
名 志願者・求職者, 候補者

- There were over twenty **candidates** for the position.
  (その職には 20 人以上の応募者がいた)
- a **candidate** for election(選挙の候補者) ➲election (1372)

491 
executive [igzékjətiv]
名 (企業の)管理職・重役　形 経営の・取締役の

▸ execute (2104)
- a senior **executive**(上級幹部[管理者])
- middle management **executives**(中間管理職)
- the chief **executive** officer(取締役社長[最高経営責任者]) ➲officer (585)

492 
supervisor [súːpərvàizər]
名 監督者・上司

▸ supervise (1385)　▸ supervisory 形 監督の
- a production **supervisor**(生産部門の監督者[責任者])
- If you have a problem, contact your **supervisor**.
  (問題がある場合は, 上司に連絡してください)

♣ manager (33) は組織全体を管理する人, supervisor は現場で直接監督する人という意味合い。 具体的な役職名などは会社・組織によって異なる。

名詞⑥・形容詞①・副詞①・前置詞①

493 
energy [énərdʒi]
名 エネルギー, 精力

▸ energetic 形 精力的な
- solar[nuclear] **energy**(太陽[核]エネルギー) ➲solar (988), nuclear (1879)
- reduce **energy** use(エネルギーの使用(量)を削減する)
- He is always full of **energy**.(彼はいつも活力がみなぎっている)

494
variety [vəráiəti]
名《a ~ of で》さまざまな~, 多様性, (同類の中の)種類

▸ vary (1322)
- We offer a wide **variety** of high-quality wine.
  (高級ワインをさまざまに品揃えしております) ➲quality (132)
- increase the **variety** of products(商品のバラエティ[多様性]を増やす)
- many **varieties** of seafood(海鮮料理の多くの種類) ▸ seafood「海産物」

495 
limit [límit]
名 限度, 制限　動 (数量を)制限する

▶ limited 形 限られた, 限定された　▶ limitation 名 制限(すること)

- What is the speed **limit**?(制限速度はどれくらいですか)
- set **limits** on data use(データ使用に制限を設ける)
- The amount you can buy is **limited**.
(ご購入個数には制限があります)

➡ amount (496)

496 
amount [əmáunt]
名 量　動 (総計が)~になる(to)

- a large **amount** [large **amounts**] of money(多額の金)
- This would **amount** to about $300 a year.(これは年約300ドルになるでしょう)

497 
device [diváis]
名 装置・器具

▶ devise 動 考案する

- a safety **device**(安全装置)

➡ safety (462)

♣ 比較的小型の電気的[電子的]装置・器具。 ➡ equipment (394)

498 
clothing [klóuðiŋ]
名《集合的に》衣料品・衣類, (特定の種類の)衣服

▶ clothes 名《集合的に》衣服・衣類　▶ cloth (653)

- a **clothing** store(衣料品店)
- children's **clothing**[= children's clothes](子ども服)

♣ clothing は衣料品全体を, clothes は衣服全体をいう。「特定の種類の衣服」の意味では clothes と同義になる。 ビジネスの場面でよく使う。

499 
available [əvéiləbl]
形 入手[利用]できる, (人が)会うことができる
(⇔ unavailable「入手[利用]できない, 会うことができない」)

▶ availability 名 入手[利用]の可能性

- Tickets are **available** on the website, www.xxxx.
(チケットはウェブサイト www.xxxx で購入できます)
- She is not **available**. Can I take a message?
(彼女はただいまおりません。何か伝言はございますか)

➡ message (124)

500
graphic [grǽfik]
形 図[表]による
名 (説明用の)図,《~s で》画像・グラフィックアート(作品)

▶ graph 名 グラフ, 図表

- a **graphic** designer(グラフィックデザイナー)

250 500 750 1000 1250 1500 1750 2000 2250 2500

- Look at the **graphic**. When does the man plan to go to the bank?
  (図を見てください。男性はいつ銀行に行くつもりでしょう?)《Part 3 の問題文》
- computer **graphics**(コンピュータ・グラフィックス《略》CG)

♣ graphic は説明を視覚的に表したもの全般をいう。graph は数値を線や棒で表したもの。 ➲chart (514)

501 

main [méin] 形 **主要な** 名 (水道・ガスなどの)**本管**

▶ mainly (380)
- The **main** problem, as you know, is price.
  (知ってのとおり主要な問題は価格です)
- water[gas] **main**(水道[ガス]の本管) ➲gas (606)

502 

according [əkɔ́ːrdiŋ] 副《according to で》(情報などに)**よれば**・(計画などに)**したがって**

▶ accordingly 副 それに応じて
- **According** to the latest research, ...(最新の研究によると…)
- Prices will vary **according** to the quantity of the order.
  (価格はご注文の量によって変動します) ➲vary (1322), quantity (980)

503 

sincerely [sinsíərli] 副 **心から**

▶ sincere 形 心からの, 誠実な ▶ sincerity 名 誠実
- I **sincerely** hope you will accept our invitation.
  (招待をお受けくださいますよう心から祈っております) ➲invitation *(185)*
- **Sincerely** (yours), [Yours **sincerely**,](敬具)《フォーマルなメールの結び》

504 

per [pə́ːr] 前 **〜につき**

- How much is it **per** person?—50 dollars **per** person including tax.
  (1 人いくらですか — 税金込みで 1 人 50 ドルです)

PART 2

505-1006

Level A 346 語

Level B 156 語

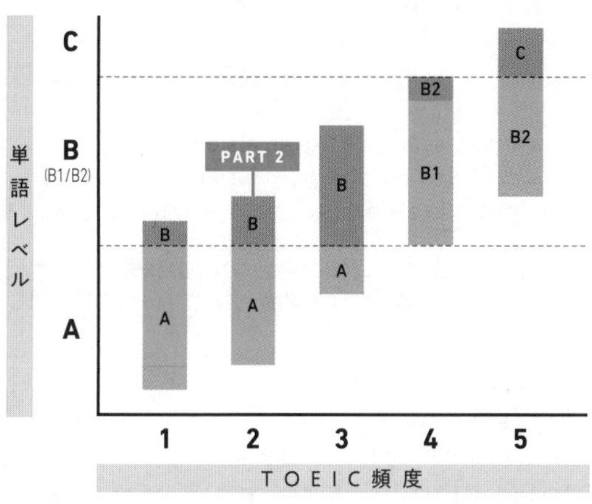

トラック 2-1

名詞 ①

505 **government** [gʌ́vər(n)mənt] | 名 政府

▶ govern 動 統治する

- What is the new **government**'s policy on Japan?
（日本に対する新政府の政策はどのようなものですか） ➲ policy (434)
- the city **government**（市政・市当局）

506 **committee** [kɑ̀mitíː] | 名《集合的に》委員会

- the executive **committee**（経営委員会） ➲ executive (491)

507 **association** [əsòusiéiʃən] | 名 協会・組合, (~との)提携

▶ associate (473)

- a consumers **association**（消費者組合） ➲ consumer (886)
- a close **association** with ABC Company（ABC 社との緊密な提携）

508 **cruise** [krúːz] | 名 (大型船での)周遊旅行　動 (船で)周遊旅行をする

- a ten-day **cruise**（10 日間の周遊旅行[クルーズ]）
- **cruise** around the world（世界一周の船旅[クルーズ]をする）

509 **aisle** [áil] | 名 (座席の間の)通路, (売り場の)通路

- **Aisle** or window seat?—I'd like an **aisle** seat.
（通路側と窓側とどちらの席にしますか ― 通路側の席をお願いします）
- The baby food is in **aisle** eight.（ベビーフードは 8 番通路にあります）

510 **partner** [pɑ́ːrtnər] | 名 (ビジネス・スポーツなどの)相手・パートナー, 配偶者
動〔ビジネス・スポーツなどで〕(~と)ペアを組む・提携する

▶ partnership (1261)

- a business **partner**（共同経営者）
- a trading **partner**（貿易相手(国)）
- **partner** with a leading technology firm（大手テクノロジー企業と提携する）

♣「提携する」は対等の立場で協力関係を結ぶこと。 ➲ affiliate (2428)

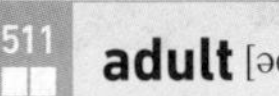

511 **adult** [ədʌ́lt] 名 おとな・成人 形 成人の

- Two **adults** and one child, please.(おとな 2 人と子ども 1 人をお願いします)
- **adult** education(成人[社会人]教育)

512 **background** [bǽkgràund] 名 (人の)経歴, (事の)背景

- have a **background** in fashion(ファッション関係の職歴がある) ➲fashion (244)
- an academic **background**(学歴)
- cultural **background**(文化的背景)

513 **knowledge** [nálidʒ] 名 知識

▸ know 動 知っている

- He has a deep **knowledge** of international business.
(彼は国際的な商取引に深い知識がある)

514 **chart** [tʃɑ́ːrt] 名 図・表

- a weather **chart**(天気図)
- a sales **chart**(売上表)

♣ データや情報を視覚的に表現したもの。graph *(500)* は chart の一種。

515 **projector** [prədʒéktər] 名 映写機

▸ project (388) ▸ projection *(388)*

- set up a **projector** and computer(プロジェクターとコンピュータを設置する)

♣ projector は project (388) の「(~を)映写する」の意味から。また, projection mapping「プロジェクション・マッピング」の projection も「映写」の意味。

516 **collection** [kəlékʃən] 名 収集品, 収集(すること)

▸ collect (307)

- a large **collection** of antiques(膨大な骨董品のコレクション) ➲antique (1460)
- garbage **collection**(ごみ収集) ➲garbage (729)

動 詞 ①

517	**print** [prínt]	動 (~を)印刷する(out) 名 印刷(物), 出版

▶ printer 名 プリンター
- **print** a meeting schedule(会議スケジュールを印刷する)
- How do I **print** out a file?(ファイルの印刷はどうやるのでしょうか) ➲file (299)
- The book is in[out of] **print**.(その本は出版されている[絶版になっている])

518	**pack** [pǽk]	動 (~を)詰める・詰め込む 名 (商品を入れる)箱, (商品の)1箱 [1包]

▶ packing 名 梱包, 包装(材) ▶ packet 名《英》小包
- Have you **packed** your suitcase yet?(もうスーツケースに荷物は詰めた?)
- Remember to **pack** your toothbrush.
  (歯ブラシを入れる[詰める]のを忘れないでね)
- The slopes are **packed** with skiers.
  (斜面はスキーヤーでいっぱいだ[詰め込まれている])
- a **pack** of gum(ガム1箱)

♣ pack の後には「かばん」などの入れ物と, そこに詰められる物の両方を置ける。 また「人」と「場所」も目的語にする。be packed の packed は形容詞扱い(分詞形容詞)。

519	**establish** [istǽbliʃ]	動 (会社・組織などを)設立する, (友好関係などを)築く

▶ established 形 確立された, 定評のある ▶ establishment (1559)
- Our company was **established** in 1984.
  (わが社は1984年に設立されました)
- **establish** a face to face relationship
  (ごく親密な関係を築く) ➲relationship (1540)

520	**exist** [igzíst]	動 存在する, 生存する

▶ existence 名 存在, 生存 ▶ existing 形 現存する, 既存の
- The Internet didn't **exist** then.(当時はインターネットは存在しなかった)
- No animal can **exist** without plants.
  (いかなる動物も植物なしでは生存できない) ➲plant (180)

521	**dress** [drés]	動 (~な)服を着る,《be ~ed で》(~な)服を着ている 名 (女性用の)ドレス, 服装

- **dress** warmly[casually](暖かい[カジュアルな]服装をする) ➲casually *(1599)*

- He is **dressed** in a light gray business suit.
（彼は淡いグレーのビジネススーツを着ている）
- She was wearing a blue **dress**.（彼女は青いドレスを着ていた）
- formal **dress**（フォーマルな服装［正装］）

♣「服を着ている」の dressed は形容詞扱い（分詞形容詞）。wear (262) も「（服を）着ている」の意味になる（この場合は同義）。「服を着る」という動作には get dressed か put on を使う。

522  **handle** [hǽndl] | 動（～を）扱う，（～を（うまく））処理する 名 取っ手，ハンドル

▸ handling 名 取り扱い，処理
- Do you **handle** foreign exchange here?
（こちらでは外国為替を扱っていますか） ➲exchange (305)
- He **handled** the situation very well.
（彼はその状況をとてもうまく処理した） ➲situation (557)
- a door **handle**（ドアの取っ手）

♣ 車のハンドルは a steering wheel という。steer (2103) 参照。

523  **adjust** [ədʒʌ́st] | 動（～を）調節する，（～に）順応する (to)

▸ adjustment 名 調整，適応　▸ adjustable 形 調節［調整］できる
- **Adjust** your seat belt.（シートベルトを調節しなさい）
- **adjust** to a new way of life（新しい生活様式に順応する［慣れる］）

524  **slide** [sláid] | 動 滑る，（そっと）動く　名（プロジェクター用の）スライド

〔slide - slid - slid〕
- The book **slid** off her knees.（本が彼女の膝から滑り落ちた）
- The boy **slid** out of the room.（少年は部屋からそっと抜け出した）
- a **slide** show（スライド上映会）

525 **realize** [ríːəlàiz] | 動（～を・～に）認識する・気づく，（～を）実現する

- I quickly **realized** (that) something was wrong.
（私はすぐに何かがおかしいと気づいた）
- He finally **realized** his dream.（彼はついに夢を実現した）

526  **appear** [əpíər] | 動（～）のようだ (to be)，（～に）現れる（⇔ disappear「消える，なくなる」），（新聞・テレビなどに）出る

▸ appearance (656)

- There **appears** to be a misunderstanding.
  (どうやら誤解があるようだ) ➲misunderstanding (1959)
- A message will **appear** on the screen.
  (画面にメッセージが表示されます) ➲screen (247)
- The story **appeared** in the newspaper.
  (そのニュースは新聞に出た[掲載された])

527 **guess** [gés] | 動 (～を)推測する, (～と)思う 名 推測

- I **guess** so.((たぶん)そうだと思う)
- I **guess** I have the wrong number.(番号を間違えたのだと思います)
- That's a good **guess**.(それはいい推測だね[いい見当をつけたね])

528 **excuse** [ikskjúːz] | 動《Excuse me. で》すみませんが, (人を)許す(for) 名 [ikskjúːs] 言い訳

- **Excuse** me, do you work here?
  (失礼ですが, ここで働いておられるのですか)《店で店員に向かって》
- **Excuse** me for going before you.
  (お先に失礼いたします[先に行くことをお許しください])
- There is no **excuse** for missing a deadline.
  (期限に間に合わなかった言い訳はできない) ➲miss (330)

名詞②

529 **dish** [díʃ] | 名 皿, 料理,《the ~es で》(食後の汚れた)食器類

▸ dishwasher (1837)
- a serving **dish**(盛り皿)
- traditional Italian **dishes**(伝統的なイタリア料理)
- put the **dishes** in the dishwasher((汚れた)食器を食器洗い機に入れる)

♣ 料理を盛って食卓に置く皿。個人用の取り皿は plate (681)。ただし明確な区別なしに使うことも多い。

530 **container** [kəntéinər] | 名 容器, (貨物の)コンテナ

▸ contain (474)
- a plastic **container**(プラスチックの容器)
- a **container** ship(コンテナ船)

531 **garage** [gərɑ́ː(d)ʒ] 名 車庫, 自動車修理[整備]工場

- a parking **garage**((公共の)屋内駐車場)
- My car is in the **garage** for repair.(私の車は工場に修理に出している)

532 **battery** [bǽtəri] 名 電池・バッテリー

- a dry[solar] **battery**(乾電池[太陽電池]) ➲solar (988)
- charge a **battery**(バッテリーを充電する)

533 **block** [blɑ́k] 名 一区画, (物・データ・時間などの)ひとまとまり 動 (道などを)ふさぐ(off)

- Go straight ahead for two **blocks**, and you'll find it on your left.
(まっすぐ 2 ブロック行くと左手にあります) ➲ahead (284)
- a **block** of time(まとまった時間)
- The street will be **blocked** off until 5 p.m.
(この通りは午後 5 時まで封鎖されます)

534 **plenty** [plénti] 名 たくさん(の)・たっぷり(の)(of)

- No, thanks. I've already had **plenty**.
(いや結構です。もうたくさんいただきました)
- Relax. We have **plenty** of time.
(落ち着いて。まだ時間はたっぷりあるよ)

535 **communication** [kəmjùːnikéiʃən] 名 (情報・意思の)伝達,《~s で》通信(手段)

▸ communicate (620) ▸ telecommunication (2000)
- **communication** skills(コミュニケーション能力)
- mass **communication**(マスコミュニケーション)
- **communications** systems(通信システム)

♣ マスコミュニケーションは「大量の情報伝達」の意味。 日本語の「マスコミ」は伝達媒体・手段を指すことが多く, **mass media** がそれに近い。 ➲media (901)

536 **entertainment** [èntərtéinmənt] 名 娯楽・楽しませるもの

▸ entertain 動 もてなす ▸ entertainer 名 芸能人・エンターテイナー
- the **entertainment** industry(娯楽産業)
- in-flight **entertainment**(機内の娯楽)《映画・音楽・ゲームなど》

537 **honor** [ɑ́nər]
名 名誉・光栄(なこと)
動 (～に)栄誉を与える・表彰する

▶ honorable 形 名誉ある
- It is a great **honor** to meet you.(お目にかかれて大変光栄に存じます)
- She was **honored** for her 30 years of service.
  (彼女は 30 年の勤続を表彰された)

538 **education** [èdʒəkéiʃən]
名 教育

▶ educate 動 教育する ▶ educated 形 教養のある
▶ educational 形 教育の, 教育的な
- He received a college **education**.(彼は大学教育を受けた)
- employee **education**(社員[従業員]教育)

539 **campus** [kǽmpəs]
名 (大学などの)構内・キャンパス

- The professor lives on **campus**.(その教授はキャンパス内に住んでいる)

540 **language** [lǽŋgwidʒ]
名 言葉・言語

- English is an international **language**.(英語は国際語です)

形容詞 ① ・ 副詞 ①

541 **convenient** [kənvíːniənt]
形 〔時間・場所などが〕(～に)都合がよい(for), 便利な
(⇔ inconvenient「都合の悪い, 不便な」)

▶ conveniently 副 便利に, 都合のいいように
- Unfortunately, it's not **convenient** for me today.
  (残念ながら今日は都合が悪いです)
- a **convenient** way of sending money
  (便利な送金方法) ➲ way (55)

♣ 日本語で「私は都合がよい」というような言い方をするが, convenient は「人」を主語にできないので注意。available (499) は OK。

542 **missing** [mísiŋ]
形 行方不明の, 欠けている

▶ miss (330)
- My baggage[luggage] is **missing**.(私の荷物が行方不明だ) ➲ baggage (1463)
- Several items were **missing**.(いくつか不足品がありました) ➲ item (386)

543 **comfortable** [kʌ́mftəbl]
形 (人が)くつろいだ, (場所・服などが)快適な
(⇔ uncomfortable「快適でない, 不快な」)

▶ comfortably 副 心地よく, 快適に　▶ comfort (1420)
- Make yourself **comfortable**.(どうぞ楽にしてください)
- Try this chair. It's more **comfortable**.
(この椅子を試してみてください。もっと座り心地がいいですよ)

544 **significant** [signífikənt]
形 重要な・重大な, (程度が)著しい

▶ significantly 副 著しく, 大いに　▶ significance 名 重要性, 意義
- make a **significant** achievement(重大な[めざましい]成果をあげる)
- a **significant** difference in opinion(著しい意見の相違)

545 **usual** [júːʒuəl]
形 いつもの・通常の(⇔ unusual (788)),
《as usual で》いつものように

▶ usually (288)
- Our **usual** terms of payment are 30 days.
(通常の支払い条件は30日です)　➲ term (930)
- Everything is the same as **usual**.(すべていつもの通りです)

546 **specific** [spəsífik]
形 特定の, 明確な・具体的な

▶ specifically 副 特に, とりわけ　▶ specification (1922)
- questions about **specific** products(特定の製品についての質問)
- Do you have something **specific** in mind?
(何か具体的な考えがありますか)

547 **safe** [séif]
形 安全な, 無事な　名 金庫

▶ safely 副 安全に, 無事に　▶ safety (462)
- a clean and **safe** environment(清潔で安全な環境)　➲ environment (955)
- All passengers are **safe** and sound.
(乗客は全員無事です)　➲ sound (258)

548 **favorite** [féivərət]
形 大好きな・お気に入りの
名 お気に入りの人[物]

▶ favor (625)
- What is your **favorite** movie?(お気に入りの映画は何ですか)
- This song is my an all-time **favorite**.(この歌は私のずっと好きな歌だ)

549 **patient** [péiʃənt] | 形 忍耐[辛抱]強い(⇔ impatient「耐えられない」) 名 患者

▶ patience 名 忍耐(力)
- Please be **patient** for a little longer.(もう少し辛抱してください)
- attend to a **patient** (患者を看護する) ➲ attend (398)

550 **exciting** [iksáitiŋ] | 形 興奮させる, はらはらするような

▶ excite (2283)
- The show was very **exciting**.(そのショーはとてもエキサイティングだった)

551 **nearly** [níərli] | 副 ほとんど・もう少しで

- It's **nearly** 10:00.(もうすぐ 10 時です)
- He was **nearly** hit by the car while crossing the street.
  (道路を横断中, 彼はもう少しで車にはねられるところだった)

552 **overseas** [òuvərsíːz] | 副 海外へ[に] 形 [óuvərsìːz] 海外の

- invest **overseas**(海外に投資する) ➲ invest (863)
- **overseas** branch offices(海外支店)

♣ abroad (824) よりも長期間のイメージ。 陸続きの国に使うこともある。

名詞 ③

553 **effect** [ifékt] | 名 影響・効果, 《take effect で》効果を生じる・(法律などが)発効する

▶ effective (985)
- What was the **effect** of the typhoon?(台風の影響はどうでした?)
- When will the announced change take **effect**?
  (発表された変更が発効するのはいつだろうか) ➲ announce (403)

♣ effect は, ある出来事や行動によって生じる変化・結果をいう。 ➲ influence (745), impact (578), consequence (1063)

554 **function** [fʌ́ŋ(k)ʃən] | 名 機能・働き, 式典・催し 動 機能する

▶ functional 形 機能的な, 実用的な
- key **functions** of the new software(新しいソフトウェアの主な機能)
- a hall for weddings and other **functions**

（結婚式やそのほかの催しに利用できるホール）

- My telephone doesn't **function** properly.
（電話の調子が悪い） ➲properly *(737)*

♣「式典・催し」の意味はまれに TOEIC に出るので覚えておこう。

555	**summary** [sʌ́məri]	名 要約

▶ summarize (1761)
- give a brief **summary**（簡単な要約を述べる） ➲brief (1352)

556	**temperature** [témpərtʃər]	名 温度・気温, 体温

- Today's **temperature** rose as high as 30℃.
（今日の温度は 30℃まで上がった）
- You should take your **temperature**.（熱を測った方がいい）

557	**situation** [sìtʃuéiʃən]	名 状況, (人の) 立場

▶ situate 動 位置を定める　▶ situated 形 (建物・場所などが) 位置している
- How do you see the present **situation**?（現在の状況をどう思いますか）
- I see your **situation**.（あなたの立場[事情]はわかりました）

558	**spot** [spɑ́t]	名 場所　動 (～を) 見つける

- popular sightseeing **spots**（人気の観光名所） ➲sightseeing (707)
- a parking **spot**（駐車場）
- I'll be wearing a green jacket, so you can **spot** me.
（私はグリーンの上着を着ていますから見つけられますよ）

559	**load** [lóud]	名 (大量の) 荷物・積み荷, 〔洗濯機〕1 回分 (の洗濯物) (of) 動 (～を・～に) 積み込む, 〔機械などに〕(～を) セットする (⇔unload (2181))

- a heavy **load**（重い荷物）
- wash two **loads** of clothes（洗濯機 2 回分の衣類を洗濯する）
- The truck is being **loaded** with many boxes.
（トラックにたくさんの箱が積み込まれている）
- **load** the paper into the printer（プリンターに用紙をセットする）

♣「積み込む」は load A with B「A (トラックなど) に B (荷物) を積む」, load A onto B「A (荷物) を B (トラックなど) に積む」の形がある。

560 **row** [róu]
名 (横の)列・並び,《in a row で》一列に・連続して

- sit in the front[the fifth] **row**(最前列[5 列目]に座る)
- Some plants are arranged in a **row**.(いくつかの植物は一列に並べられている)
- for five days in a **row**(5 日間連続で)

♣ 縦に並んだ列は line (121) という。

561 **structure** [strʌ́k(t)ʃər]
名 構造, (大きな)建造物

▶ structural 形 構造上の
- the internal **structure** of the Earth(地球の内部構造)
- a parking **structure**(立体駐車場(ビル))

562 **action** [ǽkʃən]
名 行動, 実行

▶ act 動 行動する, 動く
- need to take **action** right now(今すぐ行動を起こす必要がある)
- The new plan was put into **action**.(新計画が実行に移された)

563 **vote** [vóut]
名 投票, (投じられた)票
動 (～の)投票をする(on, for, against)

- Why don't we take a **vote**?(投票で決めよう)
- win the most **votes**(最多得票を獲得する)
- **vote** for[against] the bill(法案に賛成[反対]の票を投ずる) ➡ bill (156)

564 **target** [tɑ́:rgət]
名 (計画などの)目標
動 (～を)対象[目標]にする(at)

- We have reached our sales **target**.(売上目標に達した)
- a magazine **targeted** at teenagers
(ティーンエイジャーを対象にした[向けの]雑誌)

動詞 ②

565 **explore** [iksplɔ́:r]
動 (～を)探検する・探索する, (可能性などを)探る

▶ exploration 名 探検 ▶ explorer 名 探検家
- **explore** space(宇宙を探検する)
- **explore** the old part of the city(旧市街を探索[散策]する)
- **explore** overseas markets(海外市場の可能性を探る)

566 **catch** [kætʃ] 動 (~を)つかまえる・取る, (乗り物に)間に合う

〔catch - caught - caught〕

- Sorry, I didn't **catch** your name.(すみません, お名前を聞き取れませんでした)
- If you hurry, you'll be able to **catch** the last plane.
(急げば最終(飛行)便に間に合いますよ)

♣「つかまえる」は「物」のほか「人・言葉・病気」など広い意味に使う。

567 **compare** [kəmpéər] 動 (~と)比較する(with, to), 《compared to[with] で》~と比較すると・比べると

▶ comparison 名 比較　▶ comparable (2405)

- **compare** new models with old ones(新型品を旧型品と比較する)
- Sales increased 2.5 percent **compared** to the same period last year.
(売上高は前年同期比で 2.5%増加した)

568 **satisfy** [sǽtisfài] 動 (人を)満足させる, (欲求・必要などを)満たす, 《be ~ied で》(~に)満足している(with)

▶ satisfaction 名 満足(⇔ dissatisfaction (2244))　▶ satisfactory (2117)

- I hope the new design will **satisfy** our customers.
(新しいデザインが顧客に満足してもらえるといいのですが)
- **satisfy** the demand for the product(製品に対する需要を満たす)
- I am very **satisfied** with your products and services.
(貴社の製品とサービスにはとても満足しています)

♣「(必要などを)満たす」はmeet (15)の同義語になる。「満足している」のsatisfiedは形容詞扱い(分詞形容詞)。

569 **complain** [kəmpléin] 動 (~について・~と)不平[苦情]を言う(about, that)

▶ complaint (321)

- **complain** about the company's service(会社のサービスについて苦情を言う)
- **complain** that the system is difficult to use
(そのシステムは使うのが難しいと苦情を言う)

570 **graduate** [grǽdʒuèit] 動 (~を)卒業する(from)　名 [grǽdʒuət] 卒業生

▶ graduation 名 卒業

- I **graduated** from State University with a degree in Communications.
(私は州立大学を卒業し, コミュニケーションの学位を取得しました)
- She is a **graduate** of Texas University.(彼女はテキサス大学の卒業生です)

571 **count** [káunt] 動 (~を)数える, (~を)当てにする(on) 名 総数

- **count** the number of people present(出席者の数を数える)
- You can **count** on me.(私を当てにしてもいいよ)
- word **count** of a document(文書のワード数)

♣ 人の支援などを「当てにする」。 ➲depend (670), rely (1380)

572 **predict** [pridíkt] 動 (~を)予測する・予想する

▸ prediction 名 予測 ▸ predictable 形 予想できる

- No one **predicted** that the interest rate would rise so sharply.
(利率がそれほど急に上がるとは誰も予測しなかった) ➲rate (154)

♣ 経験や研究(結果)などに基づいて予測すること。 ➲forecast (1563)

573 **claim** [kléim] 動 (~(である)と)主張する, (~を)要求する 名 要求・請求

- He **claimed** he hadn't done anything really wrong.
(彼は何も悪いことなどしていないと主張した)
- **claim** damages for injury(傷害による損害賠償を請求する) ➲damage (1237)
- a **claim** for damages(損害賠償の請求)

♣「苦情・クレーム」は complaint (321)。claim はこの意味では使わない。

574 **achieve** [ətʃíːv] 動 (~を)成し遂げる, (成功など)獲得する

▸ achievement 名 達成

- We all have to work together to **achieve** these goals.
(これらの目標を達成するために皆の力を合わせなければならない) ➲goal (225)
- **achieve** great success(大成功を獲得する[収める])

575 **surprise** [sərpráiz] 動 (~を)驚かす 名 驚き

▸ surprised 形 驚いた

- Don't **surprise** me.(驚かせないでよ)
- What a pleasant **surprise** to hear from you!
(君から便りがあるなんて驚きだがうれしいな) ➲pleasant (1045)

576 **fail** [féil] | 動 (～に)**失敗する**(in), **～し損なう**(to do)《～しない・できない》

▸ failure (1414)

- He **failed** in the business.(彼はその仕事で失敗した)
- They **failed** to keep to the agreement.(彼らは協定を守らなかった)

名詞 ④

577 **style** [stáil] | 名 **様式, スタイル**《服など・人の流儀》

- traditional Japanese **style** hotel(伝統的な日本式ホテル) ➲traditional (599)
- the latest clothing **style**(最新の服のスタイル)
- Her management **style** is popular with her employees.
  (彼女の経営スタイルは従業員に人気がある)

578 **impact** [ímpækt] | 名 (強い)**影響**(力), (衝突による)**衝撃** 動 (～に)**影響を及ぼす**

- have a positive **impact** on the issue
  (その問題にプラスの影響を与える) ➲positive (1203)
- withstand a strong **impact**(強い衝撃にも耐える) ➲withstand (2384)
- The economic downturn has **impacted** our sales.
  (景気後退が売上に影響している) ➲downturn (2054)

♣ ある出来事による大きな・重要な変化をいう。**effect** (553), **influence** (745) よりも意味が強い。

579 **stage** [stéidʒ] | 名 (発達・発展の)**段階, 舞台**

- I'm sorry, but I can't comment at this **stage**.
  (申し訳ありませんが, いまの段階では何もお話しできません) ➲comment (902)
- May I have a table near the **stage**, please?
  (ステージの近くのテーブルにしていただけますか)

580 **lack** [lǽk] | 名 (～の)**不足・欠乏**(of) 動 (必要な物を)**欠いている**

▸ lacking 形 不足している

- a **lack** of information(情報不足)
- He seems to **lack** confidence.
  (彼には自信が欠けているようだ) ➲confidence *(849)*

581 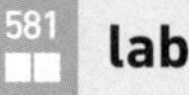 **labor** [léibər] 名 労働,《集合的に》労働者

- mental[physical] **labor**（精神[肉体]労働） ➲ mental (1880), physical (647)
- **labor** force（労働力・労働者人口）

♣ 個人の「労働者」は laborer。

582  **tip** [típ] 名 チップ，（やり方などの）秘訣・ヒント 動（～に）チップを渡す

- Does this include the **tip**?（これにはチップは含まれていますか）
- some simple **tips** for saving money（お金を貯める[節約する]簡単なヒント）
- How much should I **tip** him?（彼にチップをいくらあげるべきだろう）

583  **clerk** [klə́:rk] 名 店員，事務員

▸ clerical (2349)

- an accounting **clerk**（会計係・経理事務員）
- Please leave the keys with the desk **clerk**.（フロント係にキーをお預けください）

584  **receptionist** [risépʃənist] 名 受付係

▸ reception (975)

- a telephone **receptionist**（電話受付係）
- a front desk **receptionist**（フロント受付係）

585  **officer** [ɑ́fəsər] 名（企業の）役員，警察官（= police officer）

- the chief executive[financial] **officer**（最高経営[財務]責任者《略》CEO[CFO]）
- a police **officer**（警察官）

586 **rule** [rú:l] 名 規則 動（～を）支配する

- follow[break] the **rules**（規則に従う[規則を破る]） ➲ follow (263)
- safety **rules**（安全規則）
- **rule** (over) the country for 20 years（その国を 20 年にわたって支配する）

587  **promise** [prɑ́məs] 動（～に…を）約束する（to do, that） 名 約束

▸ promising 形 前途有望な，見込みのある

- I **promise** I won't do it again.（もう二度としないって約束するよ）
- keep[break] one's **promise**（約束を守る[破る]）

588 **trouble** [trʌ́bl] 名 困ること・トラブル　動（～に）面倒をかける

- We are in **trouble**.（私たちは困っています）
- have **trouble** with the Internet connection
（インターネット接続に問題がある[接続できない]）
- I am sorry to **trouble** you.（ご面倒をおかけしてすみません）

形容詞 ②

589  **modern** [mɑ́dərn] 形 現代の, 現代的な, 最新（式）の

- **modern** art（現代[近代]美術）　➲ art (1700)
- **modern** lifestyle（現代的な生活形態）
- **modern** equipment（最新機器[設備]）

590  **pretty** [príti] 形 きれいな・かわいい　副 かなり, とても

- a **pretty** flower（きれいな花）
- It's **pretty** cold outside.（外はかなり寒い）
- I'm **pretty** sure he'll agree.（彼はきっと同意するよ[とても確信している]）

♣「かなり」か「とても」かは文脈による。「かなり」の意味では fairly (825) も同義。

591  **average** [ǽvəridʒ] 形 平均の・標準的な, 普通の　名 平均（値）,《on average で》平均して

- spend an **average** of 122,000 yen a month（月平均 12 万 2000 円を使う）
- an **average**-size(d) room（普通サイズの部屋）
- earn 1,000 dollars a week on **average**
（平均して週に 1,000 ドル稼ぐ）　➲ earn (357)

♣「普通の」は統計的な平均値に近いということ。 ➲ regular (211)

592 **crowded** [kráudid] 形 込み合った, 混雑した

▸ crowd 名 群集・観衆　動（～に）群がる・押し寄せる
- a very **crowded** area（とても込み合った場所）
- The market is very **crowded**.（市場はすごく混雑している）

593 

poor [púər] | 形 **貧しい**, (品質・状況などが) **劣った・悪い**

▶ poorly 副 劣って　▶ poverty 名 貧困

• grow up in a **poor** family (貧しい家庭に育つ)

• a **poor** performance (業績不振)　➲ performance (333)

• be in **poor** condition (状況[状態]が悪い)

594 

simple [símpl] | 形 **単純な・簡単な, 簡素な**

▶ simply 副 単に, 簡潔に　▶ simplify (1765)

• There are no **simple** answers to that question.
(その問いに対する単純な答えはない[簡単には答えられない])

• She likes **simple** designs. (彼女は簡素なデザインが好みだ)　➲ design (34)

595

bright [bráit] | 形 (光・色などが) **明るい・輝いた** (⇔ dark「暗い」)

▶ brightly 副 明るく, 輝いて

• It's **bright** and sunny today. (今日は明るく日差しのあふれる天気です)

• **bright** colors (明るい[鮮やかな]色)

596 

electric [iléktrik] | 形 **電気の・電動の**

▶ electrical 形 電気の, 電気に関する　▶ electricity 名 電気

▶ electrician 名 電気技師

• **electric** power (電力)

• an **electric** car[bike] (電気自動車[自転車])

• **electrical** goods[appliances] (電気製品)

♣ electric は「電動の」, electrical は「電気を使った・電気に関する」という意味合いだが, 同義で使うことも多い。 ここでは electrical の例もあげてある。

597

mobile [móubl] | 形 **移動可能な**

▶ mobility 名 移動性

• a **mobile** phone [= a cell phone] (携帯電話)

• a **mobile** food stand (移動式のフードスタンド[屋台])

♣ 一般の英語では cell phone が圧倒的に多いが, TOEIC では mobile phone が使われている。

598 **creative** [kriéitiv]
形 創造的な

▶ create (115) ▶ creativity 名 創造性, 創造力
- **creative** ideas(創造的な考え)
- a **creative** drawing class(創造的な絵画[創作絵画]のクラス)

599 **traditional** [trədíʃənl]
形 伝統的な

▶ tradition (1035)
- **traditional** Italian dishes(伝統的なイタリア料理)

600 **careful** [kéərfəl]
形 (~に)気をつける, 慎重な
(⇔ careless「不注意な, 軽率な」)

▶ carefully 副 注意深く
- You should be **careful** about what you say.
(あなたは話すことに気をつけなさい)
- After **careful** consideration, ...
(慎重な考慮[熟慮]の末, …) ➲ consideration *(231)*

名 詞 ⑤

601 **novel** [návl]
名 小説 形 斬新な

- He published a new **novel**.(彼は新しい小説を発表した) ➲ publish (257)
- a **novel** design(斬新なデザイン)

602 **photography** [fətá:grəfi]
名 写真撮影(技術)

▶ photograph 名 写真(《略》photo)
- a **photography** studio(写真スタジオ[写真館]) ➲ studio (978)
- My hobby is **photography**.(趣味は写真撮影です)

603 **editor** [édətər]
名 (新聞・雑誌などの)編集長, (本の)編集者

▶ edit (1225) ▶ editorial 形 編集(上)の, 編集者の
- letters to the **editor**(編集長への手紙)

604 **instrument** [ínstrəmənt] | 名 (精密な)**器具・機器, 楽器**

▶ instrumental 形 器楽の　名 器楽曲

• medical **instruments** (医療機器) ➲ medical (277)

• Do you play any (musical) **instruments**? (何か楽器を演奏なさいますか)

♣「楽器」の意味を明確にするために musical をつけることがある。

605 **land** [lǽnd] | 名 **土地, 陸地**　動 **着陸する[させる]**, 《インフォーマル》(仕事・契約などを)**手に入れる**

• **land** prices (地価)

• travel by **land** (陸路を行く)

• Flight 101 from Seattle **landed** five minutes ago.
(シアトルからの 101 便は 5 分前に着陸した)

• I **landed** my dream job. (夢見た[理想の]職業にありついた)

606 **gas** [gǽs] | 名 **ガス, ガソリン** (= gasoline)

• natural **gas** (天然ガス)

• Is there a **gas** station around here? (このあたりにガソリンスタンドはありますか)

607 **heat** [híːt] | 名 **暑さ, 暖房, 熱**　動 (~を)**熱する**

▶ heated 形 熱した, 白熱した　▶ heating 名 暖房

▶ heater 名 暖房器具・ヒーター

• The **heat** today was a record-breaker. (今日の暑さは記録破りだった)

• Turn on the **heat**. (暖房をつけなさい)

• We had a **heated** discussion. (熱い議論を交わした)

608 **storm** [stɔ́ːrm] | 名 **嵐**

▶ stormy 形 嵐の, 荒れ模様の ➲ damage (1237)

• The **storm** damaged a power line. (嵐で送電線に被害が出た)

609 **match** [mǽtʃ] | 名 **試合, 適合**(するもの)　動 (~と)**調和する**, (~に)**匹敵する**

• a tennis **match** (テニスの試合)

• It's a perfect **match** for this computer system.
(それはこのコンピュータシステムにぴったり合う) ➲ system (77)

• Do you have a shirt to **match** this? (これに合うシャツはありますか)

610	**couple** [kʌ́pl]	名 1対・1組, 《a couple of で》2, 3の

- a married **couple**（夫婦）
- I'll spend a **couple** of days there.（そこで 2, 3 日過ごします）

611	**moment** [móumənt]	名 ちょっとの間, (特定の)時・時点

▶ momentary 形 瞬間的な
- Give me a **moment** while I check.（確認する間少し時間をください）
- She's not at her desk at the **moment**.（彼女はただいま席を外しております）

♣「ちょっとの間」の意味では minute (80) とほぼ同義。

612	**pleasure** [pléʒər]	名 楽しみ, 楽しい事・光栄な事

▶ please *(95)*　▶ pleasant (1045)
- Are you here on business or for **pleasure**?
（仕事でいらしたのですか, それとも楽しみ[遊び]で?）　➲ business (2)
- It's a **pleasure** to meet you.（(はじめまして)お目にかかれて光栄です）

動詞 ③

613	**mix** [míks]	動 (~を)混ぜる, (~を)混同する(up)

▶ mixture 名 混合(物)
- **mix** the ingredients well（材料をよく混ぜる）　➲ ingredient (1265)
- You seem to have our account **mixed** up with someone else's.
（私たちの勘定を他の誰かのと混同しているようですが）　➲ account (52)

614	**confuse** [kənfjúːz]	動 (~を…と)混同する(with), 《be ~d で》混乱[困惑]している

▶ confusion 名 混同, 混乱　▶ confusing 形 混乱させる(ような)
- **confuse** credit cards with bank cards
（クレジットカードと銀行カードを混同する）
- Staff are **confused** about a procedure.
（スタッフは手順について混乱[困惑]している）　➲ procedure (904)

♣「混乱[困惑]している」の confused は形容詞扱い(分詞形容詞)。

615	**roll** [róul]	動 転がる・(~を)転がす, (~を)巻く 名 巻いた物, ロールパン

▸ roller 名 ローラー, キャスター
- A car **rolled** slowly by.(車がゆっくりと通りすぎた)
- A woman is **rolling** a suitcase down a hall.
(女性がスーツケースを転がしながらホールを歩いている)
- Please **roll** up your sleeve.(腕をまくってください)

616	**tie** [tái]	動 (~を)結ぶ・つなぐ(up), 《be ~d up で》(~で)忙しい 名 ネクタイ

- The boat is **tied** up.(ボートは結ばれて[つながれて]いる)
- Sorry, I'm **tied** up now.(申し訳ない, いま忙しくて)
- He's wearing a **tie**.(彼はネクタイを締めている)

617	**freeze** [fríːz]	動 凍る・(~を)凍らせる, (気温が)氷点下になる, (人が)凍える

〔freeze - froze - frozen〕 ▸ frozen 形 凍った, 冷凍した
- The meat is **frozen**.(その肉は冷凍されている)
- It's **freezing** today.(今日は凍えそうに寒い)
- We were all **freezing**.(私たちはみんな凍えていた)

618	**greet** [gríːt]	動 (~に)あいさつする, (~を…で)迎える(with, by)

▸ greeting 名 あいさつ
- They're **greeting** each other.(彼らは互いにあいさつを交わしている)
- He was **greeted** with a standing ovation.
(彼はスタンディングオベーションで迎えられた)

♣ a standing ovation は, 全員が起立して拍手を送ること。

619	**represent** [rèprizént]	動 (~を)代表する・代理をする, (~を)表す

▸ representation 名 代表, 表現 ▸ representative (458)
- We are looking for an agent to **represent** us in Japan.
(わが社は日本での輸入代理業者を探しています) ➲ agent *(195)*
- These figures **represent** sales for the week.
(この数字はその週の売上を表します)

620  **communicate** [kəmjúːnəkèit]
動 (情報・意思を)**伝達する**, (~と)**連絡を取り合う**(with)

▶ communication (535)
- an ability to **communicate** in English(英語で意思伝達する能力)
- We have to **communicate** more closely with each other.
(私たちはもっと密接に連絡を取り合う必要がある) ➲closely (2010)

621  **borrow** [bɔ́(ː)rou]
動 (~を)**借りる**(⇔ lend (1028))

▶ borrowing 名 借入れ・借金
- Can I **borrow** your car?(車を貸してもらえますか)

622  **shoot** [ʃúːt]
動 (~を)**撃つ・打つ**, (映画・写真などを)**撮影する**
名 (写真・映画の)**撮影**

〔shoot - shot - shot〕 ▶ shot 名 シュート, 撮影, 注射
- **shoot** a gun(銃を撃つ)
- **shoot** a film(映画を撮影する)
- a photo **shoot**(写真撮影(会))

♣「撃つ・打つ」のは銃・弓・矢や球技のボールなど, また比喩的に E メール・視線・質問などを「向ける」の意味でも使う。 写真撮影で, (特定の) 1 回の「撮影」をいうときは shot を使う。

623  **reflect** [riflékt]
動 (~を)**反射する**, (~を)**反映する**, (~を)**熟考する**(on)

▶ reflection 名 (鏡などに映った)像, 熟考(on)
- **reflect** the light(光を反射する)
- These proposals will be **reflected** in the new policy.
(これらの提案は新しい方針に反映されるでしょう) ➲proposal *(454)*
- I need more time to **reflect** upon it.(もっと熟慮する時間が必要だ)

624  **reply** [riplái]
動 (~に)**返事をする**(to), (~と)**答える**(that)
名 **返事, 答え**

- I'm sorry it took me so long to **reply**.
(ご返事が大変遅くなり申し訳ありません)
- We are looking forward to receiving your **reply**.
(ご返事をお待ちしています)

名詞 ⑥

625 **favor** [féivər]
名 **親切な行為**《頼み事に対する》, 《in favor で》(～を) **支持する** (of)

▸ favorite (548) ▸ favorable (1489)

- Can I ask you a **favor**?(お願い[頼み]があるんだけど)
- Could you do me a **favor**?(お願いを聞いていただけますか)
- be in **favor** of the plan(その計画に賛成である)

626 **shape** [ʃéip]
名 (物の) **形**, (物・事・体などの) **状態**
動 (物・考えなどを) **形づくる**

- The cookies are in animal **shapes**.(クッキーは動物の形をしている)
- The market is in good **shape**.(市況は良い状態[好調]だ)
- Advertising often **shapes** public opinion.(広告はしばしば世論を形づくる)

627 **pile** [páil]
名 (物の) **山, たくさんの** (of)
動 (～を) **積み重ねる [重なる]** (up)

- **piles** of books(山積みの本)
- I've got a **pile**[**piles**] of work to do.(やることが山積みだ)
- The books are **piled** (up) on the table.(本がテーブルの上に山積みになっている)

628 **weight** [wéit]
名 **重量・重さ, 体重, 重要性**

▸ weigh (763)

- What is the **weight** of the package?
  (小包の重量はどれくらいですか) ➲ package (419)
- I have gained some **weight**.(体重が増えた)
- More **weight** will be put on computer skills.
  (コンピュータ技術により重要性が置かれるでしょう) ➲ skill (179)

629 **architecture** [ɑ́ːrkətèk(t)ʃər]
名 **建築様式, 建築** (学)

▸ architectural 形 建築の, 建築学の ▸ architect (1166)

- classical[modern] **architecture**(古典[現代]建築様式) ➲ classical (1737)
- an **architecture** firm(建築設計事務所)

630 **convenience** [kənvíːniəns]
名 **便利** (さ)・**便利な物**, (好) **都合**, (⇔ inconvenience「不便, 不都合」)

- the **convenience** of using credit cards(クレジットカードを使う便利さ)

- a hotel with modern **conveniences**
 （近代的な設備[便利な物]の整ったホテル）
- Please call us at your earliest **convenience**.
 （都合がつき次第お電話ください）

▸ at one's earliest convenience「最も早く都合がよいときに」

631	**coach** [kóutʃ]	名（スポーツの）**コーチ・監督, 個人指導者** 動（人・チームなどを）**指導する**

▸ coaching 名 コーチング, 指導
- a basketball **coach**（バスケットボールのコーチ）
- a job **coach**（仕事のコーチ）
- **coach** a baseball team（野球チームを指導する）

♣ TOEIC では求職や転職のコーチングの意味が多い。

632	**guard** [gɑ́ːrd]	名 **監視人・見張り** 動（攻撃などから）**守る**,（～に）**用心する**（against）

▸ safeguard (1892)
- a security **guard**（警備員） ➲ security (461)
- The area was heavily **guarded** by the police.
 （その地域は警官によって厳重に警備されていた） ➲ heavily (1153)
- **guard** against accidents（事故が起きないように用心する）

♣ 警備員を guard man とはいわない。a guard dog は「番犬」の意味。

633 	**lawyer** [lɔ́ːjər]	名 **弁護士, 法律家**

▸ law (314)
- a corporate **lawyer**（(会社の)顧問弁護士） ➲ corporation (410)

634 	**dentist** [déntəst]	名 **歯医者**

- I'd like to make an appointment to see the **dentist**, please.
 （歯医者さんの予約をしたいのですが） ➲ appointment (108)

635	**citizen** [sítəzn]	名（地方自治体の）**市民, 国民**

▸ citizenship 名 市民権・公民権
- senior **citizens**（高齢市民・高齢者）《行政サービスなどの文脈で使う》
- the **citizens** of Tokyo（東京都民）
- a Japanese[U. S.] **citizen**（日本[アメリカ]国民）

♣ citizen は「(個々の)国民」。「国民(全体)」は the nation という。 ➲ nation (721)

636 generation [dʒènəréiʃən]

名《集合的に》同世代の人々, 世代

▶ generate (1277)
- the younger **generation**(若い世代)
- a third-**generation** Japanese-American(日系三世のアメリカ人)

形容詞③

637 useful [jú:sfəl]

形 役に立つ・有益な

- **useful** information(有益な情報) ➲information (25)
- Trade fairs are **useful** for meeting new clients.
  (見本市は新しい顧客との出会いの場として有効だ) ➲client (389)

638 suitable [sú:təbl]

形 (~に)適した・ふさわしい(for, to)

▶ suit (297)
- a **suitable** candidate for the position
  (そのポジションにふさわしい求職者) ➲candidate (490)
- It is **suitable** for outdoor use.
  (それは屋外での使用に適している) ➲outdoor (1247)

♣ 特定の目的や条件に合っていること。 ➲appropriate (642)

639 familiar [fəmíljər]

形 (~に)よく知られている(to),
(~に)精通している(with)

▶ familiarize 動 (~を…に)慣れさせる ▶ familiarity (2489)
- Your voice sounds very **familiar** to me.
  (あなたの声はとてもなじみのある声だ) ➲sound (258)
- I'm not **familiar** with that term.
  (その言葉はよく知らない) ➲term (930)

640 attractive [ətrǽktiv]

形 (人・事・場所などが)魅力的な・興味をそそる

▶ attract (866)
- She's really **attractive**.(彼女は実に魅力的だ)
- an **attractive** place to live and visit
  (住むにも訪れるにも魅力的な場所)
- an **attractive** proposal(興味をそそる提案)

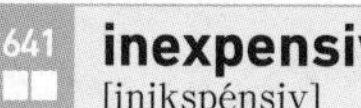

641 **inexpensive** [inikspénsiv] | 形 (値段が) 高くない・低価格の (⇔ expensive (133))

- Are there any **inexpensive** restaurants near here?
  (この近くに手ごろな値段のレストランはありますか)

♣ 品質・価値などの割には安いというプラスイメージ。 ➲cheap (693)

642 **appropriate** [əpróupriət] | 形 適切な (⇔ inappropriate「不適切な」)

▶ appropriately 副 適切に

- clothes that are **appropriate** for an interview (面接にふさわしい服装)
- This book is **appropriate** for children aged 14 and over.
  (この本は 14 歳以上の子どもに適している)

♣ suitable (638) とほぼ同義だが, appropriate は社会規範や要件に合っているという意味。

643 **fantastic** [fæntǽstik] | 形 すばらしい, 空想的な

▶ fantasy 名 空想

- You really look **fantastic**. (君はまったくすてきだ)
- a **fantastic** story (夢物語)

♣「すばらしい」の意味では wonderful のくだけた語。

644 **empty** [ém(p)ti] | 形 空の (⇔ full *(382)*) 動 空にする (⇔ fill (164))

- an **empty** seat (空いている席)
- He **emptied** the bottle. (彼はびんを空にした[飲み干した])

645 **flat** [flǽt] | 形 平らな, パンクした, (料金などが) 均一の 副 きっかり

- a **flat** surface (平らな面)
- I have a **flat** tire. (タイヤがパンクした)
- a **flat** rate of $10 (10 ドルの定額料金)
- run 100 m in 10 seconds **flat** (100 mをきっかり 10 秒で走る)

646 **chemical** [kémikəl] | 形 化学の 名 化学製品 [薬品]

▶ chemistry (1677)

- **chemical** products (化学製品)
- This **chemical** is not harmful. (この化学製品は無害です) ➲harmful *(1042)*

647  **physical** [fízikəl] | 形 **身体の**(⇔ mental (1880)), **物質的な**

▸ physically 副 肉体的に, 物質的に
- **physical** strength(体力)
- **physical** evidence(物的証拠)
- a **physical** store(実店舗)《online store(オンラインストア)に対して》

648  **classic** [klǽsɪk] | 形 **第一級の・傑作の, 典型的な** 名 (芸術などの)**古典・名作**

▸ classical (1737)
- a **classic** film[novel](名作映画[小説])
- one of the **classics** of 20th century literature
  (20 世紀文学の古典的作品の1つ)

名詞 ⑦

649  **fire** [fáiər] | 名 **火事** 動 (労働者を)**解雇する**

- There was a **fire** on Maple Street.
  (メープル通りで火事があった)
- a **fire** alarm(火災報知器) ➲ alarm (796)
- He was **fired** from his job.(彼は仕事をくびになった)

650 **fence** [féns] | 名 (木材や金属の)**柵・塀** 動 (~を)**柵[塀]で囲む**

- There is a **fence** across the lawn.(芝生の向こうに柵がある)
- I **fenced** my yard in.(庭を柵で囲んだ)

651 **balcony** [bǽlkəni] | 名 **バルコニー**, (劇場の)**さじき**

- I'd like a room with a **balcony**.(バルコニー付きの部屋をお願いします)

♣ 日本語の「バルコニー」とは少し異なり,「ベランダ」なども含む。

652 **stair** [stéər] | 名《~s で》**階段**

▸ staircase (2371)
- Let's take the **stairs**.(階段で行きましょう)

♣ 屋内の階段をいう。 屋外のものは step (337)。

653 **cloth** [klɔ́(:)θ] | 名 布, 織物

▶ clothes *(498)* ▶ clothing (498)

- Wipe the inside of the box with a clean **cloth**.
  (清潔な布で箱の内側を拭いてください)

654 **uniform** [júːnəfɔ̀ːrm] | 名 制服・ユニホーム 形 均一の・一定の

- We wear the company **uniforms** at our office.
  (事務所では会社の制服を着用する) ➲ wear (262)
- run at a **uniform** speed(一定のスピードで走る)

655 **exhibition** [èksəbíʃən] | 名 展示(会), 公開演技[試合]

▶ exhibit (1224)

- The **exhibition** attracted 80,000 people over a two-week period.
  (その展示会は 2 週間の期間中 8 万人を魅了した) ➲ attract (866)

656 **appearance** [əpíərəns] | 名 外見・外観, (人・新製品などの)登場

▶ appear (526)

- a change in the **appearance**(外観の変化)
- make an **appearance** on television(テレビに登場する[出演する])
- the **appearance** of new technologies(新しい技術の登場)

657 **difference** [dífərəns] | 名 違い, 《make a ~で》重要である《重大な変化をもたらす》

▶ different 形 異なる ▶ differ (1820)

- What is the **difference** between these two sentences?
  (この 2 つの文の違いは何ですか) ➲ sentence (227)
- Your opinions can make a **difference**.
  (あなたの意見が重要です[大きな変化をもたらします])

658 **importance** [impɔ́ːrtəns] | 名 重要(性)

▶ important 形 重要な

- This is an issue of great **importance** to us all.
  (これは私たちみんなにとって極めて重要な問題です) ➲ issue (130)

659 **emergency** [imə́ːrdʒənsi]	名 非常時・緊急事態

- an **emergency** exit（非常口）
- In an **emergency**, press the button.（緊急時にはボタンを押してください）

660 **script** [skrípt]	名 脚本・台本, （手書き）文字

- a film[television] **script**（映画[テレビ]の台本）

動詞 ④

661 **discover** [dɪskʌ́vər]	動 （～を）発見する・見つける

▶ discovery 名 発見, 発見されたもの
- **discover** the truth（真実を発見する）
- **discover** new ways of doing ...（…の新しいやり方を見つける）

662 **jam** [dʒǽm]	動 （～を）詰め込む, （場所などを）ふさぐ・いっぱいにする 名 渋滞（= traffic jam）, ジャム

- **jam** everything into one suitcase（1つのスーツケースに何もかも詰め込む）
- The roads were **jammed** with cars.（道路は車でいっぱいだった）
- be caught in a traffic **jam**（交通渋滞につかまる）

♣ be jammed の jammed は形容詞扱い（分詞形容詞）。

663 **wind** [wáɪnd]	動 （糸などを）巻く, （道・川が）うねる（through, across） 名 [wínd] 風

〔wind - wound - wound〕
- **wind** a tape backward[forward]（テープを巻き戻す[進める]）
- The road **winds** through the hill for about five miles.（道路は約5マイルにわたって丘を曲りくねっている）
- The **wind** is blowing hard.（風が強く吹いている）

664 **lock** [lák]	動 （～に）鍵をかける, （鍵をかけて～を）閉じこめる（in） 名 錠

▶ locker (2370)
- Could you check and make sure the door is **locked**?（ドアに鍵をかけたか確かめてくれませんか）
- I've **locked** my keys in my car.（鍵を車の中に置いたままロックしてしまった）
- an automatic door **lock**（自動ドアロック） ➲ automatic (695)

♣ key と lock の違いに注意。lock を開けたり閉めたりするものが key。

665 **click** [klík]
動 (マウスを)クリックする, (~をカチッと)鳴らす

- Please **click** here to change your password.
  (パスワードを変更するには, こちらをクリックしてください)

666 **relax** [rilǽks]
動 くつろぐ, (~を)緩める

▶ relaxation 名 くつろぎ・気晴らし, 緩和　▶ relaxed 形 くつろいだ, なごやかな
- Come in and **relax** for a few minutes.
  (お入りになって, しばしおくつろぎください)
- **relax** the rules (規制を緩和する)

667 **attempt** [ətém(p)t]
動 (~(すること)を)試みる・企てる (to do)
名 試み・企て

▶ attempted 形 未遂の
- We have **attempted** to reach you by telephone three times.
  (あなたに 3 回電話連絡しました(が通じませんでした))
- a failed **attempt** (成功しなかった企て)

668 **consist** [kənsíst]
動 (~から)成る (of)

- The board **consists** of five directors.
  (取締役会は 5 人の取締役で構成されている)　➲ board (145)

669 **trust** [trʌ́st]
動 (~を)信頼する, (~と)確信する　名 信頼・信用

- I **trust** you completely. (あなたを全面的に信頼しています)　➲ completely *(43)*
- I **trust** (that) you had a pleasant vacation.
  (楽しい休暇を過ごされたことと存じます)

♣ I trust (that) ... は日本語の「きっと…と存じます」という意味の丁寧表現。

670 **depend** [dipénd]
動 (~)次第である (on), (~に)頼る (on)

▶ dependence 名 依存　▶ dependent (1601)
- Everything **depends** on the weather. (すべては天候次第だ)
- It **depends**. (それは時と場合による[状況次第だ])《確答を避ける表現》
- I **depended** on him time and again. (彼には何かにつけて世話になった)
  ▸ time and again「しばしば」

♣「(~に)頼る」の意味では rely (1380) と同義だが, rely の方が依存度が高い。

250 500 750 1000 1250 1500 1750 2000 2250 2500

671 **prevent** [privént]
動 (〜を未然に)**防ぐ**, (〜が…するのを)**妨げる**(from)

▶ prevention 名 防止　▶ preventive 形 予防の

- **prevent** the spread of the new disease
（新しい病気の広がり[蔓延]を防ぐ）　➡spread (718)
- Urgent business **prevents** me from joining you.
（急用のためご一緒できません）　➡urgent (1402)

672 **disagree** [dìsəgríː]
動 **意見が合わない**(⇔ agree (188))

▶ disagreement 名 意見の不一致, 食い違い

- I'm afraid I have to **disagree**.（残念ながら，同意できません）

名詞 ⑧

673 **episode** [épəsòud]
名 (番組・ドラマなどの)〔1回分の〕**話**, (小さな)**出来事・エピソード**

- Today's **episode** is all about health.（本日のお話は健康についてです）

674 **chapter** [tʃǽptər]
名 (本などの)**章**, (歴史などの)**一区切り**

- the first[final] **chapter**（第1[最終]章）
- an important **chapter** in one's life（人生の重要な一章）

675 **heart** [háːrt]
名 **心臓**, **心**, (場所の)**中心部**

- My **heart** is beating rapidly.（心臓[胸]がドキドキしている）　➡beat (1577)
- He is young at **heart**.（彼は心が若い）
- the **heart** of the city（街の中心部）

676 **sense** [séns]
名 **感覚**, **センス**, **意味**

▶ sensation (1657)　▶ sensible (2231)　▶ sensitive (2222)　▶ sensor (2439)

- a **sense** of security（安心感）
- She has a good **sense** of humor.（彼女はユーモアのセンスがいい）
- That answer doesn't make **sense**.（その返答では意味がない）
▶ make sense「意味が通じる，筋が通る」

677 **diet** [dáiət] 名（日常の）**飲食物**,（減量のための）**規定食**

- a healthy **diet**（健康的な日常の食事）
- I'm on a **diet**.（ダイエット[減量]中です）

678 **dessert** [dizə́:rt] 名（食後の）**デザート**

- What will you have for **dessert**?（デザートは何にしますか）

679 **cereal** [síəriəl] 名（朝食用の）**シリアル**, **穀物**

- a bowl of **cereal** and a glass of juice
（ボウル1杯のシリアルとコップ1杯のジュース）

680 **seed** [sí:d] 名（植物・果物の）**種**　動（果物などの）**種を取り除く**

- apple **seeds**（リンゴの種）
- **seed** grapes（ブドウの種を取る）

681 **plate** [pléit] 名（浅い）**皿**,（1皿分の）**料理**,（金属製の）**表札・プレート**

- You have to clean up your **plate**.
（自分の皿（料理）はみな食べなさいよ）
- a license **plate**（（車の）ナンバープレート） ➲license (246)

♣ 個人用の取り皿。 ➲dish (529)

682 **century** [sén(t)ʃəri] 名 **世紀**

- What do you expect in the new **century**?
（新世紀に何を期待しますか） ➲expect (117)

683 **capital** [kǽpətl] 名 **首都**, **資本**, **大文字**（= capital letter）

- the **capital** city area（首都圏）
- bring in foreign **capital**（外資を導入する）
- a venture **capital** firm（ベンチャー投資会社）

684 **custom** [kʌ́stəm] | 名 慣習,《~s で》税関　形 特注の・カスタムの

▶ customer (4)
- traditional **customs**（伝統的な習慣）
- **customs** duties（関税）　➲duty (1244)
- **custom** furniture（特注家具）

♣ 個人の習慣は habit (800)，商取引などでの習慣は practice (268)。

形容詞 ④

685 **foreign** [fɑ́rən] | 形 外国の

▶ foreigner 名 外国人
- **foreign** trade（外国貿易）
- **foreign** languages（外国語）　➲language (540)
- Where is the **foreign** exchange window?
  （外国為替取引の窓口はどこですか）　➲exchange (305)

686 **remote** [rimóut] | 形 遠く離れた,（可能性などが）わずかな

▶ remotely 副 遠くから, 遠隔操作で
- **remote** areas（辺ぴな地域）
- There is a **remote** possibility[chance] that ...
  （…という可能性はわずかである[ほとんどない]）

687 **double** [dʌ́bl] | 形 2つ [2倍] の, 2人用の　動 2倍にする　名 2倍

- a **double** line（二重線）
- Do you have a room with two **double** beds?
  （ダブルベッドが 2 つある部屋はありますか）
- It **doubles** the processing speed.
  （それによって処理速度は 2 倍になる）　➲process (441)

688 **single** [síŋgl] | 形 1つ [1人] の, 1 人用の, 独身の　名《~s で》独身者

- I read the book in a **single** day.（私はこの本を一日で読んだ）
- A **single** room, please.（1 人部屋をお願いします）
- a **single** life（独身生活）

689 
common [kámən] | 形 普通の, 共通の

▶ commonly 副 一般に

- It is **common** for Japanese men to cook.(日本人男性が料理するのは普通だ)
- a **common** interest(共通の利害)
- The two cities have a lot in **common**.(この 2 つの都市には共通点が多い)

▶ have A in common「共通して～を持っている」

♣ どこにでもあって「普通」ということ。 ➲regular (211), average (591), normal(690)

690
normal [nɔ́:rml] | 形 普通の・通常の, 正常な　名 標準

▶ normally 副 普通は, 正常に

- Our **normal** business hours are nine to five.
(通常の営業時間は 9 時から 5 時までです)
- **normal** growth(正常な発育)
- Her weight is below **normal**.
(彼女の体重は標準値を下回っている) ➲weight (628)

♣ 基準からはずれていないこと。 ➲regular (211), average (591), common (689)

691
negative [négətiv] | 形 否定の・否定的な, 消極的な(⇔ positive (1203))
名 否定

- a **negative** answer(否定の返答)
- **negative** customer feedback
(否定的な顧客からのフィードバック) ➲feedback (437)
- **negative** attitude(消極的な態度) ➲attitude (724)

692 
noisy [nɔ́izi] | 形 騒がしい

▶ noise 名 騒音

- a **noisy** area(騒がしい[騒音]地域)
- Excuse me for being so **noisy**.(騒がしくてすみません)

693 
cheap [tʃí:p] | 形 安い・安価な, 安上がりの(⇔ expensive (133))

- Do you know of any **cheaper** hotels?(もっと安いホテルを知りませんか)
- Small cars are **cheaper** to run.
(小型車の方が維持するのに安上がりだ) ▶ run「維持する」

♣「安い」は inexpensive (641) と同義だが,「安っぽい」というネガティブなイメージもある。 ただし比較する文脈で使うときは「安価な・安上がりの」というポジティブな意味合いになり, TOEIC ではこの意味が多い。「給料が安い」には low を使う。 ➲salary (1169)

694  **tight** [táit] 形 きつい, (予定・予算などが)**きつい・余裕がない** 副 **きつく**

▸ tightly 副 堅く, しっかりと
- This jacket is a little **tight**.(この上着はちょっときつい)
- My schedule is rather **tight** this week .
  (今週はかなり予定がきつい[詰まっている])
- Hold **tight** and don't let go of the rope.(しっかり握って, ロープを離すな)

695  **automatic** [ɔ:təmǽtik] 形 **自動の**

▸ automatically 副 自動的に, 必然的に ▸ automation (2438)
- an **automatic** focus camera
  (オートフォーカス[自動焦点]カメラ) ➲focus (199)
- an **automatic** teller machine
  (現金自動預入支払機《略》ATM) ➲teller (1537)

696 **net** [nét] 形 **正味の**(⇔ gross (2227)) 名《the N ～で》**インターネット**(= the Internet)

- a **net** profit of $500,000(50 万ドルの純利益)
- shop on the **Net**(インターネットで買い物をする)

♣ the Net の意味で the Web ともいう(Web は the World Wide Web の略語)。
➲website (751)

名 詞 ⑨

697  **fare** [féər] 名 (交通機関の)**運賃・料金**, (レストランなどの)**料理**

▸ airfare (2089)
- What[How much] is the **fare** to Narita, please?
  (成田までの運賃はいくらですか)
- traditional Christmas **fare**(伝統的なクリスマス料理)

♣ 他の「料金」を表す語は fee (104), rate (154), charge (420) 参照。「料理」は《フォーマル》な書き言葉。TOEIC ではレストランの宣伝文に出てくる。

698  **scale** [skéil] 名 **規模, 等級, はかり**

- It was manufactured on a large **scale**.(それは大規模生産によって作られた)
- What was the **scale** of the earthquake?(その地震の震度はいくつでしたか)
- a bathroom[kitchen] **scale**(浴室[台所]のはかり)

699	**envelope** [énvəlòup]	名 封筒

- Please mail it in the enclosed return **envelope**.
  (同封の返信用封筒で郵送してください)　➲enclose (1269)

700	**pressure** [préʃər]	名 (社会的・精神的)圧力, (物理的)圧力 動 (~に)圧力をかける(to do, into doing)

▶ press (426)

- We're under **pressure** to increase profits.(利益を増やすよう迫られている)
- high[low] blood **pressure**(高血圧[低血圧])
- We were **pressured** into signing the contract.
  (その契約書に署名するよう強いられた)　➲contract (415)

701	**court** [kɔ́ːrt]	名 裁判所, (テニスなどの)コート

- go to **court**(裁判に訴える)
- a tennis[volleyball] **court**(テニス[バレーボール]コート)
- a food **court**(フードコート)

702	**stadium** [stéidiəm]	名 競技場, 野球場

- a soccer[baseball] **stadium**(サッカー競技場[野球場])

703	**fan** [fǽn]	名 (娯楽・スポーツなどの)ファン, うちわ・扇風機

- I am a big **fan** of European soccer.(ヨーロッパサッカーの大ファンです)
- turn[switch] on a **fan**(扇風機をつける)

704	**playground** [pléigràund]	名 (学校などの)運動場・遊び場

- The **playground** was full of children.(遊び場は子どもたちでいっぱいだった)

705	**globe** [glóub]	名《the ~で》地球・世界

▶ global (945)

- a journey around the **globe**(世界旅行)

♣ the world の強調語。 旅行会社の宣伝文や環境問題を扱う文などで使う。

706 **zone** [zóun] | 名 地帯・地域, 地区・区域

- an industrial **zone**（工業地帯） ➲industrial (1197)
- standard time **zones**（標準時間帯）
- a no-parking **zone**（駐車禁止区域）

♣ ある基準・特定の目的で指定された地域。 ➲region (907), district (908)

707 **sightseeing** [sáitsìːiŋ] | 名 観光

- Are there any city **sightseeing** buses?（市内観光バスはありますか）

708 **path** [pǽθ] | 名 小道, 進路

- Some people are strolling on a **path**.
（小道を散歩している人たちがいる） ▸stroll「ぶらぶら歩く」
- the **path** of a hurricane（ハリケーンの進路）

♣ pathway も同義で使う。

動詞 ⑤

709 **imagine** [imǽdʒin] | 動 (～を)想像する, (～と)思う (that, wh-)

▸ imagination 名 想像(力) ▸ image (322) ▸ imaginary 形 想像上の・架空の
▸ imaginative (2506)

- **Imagine** a world without war.（戦争のない世界を想像してごらん）
- I can't **imagine** why this happened to you.
（どうしてこんなことが君に起こったのか思い当たらない）

710 **judge** [dʒʌ́dʒ] | 動 (～を・～と)判断する, (～を)審査する, (～を)裁判する 名 審判(員), 裁判官

▸ judgment 名 判断・判断力, 判決

- They **judged** that there were no major problems.
（彼らは特に重大な問題はないと判断した）
- the panel of **judges** at the film festival（映画祭の審査員団） ➲panel (2001)

711 **divide** [diváid] | 動 (～を)分ける (into), (～を)分配する (among, between) 名 隔たり

▸ division (1168)

- This chapter is **divided** into three sections.
（この章は３つの節に分かれている） ➲chapter (674)

- **divide** (up) the money among the three（3 人でお金を分ける）
- the digital **divide**（デジタルデバイド［情報技術格差］）　➲digital (939)

712	**bend** [bénd]	動（体・物を）曲げる［曲がる］　名 曲がり・カーブ

〔bend - bent - bent〕

- **bend** one's body[knees]（身［膝］をかがめる）
- The man is **bending** over a bicycle.（男は自転車の上にかがんでいる）
- a **bend** in the road（道路のカーブ）

♣ curve (1731) は滑らかな弧を描くイメージなのに対して, bend はシャープなカーブ。

713	**cross** [krɔ́(ː)s]	動（～を）横切る・横断する, 〔横線を引いて〕（～を）削除する（out）

- Look both ways before you **cross** the street.
（通りを横切る前に左右をよく見なさい）
- **cross** out the old address（古い住所を（線を引いて）削除する）
- He **crossed** her name off the list.（彼は彼女の名前をリストから削除した）

♣「A を B から削除する」というときは cross A off B とする。

714	**lie** [lái]	動 横たわる,（～に）ある

〔lie - lay - lain - lying〕

- A man is **lying** on the ground.（地面に男が横たわっている）
- Why don't you **lie** down for an hour or so?
（1 時間かそこら横になってはどうですか）

♣ 過去形が lay (1527) と同じ形なので注意。同形異義語に lie「うそ, うそをつく」がある。

715	**sink** [síŋk]	動 沈む・（～を）沈める　名（台所の）流し

〔sink - sank - sunk〕

- The sun was slowly **sinking** below the horizon.
（太陽はゆっくりと地平線に沈んでいった）
- Please put your dishes in the **sink**.
（食器類は流しに置いてください）　➲dish (529)

716	**jump** [dʒʌ́mp]	動 跳ぶ・ジャンプする,（物価・温度などが）急に上がる 名 跳ぶこと, 急騰（in）

- **jump** over the wall（塀を跳び越える）
- Food prices **jumped** by 2.4% in May.（5 月に食品価格が 2.4%急上昇した）
- a **jump** in oil prices（石油価格の急騰）

717 **rush** [rʌ́ʃ]
動 (～へ・～しようと)急ぐ(to, to do), (～を)急いでやる
名 急ぎ, 《形容詞的に》急ぎの

- Customers are **rushing** to buy the game software.
(顧客はゲームソフトの購入に殺到している)
- Don't **rush** your decision.(決断を急いではいけない)
- place a **rush** order(急ぎの注文をする)

718 **spread** [spréd]
動 (～を)広げる[広がる]　名 広がり

〔spread - spread - spread〕
- **spread** a tablecloth on the table
(テーブルにテーブルクロスを広げる[掛ける])
- The rumor **spread** rapidly.
(そのうわさはまたたく間に広がった) ➲rumor (1089)
- prevent the **spread** of the new disease
(新しい病気の広がり[蔓延]を防ぐ) ➲prevent (671)

719 **solve** [sálv]
動 (問題などを)解決する

▸ solution (274)
- All the problems are **solved**.(問題はすべて解決した)

720 **force** [fɔ́:rs]
動 (人に・～することを)強制する(to do)　名 力

- We were **forced** to accept their proposal.
(我々は彼らの提案を受け入れざるを得なかった)

名詞 ⑩

721 **nation** [néiʃən]
名 国家, 《the ～で》国民

▸ national (280)　▸ nationality (1032)
- an industrial **nation**(工業国) ➲industrial (1197)
- the voice of the **nation**(国民の声・世論)

♣ nation は社会的・歴史的に見た「国家」。country は地理的に見た「国」。

722 **society** [səsáiəti]
名 社会, 協会・学会

▸ social (373)
- a competitive **society**(競争社会) ➲competitive (1200)

• a historical **society**(歴史研究会[学会])

723 **population** [pɑ̀pjəléiʃən] 名 人口,(動物の)個体数

• growth[decline] in **population**(人口の増加[減少]) ➲decline (1325)
• wildlife **populations**(野生生物の個体数) ➲wildlife (1611)

724 **attitude** [ǽtət(j)ùːd] 名 (～への)態度・姿勢(toward)

• He took a friendly **attitude** toward us.(彼は私たちに親しい態度をとった)

♣ manner (725) や behavior (1064) などを通して感じ取られるもの。

725 **manner** [mǽnər] 名 やり方,態度,《～s で》行儀作法

• in the usual **manner**(いつものやり方で)
• a friendly **manner**(友好的な態度)
• good table **manners**(上品なテーブルマナー)

♣「態度」は人に対する話し方やふるまい方など。「ふるまい方」はbehavior (1064)。

726 **strength** [stréŋ(k)θ] 名 強さ,体力

▸ strong 形 強い　▸ strengthen 動 強くする[なる],強化する

• He has great **strength** of will.(彼は意志がとても強い) ▸ will「意志」
• build up one's **strength**(体力をつける)

727 **metal** [métl] 名 金属

• a precious **metal**(貴金属) ➲precious (1825)
• a **metal** plate(金属板)

728 **flood** [flʌ́d] 名 洪水　動 (～を)水浸しにする[水浸しになる]

▸ flooding 名 洪水

• The heavy rains caused **floods**[**flooding**].
(大雨は洪水を引き起こした) ➲cause (303)
• The heavy rains **flooded** the city.
(大雨が街を水浸しにした[大雨で水浸しになった])

♣ flooding も同義。「災害」としての洪水をいうときは flooding を使うことが多い。

729 garbage [gá:rbidʒ] | 名 (生)ごみ

- a **garbage** can(ごみ入れ)《円筒形で蓋付き》
- a **garbage** truck(ごみ収集車)

♣ 台所で出る生ごみ・空き缶など。部屋で出る紙くずなどは trash (1842)。

730 desert [dézərt] | 名 砂漠

- a **desert** area[region](砂漠地帯) ➲ region (907)

♣ dessert とつづり, 音が似ているので混同しないよう注意(dessert はアクセントが後にある)。

731 dust [dʌ́st] | 名 ちり・ほこり　動 ほこりを払う, (粉などを)振りかける

- gather **dust**(ほこりがたまる)
- **dust** the furniture(家具のほこりを払う) ➲ furniture (152)
- **dust** a cake with flour(ケーキに粉をかける) ▶ flour「小麦粉」

732 screw [skrú:] | 名 ねじ(釘)　動 (～を)ねじって締める

- tighten[loosen] a **screw**(ねじを締める[緩める]) ➲ loosen *(1126)*
- **screw** the cap on the bottle(ボトルのキャップを締める)

形容詞 ⑤

733 wise [wáiz] | 形 (人・判断などが)賢い・賢明な

▶ wisely 副 賢く, 賢明に(も)　▶ wisdom 名 知恵

- a **wise** decision(賢明な決断)
- It would be **wise** to take his advice.(彼の忠告を聞くのが賢明だろう)

♣ 経験豊かで思慮深いというイメージ。

734 smart [smá:rt] | 形 (人・判断などが)頭のよい・賢明な, コンピュータ制御の

- You'd be **smart** to take it.(あなたはそれを受け入れた方が賢明です)
- a **smart** card(スマートカード[IC カード])

♣ 頭の回転が速く判断が素早いというイメージ。

735 **powerful** [páuərfəl] | 形 強力な

▶ power 名 力, 電力[電気]

- the most **powerful** air conditioners on the market
  (市場にある最も強力なエアコン)

736 **weak** [wí:k] | 形 弱い

▶ weakness 名 弱さ, 欠点

- **weak** points (弱点)
- The yen is **weak** against the dollar. (円はドルに対して弱い[円安である])

737 **proper** [prápər] | 形 適切な

▶ properly 副 適切に　▶ **property** (440)

- **proper** maintenance of equipment
  (機器の適切な整備[メンテナンス])　➲ maintenance (460)

738 **acceptable** [əkséptəbl] | 形 受け入れられる・容認できる

- I hope our condition would be **acceptable** to you.
  (わが社の条件が貴社に受諾されることを祈ります)　➲ condition (204)

739 **native** [néitiv] | 形 出生地の, (土地)固有の　名 (~)生まれの人(of)

- my **native** country (母国)
- **native** plants[animals] ((その土地)固有の植物[動物])
- a **native** of Canada (カナダ生まれ(の人))

740 **ancient** [éinʃənt] | 形 古代の

- an **ancient** city (古代都市)
- the culture of **ancient** Greece (古代ギリシャ文化)　➲ culture *(1451)*

741 **wild** [wáild] | 形 野生の, 未開の

▶ wildlife (1611)

- **wild** flowers[animals] (野生の花[動物])
- the **wild** and beautiful landscape (未開の[自然のままの]美しい風景)

250 500 750 1000 1250 1500 1750 2000 2250 2500

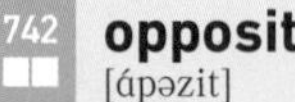

742 **opposite** [ápəzit] 形 副 反対の[に]・逆の[に] 前 ～の向かい側に

▸ oppose (830)

- You are walking in the **opposite** direction.（君は反対方向に歩いているよ）
- The hotel is **opposite** the station.（ホテルは駅の向かい側にある）

743 **tired** [táiərd] 形 (～に)**疲れて**(from), (～に)**飽きて**(of)

- I was very **tired** from walking.（歩いてとても疲れた）
- I'm **tired** of this place. Let's go.（ここは飽きた。さあ行こう）

744 **anxious** [ǽŋ(k)ʃəs] 形 (～を)**心配している**(about, for), (～することを)**切望している**(to do)

▸ anxiously 副 心配して　▸ anxiety 名 心配・不安, 切望

- I'm **anxious** about the results of the examination.
（試験の結果が心配だ）　➲ result (171)
- We are always **anxious** to assist you.
（いつでもお役に立ちたいと切望いたしております）　➲ assist (915)

♣「心配している」は悪いことが起きる・起きたのではないかと思っていること。心配の度合いは worried よりも強い。➲ worried (379)

名詞 ⑪

745 **influence** [ínfluəns] 名 **影響(力)** 動 (人の考え・行動などに)**影響を与える**

▸ influential 形 影響力のある

- The Internet has a powerful **influence** on our society.
（インターネットは私たちの社会に強い影響力を持っている）
- Many young artists are **influenced** by his work.
（若いアーティストの多くは彼の作品に影響を受けている）

♣ influence は, 人(の考え・行動などに)に対する影響をいう。➲ effect (553), impact (578)

746 **contrast** [kántræst] 名 **対照, 相違**(with, between) 動 [kəntrǽst] (…と)**対照をなす**(with)

- a **contrast** between the old and the new（新旧間の相違）
- His views **contrast** with ours in many respects.
（彼の意見は我々のものと多くの点で対照的である）　➲ respect (1374)

747 
fear [fíər] 名 恐れ・不安 動 (~を)恐れる・心配する

- I have no **fear** of my future.（将来の不安はまったくない）
- **fear** that the economy will become worse（景気が悪化することを恐れる）

♣「恐れる・心配する」は be afraid of と同義。

748 
pride [práid] 名 誇り 動《~ oneself on で》(~を)誇りにする

▸ proud (1202)
- I take **pride** in my work.（私は自分の仕事に誇りを持っている）
- We **pride** ourselves on complete service.（極上のサービスは自慢できます）

749 
commitment [kəmítmənt] 名 約束, かかわり

▸ commit (1715)
- Unfortunately, I have a prior **commitment** this week.
（残念ながら今週は先約があります） ➲prior (943)
- This program requires your total **commitment**.
（この計画はあなたの全面的なかかわりを必要とします）

♣「約束」は promise (587) の《フォーマル》な語。「かかわり」は長期的に責任をもって取り組むこと。

750 
exam [ɪgzǽm] 名 試験・テスト, (医師の)検査・検診《examination の略語》

▸ examine (1428)
- take an entrance **exam**（入学[入社]試験を受ける） ➲entrance (202)
- have an eye **exam**（目の検診を受ける）

751 
website [wébsàɪt] 名 (インターネットの)ウェブサイト(= Web site)

▸ site (29)
- For more information, check out our **website**.
（詳しくは当社のウェブサイトをご覧ください） ➲check out *(1465)*

♣ TOEIC では Web site としているが, 一般には website が圧倒的に多く使われている。

752
column [kάləm] 名 (新聞などの)コラム・欄, 円柱

▸ columnist 名 コラムニスト
- She writes a weekly **column** in "The New York Times".
（彼女は『ニューヨーク・タイムズ』に毎週コラムを書いている）

250 500 750 1000 1250 1500 1750 2000 2250 2500

• **Columns** are supporting a porch roof.
（柱はポーチの屋根を支えている） ▸ porch「（屋根付きの）玄関」

753 debate [dibéit] 名 議論・論争 動（～を）討論する

• a **debate** on the healthcare system
（医療制度についての議論） ▸ healthcare「健康管理・医療」
• **debate** an issue（ある問題を討論する）

754 occupation [àkjəpéiʃən] 名 職業

▸ occupational 形 職業（上）の ▸ occupy (1388)
• What kind of qualifications are needed for this **occupation**?
（この職業にはどんな資格が必要ですか） ➲ qualification *(917)*

♣ job (31), work (13) などの《フォーマル》な語。profession (1306) は「専門職」。

755 athlete [ǽθli:t] 名 運動選手

▸ athletic (1408)
• a professional[an amateur] **athlete**
（プロの［アマチュアの］運動選手） ➲ amateur (2169)

756 amusement [əmjú:zmənt] 名 娯楽

▸ amuse 動（～を）楽しませる ▸ amusing 形 おもしろい
• an **amusement** park（遊園地）

動詞 ⑥

757 succeed [səksí:d] 動（～に・で）成功する(in),（人・地位などを）継ぐ

▸ success (271) ▸ succession 名 連続, 継承 ▸ successor 名 後継者・後任者
• **succeed** in business（ビジネスで成功する）
• His son **succeeded** him as president of the company.
（彼の息子が会社の社長を継いだ）

758 pursue [pərs(j)ú:] 動（活動などを）〔長期にわたって〕続ける,（～を）追い求める

▸ pursuit 名 追究 ➲ journalism *(1632)*
• **pursue** a career in journalism（ジャーナリズムのキャリアを歩む）

• **pursue** profit(利潤を追求する)

759 **concentrate** [kɑ́nsəntrèit]
動 (~に)〔意識を〕集中する(on), (~を)〔場所に〕集中させる

▸ concentration 名 集中
• We should **concentrate** more on domestic sales.
(国内販売にもっと集中すべきである) ➲domestic (1345)
• **concentrate** staff in one location(スタッフを1カ所に集中させる)

760 **impress** [imprés]
動 (~に)感銘を与える・(~を)感動させる

▸ impression (1516) ▸ impressive (1493)
• He really **impressed** everyone.(彼はみんなを本当に感動させた)
• I am very **impressed** by[with] your report.
(あなたの報告にとても感銘を受けました)

♣ be impressed の impressed は形容詞扱い(分詞形容詞)。

761 **doubt** [dáut]
動 (~を)疑う 名 疑い

▸ doubtful 形 疑わしい
• I **doubt** if that's the case.(それが事実かどうか疑問に思う) ➲case (155)
• There's no **doubt** in my mind.(私の心に疑い[疑念]はない)

♣ no doubt で「確かに, 間違いなく」の意味の副詞句としても使う。

762 **admit** [ədmít]
動 (過ちなどを)〔しぶしぶ〕認める, (入場・入会などを)認める・許す(to, into)

▸ admission (1258)
• I **admit** that the price is rather high.(価格が高めであることは認めます)
• **admit** you to a club(クラブへの入会を許可する)

♣「(~することを)許可する」という意味は, allow (229), permit (478) など。

763 **weigh** [wéi]
動 (~の)重さがある, (~の)重さを量る, (~を)比較検討する

▸ weight (628)
• How much does it **weigh**?—(It **weighs**) 1.5 kilograms.
(重さはいくらですか — 1.5 キログラムです)
• Can you **weigh** this?(これの重さを量ってください)
• **weigh** one plan against another
(1つの計画を別のものと比較検討する)

764	**dig** [díg]	動 (～を)掘る

〔dig - dug - dug〕

- They are **digging** a large hole for the underground tank.
  (彼らは地下タンク用の大きな穴を掘っている)　　➲underground (2229)

765	**pour** [pɔ́ːr]	動 (～を)注ぐ, (雨が)激しく降る

- Could you **pour** me some more milk?
  (牛乳をもう少しついでもらえますか)
- It **poured** all day.(1日中どしゃ降りだった)

766	**spill** [spíl]	動 (～を)こぼす[こぼれる] 名 こぼすこと・こぼれたもの

- **spill** milk on the table(テーブルに牛乳をこぼす)
- wipe off coffee **spills**(コーヒーのこぼれを拭き取る)

767	**roast** [róust]	動 (～を)〔オーブン・直火で〕焼く[あぶる・炒る] 形 焼いた・ローストした　名 焼き肉

- **roast** a chicken for dinner(夕食にチキンを焼く)
- I'll have the **roast** beef special.
  (ローストビーフ・スペシャルをお願いします)　　➲special (85)

768	**burn** [bə́ːrn]	動 燃える・(～を)燃やす・焼く　名 やけど

- The fire is **burning** brightly.
  (火が赤々と燃えている)　　➲brightly (595)
- The three-story house was **burned** down.
  (その3階建ての家は全焼した)　　▸ burn A down「～を全焼させる」

♣ 活用は「規則変化」のほかに, 過去形・過去分詞を burnt とすることもある。

名詞 ⑫

769	**tune** [t(j)úːn]	名 曲・メロディー 動《be ~d で》〔ラジオ・テレビ局が〕(～に)合っている(to)

- play a beautiful **tune** on the piano
  (ピアノで美しい曲を弾く)
- Stay **tuned** to this station for further weather reports.
  (引き続き天気予報をこのダイヤル[チャンネル]でお聞き[ご覧]ください)

770	**drum** [drʌ́m]	名 太鼓・ドラム, ドラム《機械の円筒形部分》, ドラム缶 動 ドラムを演奏する

- play (the) **drums**(ドラムを演奏する)
- the **drum** of a laser printer(レーザープリンターのドラム)

771	**journey** [dʒə́ːrni]	名 (長期の)旅行

- We hope you have a pleasant **journey**.
  (楽しい旅行でありますように) ➲ pleasant (1045)

♣ 他の「旅行」を表す語 **tour** (106), **trip** (146), **travel** (157) など参照。

772	**adventure** [ədvén(t)ʃər]	名 冒険

▸ adventurous 形 冒険的な, 大胆な
- have a spirit of **adventure**(冒険心がある) ➲ spirit (1869)

773	**character** [kǽrəktər]	名 (人の)性格, (物事の)特徴・性質, 登場人物

▸ characterize 動 特徴づける ▸ characteristic (1653)
- He is a person of excellent **character**.
  (彼は性格の良い人だ) ➲ excellent (142)
- the main **characters**(主要な登場人物) ➲ main (501)

774	**accident** [ǽksədənt]	名 事故, 《by accident で》偶然に・誤って

▸ accidentally (1863)
- There was a serious **accident** on the freeway.
  (高速道路で重大な事故があった) ➲ serious (1411)
- He discovered it by **accident**.(彼は偶然それを見つけた)

775	**medicine** [médəsn]	名 薬, 医学

▸ medical (277)
- I'd like some **medicine** for my cold.(風邪の薬が欲しいのですが)
- practice **medicine**(医学を実践する→医者を開業する)

776	**pill** [píl]	名 錠剤・丸薬

- Take two **pills** after meals.(食後に 2 錠飲んでください)

777 **drug** [drʌ́g] | 名 麻薬, 薬品

- take **drugs**（麻薬を常用する）
- a sleeping[pain-killing] **drug**（睡眠[鎮痛]薬） ➡ pain (1584)

778 **kit** [kít] | 名 (道具・器具の)一式[セット], (セットの入った)箱

- a travel health **kit**（旅行用ヘルスケアセット）
- a first-aid **kit**（救急箱）

♣「セット」全般は **set** (109)。

779 **bar** [bɑ́ːr] | 名 酒場, (カウンター式)売り場, 棒《棒状のもの》

- drink at the hotel **bar**（ホテルのバーで飲む）
- a salad **bar**（サラダバー）
- a **bar** of chocolate（チョコレートバー）

780 **toast** [tóust] | 名 トースト, 乾杯(の発声)

- Could I have some **toast**?（トーストをいただけますか）
- I'd like to propose a **toast** to Mr. Adams.
  （アダムス氏のために乾杯を提案したいのですが） ➡ propose (454)

形容詞 ⑥

781 **grateful** [gréitfəl] | 形 (～に・～のことで)感謝している (to, for)

- I'm so **grateful** to you for telling me.（話してくれて大変感謝しています）
- I would be **grateful** if you could let me know.
  （お知らせいただければありがたいです）《丁寧な依頼》

782 **thick** [θík] | 形 (物が)厚い, (液体・気体などが)濃い

- **thick** and glossy paper（厚くて光沢のある紙） ▸ glossy「光沢のある」
- The board is three inches **thick**.（板は厚さ 3 インチある）

♣「(色が)濃い」には **dark** や **deep** を使う。

783 **thin** [θín]　形 (物が)薄い, (人が)やせた

- a **thin** slice of bread (薄切りのパン)　➡slice (1113)

784 **slim** [slím]　形 (人が)ほっそりした, (物が)薄い

- become **slim** and stylish (やせてスマートになる)
- a **slim** keyboard (薄い[スリムな]キーボード)

♣ thin が単に事実を述べるのに対して, slim は「スタイルがよい」などとほめるイメージ。

785 **smooth** [smúːð]　形 順調な・円滑な, 滑らかな

▶ smoothly 副 順調に, 滑らかに
- The flight was very **smooth**. (飛行は順調だった)
- the **smooth** running of the meeting (会議の円滑な進行)

786 **tidy** [táidi]　形 きちんと片付いた
動 (~を)きちんと片付ける (up)

- a **tidy** room (きちんと片付いた部屋)
- **tidy** (up) the kichen (キッチンを片付ける)

787 **sudden** [sʌ́dn]　形 突然の・急な

▶ suddenly 副 突然に
- a **sudden** drop in the stock market (株式市場の急落)

788 **unusual** [ʌnjúːʒuəl]　形 普通でない・珍しい (⇔ usual (545))

▶ unusually 副 珍しく, 珍しいことに (⇔ usually (288))
- That's very **unusual**. (それはとても珍しいことだ)
- It is not **unusual** for her to be late. (彼女が遅刻するのは珍しいことではない)

789 **instant** [ínstənt]　形 即座の　名 瞬間

▶ instantly 副 すぐに・直ちに
- **instant** access to the database (データベースへの瞬時のアクセス)
- Do it this **instant**! (いますぐそれをやりなさい)

♣ Part 7 の指示文にある instant messages は, 現在は LINE や Telegram などのこと。

790 **enormous** [inɔ́:rməs] 形 巨大な・膨大な, 途方もない

▶ enormously 副 非常に, 途方もなく

- **enormous** volumes of data(膨大な量のデータ) ➡data (438)
- **enormous** success(途方もない成功[大成功])

791 **artificial** [ɑ̀:rtifíʃl] 形 人工の・人工的な(⇔ natural *(324)*)

- **artificial** light source(人工光源)
- **artificial** flavorings[preservatives]
(人工調味料[保存料]) ➡flavoring *(1444)*, preservative *(1434)*

792 **scientific** [sàiəntífik] 形 科学の, 科学的な

▶ science 名 科学

- **scientific** knowledge(科学知識)
- **Scientific** studies have shown it.(科学的研究がそれを証明した)

名詞 ⑬

793 **beauty** [bjú:ti] 名 美・美しさ

▶ beautiful 形 美しい

- natural **beauty**(自然の美)
- the breathtaking **beauty** of African nature
(息をのむようなアフリカの自然の美しさ) ▸ breathtaking「息をのむような」

794 **wealth** [wélθ] 名 富,《a ~ of で》豊富な

▶ wealthy 形 裕福な

- one's personal **wealth**(個人財産)
- a **wealth** of knowledge[experience](豊富な知識[経験])

795 **shade** [ʃéid] 名 日陰, 日よけ, (色の)濃淡[明暗] 動 (~を)陰にする

- Why don't you sit in the **shade** and rest?(日陰に座って休んだらどうですか)
- pull up[down] the **shade**(ブラインドを上げる[下ろす])
- various **shades** of blue(いろいろな色調の青色) ➡various (936)
- Several large trees **shade** the house.
(数本の大きな木で家は陰になっている)

796  **alarm** [əlɑ́ːrm] | 名 警報(器), 目覚まし(時計)

- a fire **alarm**(火災報知器)
- an **alarm** (clock)(目覚まし時計)

797  **silence** [sáiləns] | 名 静けさ, 沈黙　動 (~を)静かにさせる

▸ silent 形 沈黙した, 静かな
- the **silence** of the night(夜の静けさ)
- They sat there in **silence**.(彼らはそこに黙って座っていた)
- Please **silence** your mobile phone.(携帯電話をマナーモードにしてください)

798  **living** [líviŋ] | 名 生計, 生活・暮らし

- earn[make] a **living**(生活費を稼ぐ[生計を立てる])
- city **living**(都会生活)
- healty **living**(健康的な生活[暮らし])

799  **lifestyle** [láifstàil] | 名 生活様式・ライフスタイル

- a healthy **lifestyle**(健康的なライフスタイル)

800 **habit** [hǽbit] | 名 (個人の)習慣・癖

▸ habitual 形 習慣的な, 常習的な
- healthy eating **habits**(健康的な食習慣)

♣ 社会的な習慣・慣習は custom (684), 商取引などの習慣は practice(268)。

801 **affair** [əféər] | 名 (政治・社会・個人の)問題, 事態

- financial **affairs**(財務, 財政状態) ➲ financial (887)
- the current state of **affairs**(現状) ➲ current (890)

802  **bargain** [bɑ́ːrgən] | 名 お買い得品

- The bicycle was a real **bargain**.
(この自転車は本当にお買い得(品)でした) ➲ real (207)
- a **bargain** price(特価)

♣ 日本語の「バーゲン」は bargain sale あるいは単に sale(7) という。

PART 2 LEVEL A LEVEL B

803 **wallet** [wάːlət] 名 財布・札入れ

- I left my **wallet** at home.（財布を家に忘れてきた）

♣「小銭入れ」は coin purse という。purse は《米》で「(女性用の)ハンドバッグ」,《英》では「(女性用の)財布」の意味。

804 **sum** [sʌ́m] 名 金額, 合計

- the **sum** of $4,000（4000 ドルの金額）
- large **sums** of money（巨額のお金）

動詞 ⑦

805 **tear** [téər] 動 引き裂く(up), 取り壊す(down) 名 裂け目, [tíər] 涙

〔tear - tore - torn〕

- He **tore** up the ticket.（彼はチケットを引き裂いた）
- The old house was **torn** down.（その古家は取り壊された）
- He was in **tears**.（彼は涙を浮かべていた）

806 **sew** [sóu] 動 (～を)縫う・縫い合わせる[つける]

〔sew - sewed - sewn〕

- **sew** a button on（ボタンを縫いつける）

807 **shake** [ʃéik] 動 (～を)振る, (～を)揺らす[揺れる] 名 ミルクセーキ(= milk shake)

〔shake - shook - shaken〕

- **Shake** the bottle well before use.（使用前にびんをよく振ってください）
- The building **shook** badly during the earthquake.（地震でビルはかなり揺れた）

➲ badly (1157)

808 **repeat** [ripíːt] 動 (～を)繰り返して言う, (～を)繰り返す

▶ **repeated** 形 繰り返される ▶ **repeatedly** (2015) ▶ **repetition** 名 繰り返し

- Could you please **repeat** that?（もう一度おっしゃってくださいますか）
- I will never **repeat** this mistake again.（こんな間違いは二度と繰り返さないぞ）

809  **tap** [tǽp]
動（～を…で）**軽くたたく**
名（水道などの）**蛇口**（= faucet (2516)）

• He was **tapping** the table with his finger.
[= He was **tapping** his finger on the table.]
（彼は指でテーブルをトントンとたたいていた）

♣「蛇口」の意味は《英》だが, TOEIC で使われているので覚えておこう。

810  **feed** [fíːd]
動（動物に）**食べ物を与える,**
〔機械・コンピュータなどに〕（～を）**供給する**

〔feed - fed - fed〕
• Don't forget to **feed** the cat.（猫にエサをやるのを忘れないように）
• **feed** data into a computer（データをコンピュータに供給する[取り込む]）

811  **bear** [béər]
動（費用・責任などを）**負う・担う,**（～に）**耐える**

〔bear - bore - born〕
• We will **bear** the shipping costs.
（運送費はわが社で負担します） ➲ shipping *(72)*
• I can't **bear** cold weather.（寒さには耐えられない）

♣ be born で「生まれる」の意味は中学必修語レベル。

812  **recycle** [rìːsáikəl]
動（～を）**再生利用する**

▸ recycled 形 再生利用の　▸ recycling 名 リサイクル
• **recycle** bottles（びんを再利用する）

813  **invent** [invént]
動（～を）**発明する,**（うそなどを）**でっち上げる**

▸ invention 名 発明（品）　▸ inventive 形 創意に富む
• **invent** a new product（新製品を発明する）
• **invent** a good excuse（うまい言い訳をでっち上げる） ➲ excuse (528)

814  **reveal** [rivíːl]
動（事実などを）**明らかにする**（⇔ conceal (2214)）

▸ revelation 名 意外な新事実, 暴露
• They **revealed** the plans for the new building.
（彼らは新ビルの建設計画を明らかにした）

815 **admire** [ədmáiər]
動 (～を)称賛する・感嘆する

▶ admiration 名 称賛, 感嘆 ▶ admirable 形 称賛に値する
• I've always **admired** his work.
(私はいつも彼の仕事を称賛してきた[感心している])

816 **dislike** [disláik]
動 (～を)嫌う 名《～s で》嫌いなもの

• What does the woman **dislike** about a suit on display?
(女性は展示されているスーツの何が嫌いなのでしょう)《Part 3 の問題文》
• have likes or **dislikes**(好き嫌いがある)

副詞 ②

817 **certainly** [sə́:rtnli]
副 確かに,《返事で》承知しました

▶ certain (374)
• He will **certainly** succeed.(彼は確かに[間違いなく]成功するでしょう)
• **Certainly**!(承知しました)

818 **exactly** [igzǽk(t)li]
副 正確に,《返事で》そのとおり

▶ exact 形 正確な
• I don't know **exactly** what it is.(それが何か正確には知りません)
• **Exactly**.(そのとおり)

819 **extremely** [ikstrí:mli]
副 極めて

▶ extreme (1690)
• This is **extremely** important to us.
(これは我々にとって極めて重要です)

820 **apparently** [əpǽrəntli]
副 どうやら～らしい

▶ apparent 形 明白な, 見かけの
• **Apparently** there has been some trouble with him.
(どうやら彼に何かトラブルがあったらしい)

821	**possibly** [pásəbli]	副 **おそらく・もしかすると,**《can[could] ~で》**できれば**〔疑問文・控えめな依頼〕, **どうしても**〔否定文〕

▸ possible (44)

- **Possibly** I made a mistake in this case.(おそらくこの事例で間違えたのだろう)
- Could you **possibly** give me a ride home?
  (できれば家まで乗せていっていただけませんか)
- I couldn't **possibly** make it on that day.(どうしてもその日にはできなかった)

♣ likely (38), probably (286) よりも確信の度合いが低い。

822	**mostly** [móus(t)li]	副 **たいてい・大部分は, 主として**

- These products are **mostly** made in China.
  (これらの製品は大部分が中国製である)
- What is the talk **mostly** about?
  (話は主に何についてでしょうか)《Part 4 の問題文》

823	**apart** [əpá:rt]	副 (時間・距離が) **離れて,**《apart from で》**~を除けば**

- How far **apart** are the two towns?(その 2 つの町はどのくらい離れていますか)
- **Apart** from a few minor problems, the trip was a great success.
  (小さなトラブルを除けば, 旅行は大成功だった) ➲ minor (1593)

824	**abroad** [əbrɔ́:d]	副 **外国へ[で]**

- Have you ever traveled **abroad**?(外国へ旅行したことがありますか)

♣ overseas (552) は長期間滞在するイメージ。

825	**fairly** [féərli]	副 **かなり, 公正に**

▸ fair (137)

- It's a **fairly** difficult problem.(それはかなり難しい問題だ)
- He spoke **fairly** on both sides of the issue.
  (彼は論争点のどちらの側にも公正に話した) ➲ issue (130)

♣「かなり」は pretty(590) よりも意味が弱い。

826	**elsewhere** [élswèər]	副 **どこか他の所で[へ]**

- go **elsewhere**(どこか他へ行く)
- look **elsewhere** for suitable locations(どこか他に適切な場所を探す)

827 **downstairs** [dáunstéərz] | 副 **階下へ[で]**(⇔ upstairs「階上へ[で]」)

- Let's go **downstairs** and have a cup of coffee.(下に降りてコーヒーを飲もう)

828 **widely** [wáidli] | 副 **広く・広範囲に**

▸ **wide** 形 (幅が)広い(⇔ narrow (1100)) ▸ **widen** 動 広くする[なる]

- The story is **widely** known.(その話は広く知られている)

動詞 ⑧

829 **argue** [á:rgju:] | 動 (～と・～を)**議論する**(with, about), (～と)**主張する**(that)

▸ **argument** 名 論議・口論, 主張・論拠(for, against, that)

- **argue** about a problem(問題を論議する)
- He **argued** that the tax cut was needed.(彼は減税が必要だと主張した)

830 **oppose** [əpóuz] | 動 (～に)**反対する**(⇔ agree (188)), 《be ～d to で》(～に)**反対である**

▸ **opposition** 名 反対・抵抗, 対戦相手[チーム] ▸ **opposite**(742)

- They **opposed** the Government's plan.(彼らは政府の計画に反対した)
- They were **opposed** to Government's plan.
(彼らは政府の計画に反対していた)

♣ be opposed to の opposed は形容詞扱い(分詞形容詞)。

831 **hate** [héit] | 動 (～(すること)を)**ひどく嫌う**(to do, doing)

- I **hate** flying.(私は飛行機が嫌いだ)
- I **hate** to ask you this, but it's urgent.
(これを頼むのは嫌だけど, 急ぎのことなんです)《丁寧な依頼》 ➲ urgent (1402)

832 **bother** [báðər] | 動 (～を)**困らせる**, (～に)**面倒をかける**, 《主に否定文で》**わざわざ～する**

- What's **bothering** you?(何でお困りですか)
- Sorry to **bother** you, but ....(面倒をおかけしてすみませんが…)《丁寧な依頼》
- He didn't even **bother** to reply.
(彼は返事もしなかった[わざわざ返事などしなかった])

833 **upset** [ʌpsét] | 動 (計画などを) 狂わす, 《be ～で》動揺した

〔upset - upset - upset〕

- That'll **upset** my plan.(予定が狂ってしまう) ➲plan (12)
- Don't be so **upset**.(そんなに動揺しないで[いらいらしないで])

♣ be upset の upset は形容詞扱い(分詞形容詞)。

834 **quit** [kwít] | 動 (仕事・学校などを) やめる, (～するのを) やめる (doing)

〔quit - quit - quit〕

- He is going to **quit** his job.(彼は仕事をやめるつもりだ)

835 **regret** [rigrét] | 動 (～(したこと)を) 後悔する (doing), (～(すること)を) 残念に思う (to do)　名 後悔

▸ regrettable 形 残念 [遺憾] な

- I **regret** what I did.(自分のしたことを後悔しています)
- I **regret** to say that I will not be able to accept your offer.
(ご提案をお受けすることができないことを残念に思います)《丁寧な断り》
- I have no **regrets** about it.(それについて何も悔いはない)

836 **pretend** [priténd] | 動 (～の) ふりをする (to be[do], that)

- He **pretended** to know nothing.
[＝He **pretended** that he didn't know anything.](彼は何も知らないふりをした)

837 **spell** [spél] | 動 (～を) つづる, (～の) つづりを (1 文字ずつ) 言う [書く] (out)

▸ spelling 名 つづり

- How do you **spell** your name?(お名前のスペルを教えていただけますか)
- Could you **spell** (out) your last name for me?
(あなたの名字をスペルアウトしてもらえますか)

838 **strike** [stráik] | 動 (～を) ぶつける・(～に) ぶつかる, 〔考えが〕 (～の) 心に浮かぶ　名 打撃

〔strike - struck - struck〕　▸ striking 形 際立った, 人目を引く

- He **struck** his head against the wall.(彼は壁に頭をぶつけた)
- The ball **struck** against the wall.(ボールが壁にぶつかった)
- It **strikes** me that something is wrong.(何かがおかしいという気がする)

♣「ぶつける・ぶつかる」の意味では strike は《フォーマル》で hit が日常語。

839 **injure** [ín(d)ʒər] | 動 (体の一部に)**けがをさせる**, 《be ~d で》(人が)**負傷する**

▶ injury (1582)
- I **injured** my right leg in the accident.(事故で右脚にけがをした)
- He was **injured** in the accident.(彼は事故で負傷した)

840 **hurt** [hə́ːrt] | 動 (人・体の一部を)**傷つける・けがをする**, (体(の一部)が)**痛む**, (~を)〔感情的に〕**傷つける**

〔hurt - hurt - hurt〕
- My head[stomach] **hurts**.(頭[胃]が痛む)
- I **hurt** my right leg in the accident.(事故で右脚にけがをした)
- I didn't mean to **hurt** you.(君を傷つけるつもりはなかった) ➲mean (66)

♣「けがをする」は injure (839) より軽いイメージ。「痛む」は鋭い痛みがあること。 ➲ache (1583)

名詞⑭・形容詞⑦・前置詞①

841 **difficulty** [dífikʌ̀lti] | 名 **困難・苦労**, 《~ies で》(困難な)**問題**

▶ difficult 形 難しい
- You'll have no **difficulty** finding what you want.
(難なく望みのものを見つけることができるでしょう)
- We're experiencing technical **difficulties**.(我々は技術的な問題を抱えている)

842 **luck** [lʌ́k] | 名 **運・幸運**

▶ lucky (1096)
- Good **luck** with tomorrow's exam.(明日の試験に幸運を[がんばって])

843 **portrait** [pɔ́ːrtrət] | 名 **肖像画[写真]・ポートレート**

- His **portrait** hangs over the stairs.(彼の肖像画が階段の上にかかっている)

844 **personality** [pə̀ːrsənǽləti] | 名 **人格・性格**, (芸能・スポーツなどの)**有名人**

▶ personal (135)
- She has a nice **personality**.(彼女はいい性格をしている)
- a sports[TV] **personality**(スター選手[テレビタレント])

♣ a TV talent とはいわないので注意。 ➲talent (363)

845  **grade** [gréid] | 名 等級, 成績　動 (~に)等級をつける

- **grade**-A beef(A 級[特選]ビーフ)
- get good **grades** in math(数学で良い成績を取る)
- Eggs are **graded** by size.(卵は大きさによって等級分けされる)

846  **freedom** [fríːdəm] | 名 自由

▶ free (42)
- **freedom** of speech(言論の自由)
- the **freedom** to do what you like(好きなことをする自由)

♣ 自分の考えや行動を自由に選べること。

847  **liberty** [líbərti] | 名 自由

- individual **liberty**(個人の自由)
- I took the **liberty** of making a reservation for us.
(勝手ながら予約を入れておきました)　▶ take the liberty of doing「勝手に～する」

♣ 考えや行動を束縛されないこと。

848  **downtown** [dáuntáun] | 名 繁華街(⇔ uptown「住宅街(へ・の)」)
副 形 繁華街へ[の]

- The office of the company is located in **downtown** New York.
(会社のオフィスはニューヨークのダウンタウンにある)　➲ locate (423)
- Do you want to go **downtown** tonight?(今夜, ダウンタウンに行かない?)

849  **confident** [kánfidnt] | 形 (~を)確信している(of, about, that),
(~に)自信がある(about, in)

▶ confidence 名 信頼・自信　▶ confidential (2260)
- I'm **confident** we can reach an agreement.
(合意に達することができると確信しています)　➲ agreement (923)
- He is **confident** in his ability.(彼は自分の能力に自信を持っている)

850  **except** [iksépt] | 前 ～を除いて・～以外は　接 (～ということを)除けば

▶ exception 名 例外　▶ exceptional (1403)
- We're open every day **except** (for) Monday.(月曜日を除く毎日営業しています)
- I go to work by bike **except** when it rains.(雨の日以外は自転車で通勤している)

♣ except for も句前置詞で同じ意味。TOEIC では選択肢によく出る。

トラック 2-31

名詞 ①

851 **organization** [ɔ:rɡənəzéiʃən] 名 組織・団体

▶ organize (302) ▶ organizational (2410)

- a nonprofit **organization**((民間)非営利団体《略》NPO)

852 **headquarters** [hédkwɔ̀:rtərz] 名 本社, 本部

- set up the **headquarters** in Tokyo(東京に本社を設ける)

853 **manufacturer** [mæ̀njəfǽk(t)ʃərər] 名 製造業者

▶ manufacture (429)

- I work for a computer **manufacturer**.(コンピュータ製造会社で働いています)

854 **logo** [lóugou] 名 (会社などの)ロゴ, シンボルマーク

- the **logo** of a company(会社のロゴ)

855 **label** [léibl] 名 札・ラベル 動 (~に)ラベルを貼る

- stick a "FRAGILE" **label** on the package
  (小包に『割れ物注意』のラベルを貼る) ➲ stick (1481), fragile (2505)
- The file was **labeled** "Top Secret."(そのファイルのラベルには『極秘』とあった)

856 **finance** [fáinæns] 名 財政・財務, 《~s で》財政状態 動 (~に)融資する

▶ financial (887)

- **finance** director(財務部長)
- city **finances**(市の財政状態)
- **finance** a new project(新規プロジェクトに融資する)

857 **promotion** [prəmóuʃən] 名 昇進, (販売の)促進

▶ promotional 形 宣伝(用)の, 販売促進の ▶ promote (421)

- Congratulations on your **promotion** to Sales Manager.
  (販売部長への昇進おめでとう)
- sales **promotion**(販売促進)

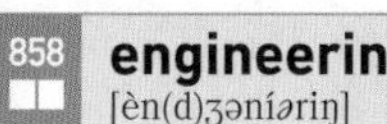

858 **engineering** [èn(d)ʒəníəriŋ] 　名 工学・技術

▸ engineer 名 技術者
• electrical **engineering**（電気工学）　➲ electrical (596)

859 **appliance** [əpláiəns] 　名（家庭用）器具, 機器

• cooking **appliances**（調理器具）
• electrical[electric] **appliances**（電気器具）

♣ electrical appliances が多いが, TOEIC には electric appliances も出ている。

860 **applicant** [ǽplikənt] 　名 応募者, 出願者

▸ apply (159)
• Job **applicants**（求職者）
• an **applicant** for admission（入学志願者）　➲ admission (1258)

861 **career** [kəríər] 　名 職業, 経歴

• He started his **career** as a bank clerk.（彼は最初の職として銀行員になった）
• move up the **career** ladder（キャリアの[出世の]階段を上る）　└➲ clerk (583)

♣ 一生続ける・続けようと思う仕事。 ➲ occupation (754)

862 **merchant** [mə́ːrtʃənt] 　名 商人　形 商業の

▸ merchandise (877)
• a tea[coffee] **merchant**（紅茶[コーヒー]商）
• a **merchant** shipping company（商船[海運]会社）

動詞 ①

863 **invest** [invést] 　動（～を）投資する

▸ investment 名 投資　▸ investor 名 投資家・出資者
• **invest** in the venture company（ベンチャー企業に投資する）　➲ venture (1356)

864 **employ** [emplɔ́i] 　動（人を）雇う,（方法・技術などを）用いる

▸ employment 名 雇用　▸ employer (1898)　▸ employee (385)

- The company **employs** over 3,000 people.
（その会社は 3000 人以上雇用している）
- **employ** a new method（新しい方法を用いる） ➲ method (364)

865 

assign [əsáin]	動（人を…に）**任命する**(to, to do), （～を…に）**割り当てる**(to)

▶ assignment 名 割当て,（割り当てられた）仕事・物
- I was **assigned** to the International Division.（私は国際部に任命された）
- That work was **assigned** to me.（その仕事は私に割り当てられた）

866 

attract [ətrǽkt]	動（人・注意・興味などを）**引きつける**,（人を）**魅了する**

▶ attraction (1291)　▶ attractive (640)
- **attract** customers（客を引きつける）
- **attract** a lot of attention（多くの注目を集める） ➲ attention (273)

867 

estimate [éstəmèit]	動（～を・～と）**見積もる・推定する** 名 [éstəmət] **見積もり（額）**

▶ estimation 名 見積もり・推定　▶ estimated 形 推定…, およそ
- **estimate** the cost of repairs at $1,000（修理費を 1000 ドルと見積もる）
- Could you give me an **estimate**?（見積りをいただけますか）

♣ 正式な「見積もり」は ➲ quote (1427), quotation *(1427)*。

868

determine [ditə́ːrmin]	動（～を）**決定する・確定する**

▶ determination 名 決定, 決心　▶ determined 形 断固とした
- We held a meeting to **determine** the company's budget for next year.
（わが社の来年度の予算を決めるための会議を開いた） ➲ budget (103)

869 

demonstrate [démənstrèit]	動（～を）**実演する・説明する**,（～を）**証明する**

▶ demonstration 名 実演
- **demonstrate** the latest computers（最新型のコンピュータを実演する）
- **demonstrate** how well you understand spoken English
（口語英語をどれだけよく理解しているかを証明する）《Listening test 指示文の一部》

870 

notify [nóutəfài]	動（～に…を）**知らせる・通知する**(of, that)

▶ notification 名 通知（書）　▶ notice (67)
- Please **notify** me of your shipping timetable.（発送予定を知らせてください）

871 **distribute** [distríbjət]

動 (～を)**配布する**,
(商品を)〔小売店などに〕**配送する・供給する**

▶ distribution 名 配送, 配布　▶ distributor 名 卸業, 流通業者

- Pamphlets were **distributed** to the audience.(小冊子が聴衆に配布された)
- The company **distributes** medical supplies.　└➲ pamphlet (2486)
(その会社は医療品を配送[供給]している)　➲ supply (393)

872 **transfer** [trænsfə́ːr]

動 (人・会社・物などを)**移す[移る]**
名 [trǽnsfəːr] **転勤, 転送, 振替, 乗り換え**

- Mr. Toyama has been **transferred** to the head office.
(トヤマ氏は本社に転勤になりました)
- **transfer** production to another factory(生産を別の工場に移す)
- **transfer** at Seattle(シアトルで乗り換える)
- a bank **transfer**(銀行振替)

♣ 移す[移る]ものによって,「転勤する・移転する・転送する・乗り換える」などになる。

873 **shift** [ʃíft]

動 (位置・方向・物などを)**少し移す[移る]**
名 (交替制の)**勤務**(時間)

- **shift** one's eyes(視線を移す)
- He **shifted** his position slightly.(彼は少し位置を変えた)
- work the night **shift**(夜間勤務の仕事をする)

♣ transfer(872) と同義になることもある。

874 **relocate** [rìːlóukeit]

動 (～を)〔新しい場所に〕**移す[移る]**

▶ relocation 名 移転, 転勤

- The head office was **relocated** to London.(本社はロンドンに移転した)
- be **relocated** to Detroit(デトロイトに転勤になる)

♣ transfer(872), shift(873), relocate はいずれも move (70) が基本の語。 それぞれ少しずつニュアンスが異なる。

名詞 ②

875 **retail** [ríːtèil]

名 **小売り**

▶ retailer 名 小売商

- a **retail** store(小売店)
- a **retail** price of $250(小売価格 250 ドル)

876 **goods** [gúdz] | 名《複数扱い》商品・品物

- sporting **goods**（スポーツ用品）
- We received the **goods** on schedule.（予定通りに商品[品物]が届きました）

♣「商品」を表す日常語。

877 **merchandise** [mə́:rtʃəndàiz] | 名《集合的に・単数扱い》商品

▸ merchant (862)
- display **merchandise**（商品を展示する） ➲ display (190)

♣ goods の《フォーマル》な語。 流通・販売者の視点で使う。

878 **inventory** [ínvəntɔ̀:ri] | 名 全在庫(品), 棚卸し

- have a large **inventory** of used cars（中古車の在庫が豊富である）
- take **inventory**（棚卸しをする）

879 **warehouse** [wéərhàus] | 名 倉庫

- a distribution **warehouse**（流通倉庫） ➲ distribution *(871)*

880 **booth** [bú:θ] | 名（品評会・イベントなどの）ブース

- have a **booth** at the trade show（展示会にブースを出展する）

881 **invoice** [ínvɔis] | 名 送り状・納品書

- I have attached a copy of your **invoice** #5633.
（送り状 #5633 のコピーを添付いたします） ➲ attach (1482)

882 **memo** [mémou] | 名（社内などの）連絡票・連絡メモ《memorandum の略語》

- send a **memo** to the staff（スタッフに連絡メモを送る）

♣ 日本語の「メモ」には note (125) を使う。

883 **replacement** [ripléismənt] | 名 取替え(品), 後任(者)

▸ replace (254)
- Here is the **replacement** part you ordered.（これがご注文の取替え部品です）

• a **replacement** for the production manager（生産部長の後任）

884	**supplier** [səpláiər]	名 納入業者・供給者

▶ supply (393)

• a major **supplier** of computer products（コンピュータ製品の主要供給業者）

885	**sponsor** [spάnsər]	名 スポンサー, 後援者　動 スポンサーになる

▶ sponsorship 名（催し物の）後援

• look for **sponsors** for the sporting event（スポーツ行事のスポンサーを探す）

• The event was **sponsored** by a beer company.
（そのイベントはビール会社の提供だった）

886	**consumer** [kəns(j)ú:mər]	名 消費者

▶ consume (1809)

• **consumer** behavior（消費者行動）　➲ behavior (1064)

形容詞 ①

887	**financial** [fənǽnʃl]	形 財政上の, 金融の

• sound **financial** management（健全な財政管理）　➲ sound (258)

888	**annual** [ǽnjuəl]	形 毎年の, 1年間の

▶ annually 副 毎年, 年 1 回

• the **annual** meeting（年次総会）

• an **annual** income（年収）　➲ income (1335)

889	**upcoming** [ʌ́pkʌ̀miŋ]	形（行事などが）間近に迫った

• the **upcoming** wedding（間近に迫った結婚式）

890	**current** [kə́:rənt]	形 現在の 名（水・空気の）流れ, 電流（= electric current）

▶ currently 副 現在は, いまのところは

• What's the **current** exchange rate?（現在の為替レートはいくらですか）

• a **current** of air（気流）　└➲ exchange (305)

891 **entire** [entáiər] | 形 全体の

▸ entirely 副 まったく・完全に
- the hightest sales of the **entire** year（年間で最高の売上高）
- The **entire** Listening test will last approximately 45 minutes.
（リスニングテスト全体は約 45 分続きます）《Listening test 指示文の一部》

➲ last (39), approximately (1497)

892 **total** [tóutl] | 形 総計の・合計の，まったくの・完全な 名 総計 動（合計で）～になる，（～を）合計する（up）

▸ totally (2009)
- The **total** cost will be about $1,000.（費用はしめて 1000 ドルくらいでしょう）
- That is a **total** failure.（それは完全な失敗だ） ➲ failure (1414)
- The **total** is $12.50.（総額は 12 ドル 50 セントです）
- Donations **totaled** $150.（寄付金の総額は 150 ドルだった） ➲ donation *(1177)*
- **total** the costs up（費用を合計する）

893 **monthly** [mʌ́nθli] | 形 月1回の，1カ月間の 副 月ごとに，毎月 名 月刊誌

▸ weekly 形 毎週の 副 毎週 ▸ hourly (1741) ▸ annually *(888)*
- a **monthly** magazine（月刊雑誌）
- The highest **monthly** sales figure last year was $20,000.
（昨年度の月間売上額の最高値は 2 万ドルでした） ➲ figure (248)
- pay $15 **monthly**（月ごとに 15 ドル払う）

894 **previous** [príːviəs] | 形（すぐ）前の，以前の（⇔ following (37)）

▸ previously 副 前もって
- the **previous** day[year]（前日[前年]）
- **Previous** experience in the advertising sector is useful but not required.
（広告業界での以前の経験は有益ですが，必須ではありません） ➲ sector (1364)

895 **commercial** [kəmə́ːrʃl] | 形 商業の，営業用の 名 広告放送・コマーシャル

- the **commercial** area（商業地域）
- **commercial** vehicles（営業用車両）
- a TV **commercial**（テレビのコマーシャル）

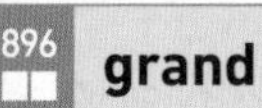

896 **grand** [grǽnd] | 形 (規模・範囲・程度などが)**大きな・堂々とした**

- a **grand** opening sale(開店大売出し) ➲opening *(19)*
- a **grand** design(壮大な計画)

897 **potential** [pəténʃəl] | 形 **可能性のある** 名 **可能性・見込み**

▶ potentially 副 潜在的に

- **potential** customers(見込みのある[潜在的]顧客)
- the sales **potential** of a product(製品の販売可能性[潜在的な販売力])

♣ ある人・物が持つ未来の成長や成功の可能性。**possibility** *(44)* はある事が起きる可能性。

898 **aware** [əwéər] | 形《be ~で》(~に)**気づいている・**(~を)**認識している** (of, that)

▶ awareness 名 意識, 認識

- be **aware** of the problem(問題に気づいている[認識している])
- Please be **aware** that schedules are subject to change.
(予定は変更されることがありますので, ご承知おきください[ご了承ください]) ➲subject (59)

名詞 ③

899 **seminar** [sémənɑ̀ːr] | 名 **研究会・セミナー**

- a company training **seminar**(会社の研修セミナー)

900 **agenda** [ədʒéndə] | 名 **議題**

- Let's move on to the next item on the **agenda**.
(議題の次の項目に進みましょう) ➲item (386)

901 **media** [míːdiə] | 名《the ~で》**マスメディア** (= mass media), **情報媒体**《単数形は medium[míːdiəm]》

- The news was reported by all the major **media**.
(そのニュースはすべての主要なマスメディア[マスコミ]で報道された) ➲major (212)
- social **media**(ソーシャルメディア)
- an advertising **medium**(広告媒体)

♣ 日本語の「マスコミ」は (mass) media に近い。social media はインターネット上の情報通信・交換システム。形容詞「中くらいの」の意味は➲medium (1453)。

902 **comment** [kάment]
名 意見・コメント
動 (〜について)意見を述べる・コメントする(on, upon)

▶ commentator 名 (時事問題などの)解説者, (実況放送の)アナウンサー

- If you have any questions or **comments**, please call us at xxxx.
  (ご質問やご意見がございましたら, xxxx までお電話ください)
- Can you **comment** on the rumors about your company?
  (あなたの会社のうわさについてコメントをお願いします) ➲rumor (1089)

903 **lecture** [lék(t)ʃər]
名 講義, 講演 動 講義[講演]する

▶ lecturer 名 講師, 講演者

- She gives a **lecture** every Friday.(彼女は毎週金曜日に講義をする)
- He **lectures** on international politics at the college.
  (彼は大学で国際政治学の講義をしている)

904 **procedure** [prəsí:dʒər]
名 (正しい)手順・やり方, (正式な)手続き

- the log-in **procedures**(ログインの手順) ➲log (1223)
- What is the **procedure** for a refund?
  (払戻しを受けるための手続きはどうしたらいいですか) ➲refund (465)

905 **registration** [rèdʒəstréiʃən]
名 登録

▶ register (425)

- fill out the **registration** form(登録用紙に記入する)

906 **council** [káunsl]
名 (市町村の)議会

- the city **council**(市議会)

907 **region** [rí:dʒən]
名 地域, 地帯

▶ regional (946)

- Asia-Pacific **region**(アジア太平洋地域)
- an agricultural **region**(農業地帯) ➲agricultural *(1445)*

908 **district** [dístrikt]
名 地区・地域

- a business **district**(商業地区)
- an industrial **district**(工業地域)

♣ region よりも狭い地域を指す。 ➲ area (30), zone (706)。

909 **venue** [vénju:] 名 (会議・競技などの)**会場・開催地**

- a conference **venue** (会議会場[開催地])
- the **venue** for the next Olympic Games (次のオリンピックの開催地)

910 **exit** [égzit] 名 **出口** (⇔ entrance (202)) 動 (~から)**出る**

- Where is the emergency **exit**? (非常口はどこにありますか) ➲ emergency (659)
- You will need this badge to enter and **exit** the building.
  (ビルの入退場にはこのバッジが必要になります)

動詞②

911 **negotiate** [nigóuʃièit] 動 **交渉する**, (契約などを)〔交渉で〕**取り決める**

▸ negotiation 名 交渉 ▸ negotiable 形 交渉の余地のある

- **negotiate** with the manufacturer for a discount
  (メーカーと値引きの交渉をする) ➲ manufacturer (853)
- They **negotiated** a new agreement. (彼らは新しい協定を(交渉で)取り決めた)

912 **respond** [rispánd] 動 (~に)**返答する**, (~に)**反応する・対応する** (to)

▸ response (226) ▸ respondent 名 回答者, 応答者

- Please **respond** by tomorrow at the latest.
  (遅くとも明日までにご返答ください)
- The touchscreen display does not **respond** well.
  (タッチパネルがうまく反応しない[反応が悪い])

913 **depart** [dipá:rt] 動 **出発する** (⇔ arrive (71))

▸ departure 名 出発

- Sunset View buses **depart** every half hour.
  (サンセットビューのバスは 30 分おきに出発します)

914 **postpone** [pous(t)póun] 動 (~を)**延期する**

▸ postponement 名 延期

- The meeting was **postponed** until tomorrow. (会議は明日に延期された)

915 **assist** [əsíst] 動 (〜を)手伝う・援助する

▸ assistance 名 援助

- Our customer service department is ready to **assist** you.
  (当社のカスタマーサービス部門がお客様をいつでもサポートします) ➲ready (48)

916 **ensure** [enʃúər] 動 (〜を)確実にする, (〜を)保証する

- We've taken steps to **ensure** that it doesn't happen again.
  (二度とこのようなことが起きないよう対策を講じてきた) ➲step (337)

♣ ensure は《フォーマル》で, make sure が日常語 (sure (40))。

917 **qualify** [kwάləfài] 動 (〜の)資格を持つ[得る] (for, to do), 《be 〜ied で》(〜の)資格がある・適任である (for, to do)《免許・能力・資質がある》

▸ qualification 名 資格

- He has **qualified** for the finals. (彼は決勝戦に出場する資格を得た)
- He finally **qualified** as a pilot. (彼はついにパイロットの資格を取った) ➲finally (*139*)
- a **qualified** instructor (有資格の指導員) ┌➲highly (992)
- She is highly **qualified** for the job. (彼女はこの仕事に優れた適性がある)

♣ be qualified の qualified は形容詞扱い (分詞形容詞)。

918 **link** [líŋk] 動 (〜を…に)連結する・リンクさせる (to, with) 名 (ウェブサイトの)リンク

- These computers are **linked** to the central network.
  (これらのコンピュータは中央ネットワークにリンクされている)
- Click on the **link** for more information.
  (詳しい情報はリンクをクリックしてください) ➲click (665)

919 **renovate** [rénəvèit] 動 (〜を)修理する・修繕する

▸ renovation 名 修復, 刷新

- **renovate** an apartment building (アパートの建物を修理する)

920 **renew** [rin(j)úː] 動 (〜を)更新する, (〜を)〔新しいものに〕取り替える

▸ renewal 名 更新, 一新 ▸ renewable 形 再生可能な, 更新可能な

- **renew** the sales contract (販売契約を更新する) ➲contract (415)
- **renew** the tires (タイヤを取り替える)

921  **expire** [ikspáiər] | 動 (契約などの)**期限が切れる**

▸ expiration 名 満期
- The contract will **expire** at the end of this month.(契約が今月末で切れる)

➲contract (415)

922  **remove** [rimú:v] | 動 (～を)**取り去る・取り除く**

▸ removal 名 除去
- Please **remove** my name from the list.
  (私の名前をリストから削除してください)

名 詞 ④

923  **agreement** [əgrí:mənt] | 名 **協定・契約**(書), (意見などの)**合意・一致**

▸ agree (188)
- sign an **agreement** on the project(プロジェクトに関する契約書にサインする)
- Both sides reached an **agreement** in December. └➲sign (68)
  (双方は 12 月に合意に達した)

924  **draft** [dræft] | 名 **下書き・草案**

- the first **draft** of a press release(プレスリリースの第 1 稿) ➲release (184)
- the final **draft**(最終稿) ➲final (139)

925  **requirement** [rikwáiərmənt] | 名 **要件, 資格**

▸ require (402)
- The most important **requirement** for success is enthusiasm.
  (成功するための最も重要な要件は熱中することだ) ➲enthusiasm (1659)
- admission **requirements**(入学資格) ➲admission (1258)

926  **standard** [stǽndərd] | 名 **標準・基準** 形 **標準の・標準的な**

- global **standards**(国際基準, 世界標準) ➲global (945)
- meet safety **standards**(安全基準を満たす)
- a **standard** size(標準サイズ)

♣ 一般的に受け入れられた基準や質に合致している。 ➲regular (211), average (591)

927 **membership** [mémbərʃip] | 名 会員［社員・議員］であること

▸ member 名（組織の）一員, 会員

- He has a golf club **membership**.（彼はゴルフクラブの会員権を持っている）

928 **certificate** [sərtífikət] | 名 証明書, 商品券（= gift certificate）, 免許状

▸ certify (1429)

- a birth **certificate**（出生証明書）
- a $10 gift **certificate**（10ドルの商品券）
- a teaching **certificate**（教員免許状）

929 **insurance** [inʃúərəns] | 名 保険

▸ insure 動 保険をかける

- Do you have **insurance** on your car?（車に保険をかけていますか）
- an **insurance** policy（保険契約［証券］） ➲ policy (434)

930 **term** [tə́ːrm] | 名 期間, 《~s で》条件, 用語

▸ long-term 形 長期の　▸ short-term 形 短期の

- the **term** of the loan（ローンの（返済）期間） ➲ loan (1337)
- **terms** of use（利用規約）

931 **reference** [réfərəns] | 名 参照・参考, 照会

▸ refer (14)

- **reference** books（参考書）
- I have attached a map for your **reference**.
（参考までに地図を添付しておきます） ➲ attach (1482)
- a letter of **reference**（照会状）

932 **means** [míːnz] | 名 手段

- a **means** of transportation（交通手段） ➲ transportation (484)

♣「手段」は特定の目的・目標を達成するために使うもの・すること。 ➲ tool (294)

933 **operation** [àpəréiʃən] | 名 操業, 操作・運転, 手術

▶ operational (2409)
- How long has this plant been in **operation**?(この工場は何年稼動していますか)
- the **operations** manual(操作マニュアル)
- have an **operation**(手術を受ける)

934 **estate** [istéit] | 名《real estate で》不動産

- a real **estate** agency[agent](不動産業(者))
- a real **estate** developer(不動産開発業者)

♣ 不動産取引などで, 個別の物件を指すときは property (440) を使う。

形容詞 ②

935 **general** [dʒénərəl] | 形 概略の, 全体的な・総合的な, 一般的な

▶ generally (1508)
- Make your points specific, not **general**.(論点をばく然とさせず具体的にしなさい)
  └ specific (546)
- the **general** meeting(総会)
- a **general** practitioner(一般開業医) ➡ practitioner *(268)*

936 **various** [véəriəs] | 形 さまざまな

▶ vary (1322)
- We produce **various** kinds of gardening tools.
  (さまざまな種類の園芸用品を製造しています)

937 **technical** [téknikəl] | 形 技術的な・技術上の(《略》tech)

▶ technique (1307)　▶ technician 名 技術者, 技師
- **technical** knowledge(技術的知識)
- **technical**[tech] support(テクニカルサポート)

938 **electronic** [ilèktránik] | 形 電子の, 電子工学の

▶ electronics 名 電子工学　▶ electronically (2016)
- **electronic** mail(電子メール《略》e-mail「E メール」)
- **electronic** devices(電子機器) ➡ device (497)

939 **digital** [dídʒitl] 形 デジタルの

▶ digit 名 数字, 桁
- a **digital** camera(デジタルカメラ)

940 **complex** [kɑmpléks] 形 複雑な 名 [kámpleks] 複合施設・総合ビル

▶ complexity 名 複雑さ, 《~ ies で》複雑な点
- a **complex** issue(複雑な問題) ➲ issue (130)
- an office **complex**(オフィスビル)
- an apartment **complex**(集合住宅)

941 **manual** [mǽnjuəl] 形 (仕事などが)手[肉体]の, 手動の 名 手引書・マニュアル

▶ manually 副 手作業で
- **manual** labor(手仕事[肉体労働])
- The machine works on **manual** control.(この機械は手動で動く)
- an operations **manual**(操作マニュアル) ➲ operation (933)

942 **temporary** [témpərèri] 形 一時的な・臨時の

▶ temporarily 副 一時的に
- **temporary** employment(一時雇用) ➲ employment *(864)*

943 **prior** [práiər] 形 (時間・順序が)先の, 《~ to で》(~の)前に・先だって

- a **prior** engagement(先約)
- Please turn off all phones **prior** to entering.
  (入場される前に携帯電話の電源をお切りください)

944 **individual** [ìndəvídʒuəl] 形 個々の, 個人的な 名 個人

▶ individually 副 個別に, 各自
- Each **individual** case is different.(個々のケースはそれぞれ異なる)
- **individual** opinions(個人の[個人的な]意見)
- the right of the **individual**(個人の権利)

945 **global** [glóubl] | 形 世界的な, 全体的な

▸ globe (705) ▸ globalization 名 地球[世界]規模化

- the **global** market for semiconductors ▸ semiconductor「半導体」
  (半導体の世界市場)
- a **global** concept (全体的[包括的]概念) ➲concept (1750)

946 **regional** [rí:dʒənl] | 形 地域の

▸ region (907)

- a **regional** sales conference (地域販売会議) ➲conference (391)

名詞 ⑤

947 **series** [síəri(:)z] | 名 連続, (本などの) シリーズ

▸ serial (1937)

- There has been a **series** of accidents at the factory.
  (その工場では連続して事故が起きている)
- a documentary **series** (ドキュメンタリーシリーズ(番組)) ➲documentary (416)

948 **fitness** [fítnəs] | 名 健康・フィットネス

▸ fit (375)

- improve physical **fitness** (健康を増進する) ➲physical (647)
- a **fitness** center (フィットネスセンター)

949 **rest** [rést] | 名 休息, 《the ~で》(~の) 残り (of) 動 休息する

- A man is taking a **rest** on the bench. (男の人がベンチで休んでいる)
- He'll be out for the **rest** of the day. (彼は終日外出の予定です)
- We stopped and **rested** for a while. (私たちは立ち止まってしばらく休んだ)

♣ a rest room は「(ホテル・レストラン・劇場などの) 手洗い」。

950 **growth** [gróuθ] | 名 成長, (数量・大きさ・程度などの) 増加

▸ grow 動 成長する

- rapid economic **growth** (高度経済成長) ➲economic (1255)
- the highest revenue **growth** for the year (年間最高の収入増[増収]) ➲revenue (1005)

951 **balance** [bǽləns]
名 平衡・バランス(⇔ imbalance「不均衡・アンバランス」), 残高
動 (～の)バランスをとる(⇔ unbalance「バランスを崩す」)

▶ balanced 形 釣り合いのとれた
- keep[lose] one's **balance**(バランスを保つ[失う])
- pay (off) the **balance**(残額を支払う)

♣ imbalance は名詞, unbalance は動詞の反意語。

952 **inquiry** [ínkwəri]
名 問い合わせ

▶ inquire (1182)
- Thank you for your **inquiry** about our products.
(わが社の製品についてお問い合わせいただきありがとうございます)

953 **catalog** [[kǽtəlɔ̀(:)g]
名 カタログ・目録　動 (～を)カタログに載せる

- Could you please send me your product **catalog**?
(貴社の製品カタログを送っていただけますか)

954 **attachment** [ətǽtʃmənt]
名 添付ファイル, 付属品

▶ attach (1482)　▶ attached *(1482)*
- send photos as an **attachment**(E メールの添付ファイルで写真を送る)
- a camera **attachment**(カメラの付属品)

955 **environment** [enváiər(n)mənt]
名 (周囲の)環境, 《the ～で》自然環境

▶ environmentally (1505)
- improve the office **environment**(オフィス環境を改善する)　➲improve (230)
- protect the **environment**(自然環境を保護[保全]する)

956 **itinerary** [aitínərèri]
名 旅行計画・旅程(表)

- I will arrange the **itinerary** for you.(あなたの旅行計画を手配いたしましょう)

957 **route** [rúːt]
名 道(筋)・ルート, (交通機関の)路線, 国道…号線

- Which **route** should I take to the top?(どの道で頂上まで行こうか)
- a bus[an air] **route**(バス路線[航空路])
- **Route** 15(国道 15 号線)

958	**trail** [tréɪl]	名 (野山・森などの) 小道

- a hiking **trail** (ハイキング道) ➲hike (1013)

動詞 ③

959	**gain** [géin]	動 (～を) 得る (⇔ lose (239)), (重さ・速さなどが) 増す 名 増加, 利益 (⇔ loss (1415))

- I have **gained** invaluable experience in recent years.
  (近年計り知れぬほど貴重な経験を積んだ) ➲invaluable (2155), recent *(282)*
- I have **gained** some weight. (体重が増えた) ➲weight (628)
- a 15 percent **gain** in profit (15%の利益増)

♣ 努力の末に手に入れる。徐々に積み重ねられていくものが多い。「得る・手に入れる」の意味では **get** が最も基本的な語。

960	**obtain** [əbtéin]	動 (～を) 手に入れる・獲得する

- **obtain** an export license (輸出許可を獲得する)

♣ 長期の努力の末に手に入れる。**gain** よりも《フォーマル》。 ➲acquire (1387)

961	**protect** [prətékt]	動 (～を…から) 守る・保護する (from, against)

▸ protection 名 保護 ▸ protective (1452)

- I wore sunglasses to **protect** my eyes from the sun.
  (太陽から目を守るためにサングラスをかけた)

962	**specialize** [spéʃəlàiz]	動 (～を) 専攻する・専門にする (in)

▸ special (85)

- **specialize** in oriental history (東洋史を専攻する)
- The company **specializes** in solar panel installation.
  (その会社はソーラーパネルの設置を専門としている) ➲installation *(422)*

963	**subscribe** [səbskráib]	動 (～を) 定期購読する, (通信サービスなどに) 加入する (to)

▸ subscription 名 予約購読 (料) ▸ subscriber 名 定期購読者, 契約者

- **subscribe** to a magazine[paper] (雑誌[新聞]を定期購読する)
- **subscribe** to an Internet service (インターネットサービスに加入する)

964 combine [kəmbáin]
動 (〜を)組み合わせる[組み合わさる], (〜を)混ぜ合わせる[混じり合う]

▸ combined 形 共同による　▸ combination 名 結合・組み合わせ
- **combines** traditional appearance with modern convenience
（伝統的な外観と現代的な利便性を組み合わせる）
- **combine** chemical solutions
（化学溶液を混ぜ合わせる[化合させる]）

└➲ appearance (656), convenience (630)
➲ solution (274)

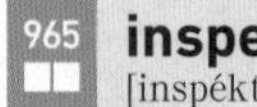

965 inspect [inspékt]
動 (〜を)検査する・調査する

▸ inspection 名 検査, 調査　▸ inspector 名 検査官, 調査官
- **inspect** a machine（機械を点検する）
- **inspect** the situation（状況を調査する）

966 affect [əfékt]
動 (〜に)影響する

▸ affection (1655)
- The outage has **affected** all community members.
（停電はすべての地域住民に影響を与えた）

➲ outage (2443)

967 recognize [rékəgnàiz]
動 (〜を・〜と)認める・認識する, (〜を…と)(高く)評価する (as, that)

▸ recognition 名 認識, 認めること　▸ recognizable 形 認識[識別]できる
- I **recognized** him at once.（すぐに彼だとわかった）
- My phone doesn't **recognize** my fingerprint.
（私の携帯が私の指紋を認識しないんだ）

➲ fingerprint (2441)
- He has long been **recognized** as an expert in electronics.
（彼は電子工学の専門家として長く認められている）

➲ electronics (938)

968 anticipate [æntísəpèit]
動 (〜(すること)を)予想する・予期する (that, doing)

▸ anticipated 形 待ち望まれた　▸ anticipation 名 予想
- It took a little longer than I **anticipated**.（予想したより少し時間がかかった）

♣ expect (117) とほぼ同義になるが, anticipate は予想して十分な準備をしておくという意味合い。

969 guarantee [gærəntíː]
動 (〜を)保証する・確約する　名 保証(書)

- We **guarantee** delivery within ten business days.
（10 営業日以内のお届けを保証いたします）

- We offer a 100% money-back **guarantee**.（100%の返金保証を提供しています）

♣ 確実である・確実にすることを約束する。保証（書）の意味では warranty (482) と同義。

970 **exceed** [iksíːd] | 動（数量・程度・制限などを）**超える**

▶ excess (1756)
- We've already **exceeded** our sales projections.
（我々はすでに販売予測を超えている） ➲ projection *(388)*
- Working hours must not **exceed** 40 hours a week.
（労働時間は週 40 時間を超えてはいけない）

名詞 ⑥

971 **regard** [rigáːrd] | 名《~s で》（よろしくという）**あいさつ** 動（~を…と）**見なす**（as）

▶ regarding (993) ▶ regardless (2078)
- (With) **Regards**,（敬具） ➲ primary (1458), interest (218)
- We **regard** customer service as our primary interest.
（お客様サービスがわが社の最も重要なものであると考えております）

972 **congratulation** [kəngrætʃəléiʃən] | 名《~s で》**祝いの言葉** 間《~s で》**おめでとう**

▶ congratulate (1431) ▶ congratulatory 形 お祝いの
- Please accept my **congratulations**.（お祝いを申し上げます）
- **Congratulations** on your new baby!（赤ちゃんのお誕生おめでとうございます）

973 **ceremony** [sérəmòuni] | 名 **儀式**

- The welcoming **ceremony** is about to start.（歓迎式典が始まろうとしている）

974 **convention** [kənvénʃən] | 名 **大会**

▶ conventional (2049)
- an annual **convention**（年次大会） ➲ annual (888)

975 **reception** [risépʃən] | 名（ホテル・会社などの）**受付・フロント**, **宴会**

▶ receive (24)
- a **reception** desk（受付，フロント）
- a welcome **reception**（歓迎会[レセプション]）

976 **lobby** [lábi]　名 (ホテルなどの) **ロビー**

- I'll meet you in the main **lobby** of the hotel at 6:30.
  (6 時半にホテルのメインロビーへお迎えにあがります)

♣ 空港などの「ロビー (待合室)」は lounge (2365)。

977 **broadcast** [brɔ́:dkæ̀st]　名 **放送, (放送) 番組**　動 (番組などを) **放送する**

〔broadcast - broadcast - broadcast〕　▸ broadcasting 名 放送 (事業)

- a live **broadcast** (生放送)　➲ live (1495)
- a news **broadcast** (ニュース番組)
- The interview was **broadcast** live across the country.
  (インタビューは全国に生中継された)　➲ interview (107)

978 **studio** [st(j)ú:diòu]　名 (テレビ・ラジオ・音楽などの) **スタジオ**, (画家・写真家などの) **工房・スタジオ [アトリエ]**

- a recording **studio** (録音スタジオ)
- a photography **studio** (写真スタジオ [写真館])　➲ photography (602)

979 **volume** [válju(:)m]　名 **音量, 量, 1巻 [冊]**

- turn up[down] the **volume** on the stereo (ステレオの音を大きく [小さく] する)
- a large[high] **volume** of sales (大量の販売)
- a four-**volume** dictionary (全 4 巻の辞書)

980 **quantity** [kwántəti]　名 **数量** (⇔ quality (132))

- a large[small] **quantity** of water (大量 [少量] の水)

981 **laptop** [lǽptàp]　名 **ラップトップ** (= laptop computer) (⇔ desktop)

- a **laptop** computer (ラップトップコンピュータ)

982 **monitor** [mánətər]　名 (コンピュータの) **モニター, 監視装置**　動 (~を) **監視する・モニターする**

- a 17-inch color **monitor** (17 インチのカラーモニター)
- **monitor** the patient's heart rate (患者の心拍数を監視する)

983 **secure** [sikjúər] 形 確固とした, 安全な 動 (～を)確保する・手に入れる

▶ security (461) ▶ securely 副 しっかりと, 確実に
- have a **secure** income（安定した収入がある）
- He feels **secure** about his future.（彼は自分の将来に不安を感じていない）
- **secure** a seat（席を確保する[手に入れる]）

984 **responsible** [rispánsəbl] 形 (失敗などの・管理などの)責任がある(for), 信頼できる

▶ responsibility 名 責任, 義務
- I am **responsible** for the failure.（失敗の責任は私にあります） ➲ failure (1414)
- I'm **responsible** for developing the sales plan.（私には販売計画を立てる責任がある）
- a **responsible** person（信頼できる人）

985 **effective** [iféktiv] 形 効果的な・有効な, (日付から)実施される

▶ effectively 副 効果的に ▶ effect (553) ▶ effectiveness 名 有効性, 効力
- The medicine was surprisingly **effective**.（その薬は驚くほど効果があった） ➲ medicine (775), surprisingly (1867)
- New price becomes **effective** September 5.（9月5日から新価格になります）

986 **lower** [lóuər] 形 (より)低い, 下部の 動 (～を)下げる・下ろす

- A **lower** price is not possible at this time.（現時点でこれより低い価格は不可能です）
- I have a pain in my **lower** abdomen.（下腹部に痛みがあります）
- **lower** the volume（音量を下げる）

└▸ abdomen「腹(部)」

987 **outstanding** [àutstǽndiŋ] 形 際立った・(特に)優れた, 未解決の・未払いの

▶ outstandingly 副 著しく, 際立って
- the **outstanding** quality of the product（製品の際立った[非常に優れた]品質）
- have an **outstanding** balance of $500（未払い残高が500ドルある） ➲ balance (951)

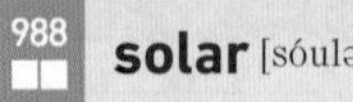

988 **solar** [sóulər] — 形 太陽の

- **solar** energy（太陽エネルギー）
- install a **solar** panel（ソーラーパネルを設置する） ➲install (422)

989 **nearby** [níərbái] — 形 近くの　副 近くに[で]

- The fire spread to **nearby** buildings.（火事は近くのビルに広がった）
- Is there a parking lot **nearby**?（近くに駐車場はありますか）

990 **directly** [dəréktli] — 副 直接に, ちょうど・真…

- If you have any questions, please call me **directly** at 0-80-12345.
（何か疑問がありましたら，直接私宛て 0-80-12345 にお電話ください）
- **directly** across from the post office（郵便局の真向かい）

991 **immediately** [imí:diətli] — 副 直ちに, (位置・時間が)すぐ(近くに)

▶ immediate 形 即座の, 直接の
- I'd like you to do something about it **immediately**.
（そのことで直ちに何らかの処置をとっていただきたいのですが）
- **immediately** before the holidays（休暇の直前に）

992 **highly** [háili] — 副 大いに・非常に, 高く(評価して)

- I **highly** recommend this store.
（私はこの店を強くお勧めします） ➲recommend (405)
- He thinks very **highly** of his new boss.（彼は新しい上司をとても高く評価している）

993 **regarding** [rigá:rdiŋ] — 前 ～に関して・～について

▶ regard (971)
- Consult us at any time **regarding** product service.
（製品サービスについてはいつでも私どもにご相談ください） ➲consult (453)

994 **throughout** [θruáut] — 前 (時間・場所について)～じゅう　副 (時間の)ずっと, (場所の)どこも

- **throughout** the year（一年じゅう）
- **throughout** Europe（ヨーロッパじゅう）

名詞 ⑦

995 **shopper** [ʃɑ́ːpər] 　名 買い物客

▶ shop 名 店（= store）　動 買い物をする

- A **shopper** is handing some money to a cashier.
  （買い物客がレジ係にお金を渡している）

♣「店」は《米》では store が多いが，比較的小規模で特定の商品を売る専門店には shop を使うことが多い（TOEIC も同じ傾向がある）。

996 **cart** [kɑ́ːrt] 　名 手押し車　動（～を）荷車で運ぶ

- The woman is pushing a shopping **cart**.（女性はショッピングカートを押している）

997 **grocery** [gróusəri] 　名 食料雑貨店（= grocery store），《～ies で》食料（雑貨）品

- go to the **grocery** (store) to buy dinner（夕食の買い出しにスーパーに行く）
- A man is carrying a basket full of **groceries**.
  （男性は食料品でいっぱいのカゴを運んでいる）

♣ grocery (store) は supermarket と同義で，TOEIC ではほぼ同数で出ている。

998 **beverage** [bévəridʒ] 　名（水以外の）飲み物

- offer food and **beverages**（食べ物や飲み物を提供する）
- an alcoholic **beverage**（アルコール飲料）

999 **refreshment** [rifréʃmənt] 　名《～s で》軽い飲食物

▶ refresh 動 気分をさわやかにする

- Following the film, **refreshments** will be served.
  （映画の後で軽食が出ます）

➲ serve (189)

1000 **voucher** [váutʃər] 　名 引換券・割引券

- a $100 travel **voucher**（100 ドルの旅行引換券）

1001 **lease** [líːs] 　名 賃貸借（契約）・リース
動（～を）賃貸［賃借］する・リースする

- take out a **lease** on a building（ビルの賃貸借契約をする）
- **lease** a copier（コピー機をリースする）

1002 **deposit** [dipázət]

名 預金, 保証金・頭金
動 (~を)預金する, (~を…に)置く・入れる

- go to the bank to make a **deposit**(預金をしに銀行に行く)
- a **deposit** equal to two months' rent(家賃 2 カ月分の保証金)
- Your pay will be **deposited** into your account.
(給与はあなたの口座に振り込まれます)

1003 **regulation** [règjəléiʃən]

名《~s で》規則, (規則による)規制
(⇔ deregulation「規制緩和, 自由化」)

▶ regulate 動 (~を)規制する, (機器などを)調整する
- The new **regulations** will come into effect next month.
(新しい条例は来月に発効します)
- the **regulation** of arms exports
(武器輸出の規制)

1004 **outline** [áutlàin]

名 概要, 輪郭　動 (~の)概要を述べる

- I would like to give you a brief **outline** of our company.
(わが社の概要を手短にお話ししたいと思います)
- Could you **outline** the plan to me?(その計画の概要を話してもらえませんか)

1005 **revenue** [révən(j)ù:]

名 (企業などの)収入, (国の)歳入

- the company's annual **revenues** (会社の年間総収入)

1006 **tax** [tǽks]

名 税金　動 (~に)課税する

▶ taxation 名 課税, 徴税
- sales **tax**(売上税・消費税)
- That'll be $75.98 with the **tax**.(税込みで 75 ドル 98 セントになります)

PART 3

1007-1508

Level A　154 語

Level B　348 語

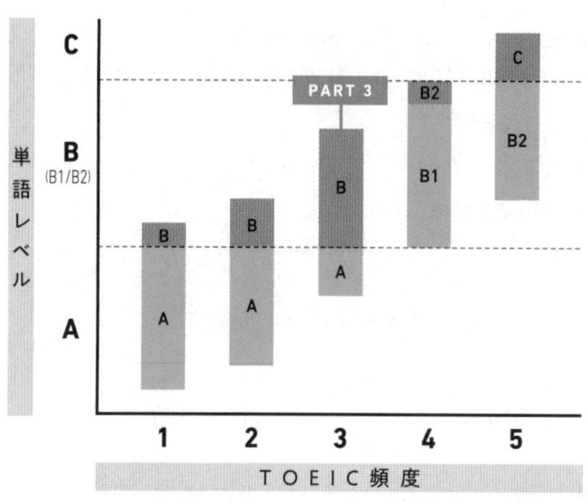

トラック 3-1

名詞 ①

1007 **sight** [sáit] 名 見ること,《~s で》名所

- He fell in love with her at first **sight**.(彼は彼女に一目ぼれした)
- I saw the **sights** in Kyoto by taxi.
(タクシーで京都の名所を見て回った) ▸ see the sights「観光をする」

1008 **scenery** [síːnəri] 名《集合的に》景色, 風景

▸ scene 名 場面, 景色
- enjoy the beautiful natural **scenery** of the Alps
(アルプス山脈の美しい自然の景色を満喫する)

♣ 個々の場面・景色が scene, その集合としての地域全体の景色が scenery。

1009 **wave** [wéɪv] 名 波,(光・音の)波動
動 (~を)振る,(~に)手を振る(at, to)

- The **waves** were breaking on the rocks.(波が岩の上で砕け散っていた)
- **wave** a flag(旗を振る) ➲ flag (1057)
- He **waved** to his fans.(彼はファンに手を振った)

1010 **planet** [plǽnit] 名 惑星,《the[our] ~で》地球

- **planets** revolving around the sun(太陽の周りを回る惑星) ➲ revolve *(2048)*
- save the **planet** from global warming(地球を温暖化から救う)

1011 **continent** [kántənənt] 名 大陸

▸ continental 形 大陸の
- the North American **continent**(北アメリカ大陸)

1012 **leisure** [líːʒər] 名 余暇, ひま 形 ひまな

- **leisure** activities(余暇の活動)
- have no **leisure** time to travel(旅行するひまがない)

1013 **hike** [háik] 名 ハイキング 動 ハイキングをする

▸ hiker 名 ハイカー・徒歩旅行者
- go for a **hike** around the lake(湖を周るハイキングに行く)

• We'll go **hiking** this weekend.(この週末にハイキングに行くつもりだ)

1014  **bloom** [blúːm] | 名 (咲いている)花, 《in ~で》咲いている 動 (花が)咲く

• The garden is filled with colorful **blooms**.(庭は色とりどりの花でいっぱいだ)
• The roses are in (full) **bloom**.(バラの花が満開です)

♣「花」の意味では flower が一般的。bloom は咲いた花の部分に焦点を当てた言い方。 果樹の花は blossom (2321) という。

1015  **harvest** [háːrvist] | 名 収穫(期)

• the potato **harvest**(ジャガイモの収穫)
• a good[rich] **harvest**(豊作)

1016  **root** [rúːt] | 名 根, 《~s で》ルーツ

• The tree has taken **root**.(その木は根づいた)
• The game Go has its **roots** in China.(囲碁は中国がルーツです)

1017  **fortune** [fɔ́ːrtʃən] | 名 財産, 運・幸運

▸ fortunately (1147)
• He made a **fortune** out of stocks.(彼は株で財産を築いた)
• **Fortune** has smiled on us.(幸運が我々にほほえんだ)

1018 **treasure** [tréʒər] | 名 財宝・宝物 動 (~を)大切にする

▸ treasury 名 宝庫
• buried[hidden] **treasure**(埋蔵された[隠された]財宝)
• I **treasure** our friendship.(私たちの友情を大切にしている)

動詞 ①

1019  **marry** [méri] | 動 (~と)結婚する

▸ married 形 結婚している ▸ marriage 名 結婚
• Will you **marry** me?(結婚してくれますか)
• They **married** last year. [= They got **married** last year.] (彼らは昨年結婚した)

♣ get married の married は形容詞(分詞形容詞)。

250 500 750 1000 1250 1500 1750 2000 2250 2500

1020 **hug** [hʌ́g]	動 (~を)抱きしめる　名 抱擁

- She **hugged** the baby and kissed her on the cheek.
  (彼女は赤ん坊を抱きしめてほほにキスをした)
- She gave her mother a big **hug**. (彼女は母親をぎゅっと抱きしめた)

1021 **pray** [préi]	動 (~に…を)祈る(for, that)

▶ prayer 名 祈り
- We **prayed** for him to get well. (私たちは彼が良くなることを祈った)

1022 **beg** [bég]	動 (人に・~(すること)を)懇願する(for, to do)

- He **begged** me for money. (彼は私にお金をせびった)
- I **begged** her to stay. (私は彼女に留まるよう懇願した)

1023 **envy** [énvi]	動 (~を)うらやむ 名 うらやましさ, 《the ~で》羨望の的

▶ envious 形 (~を)うらやんで(of)
- I **envy** you. (君がうらやましいよ)
- watch with **envy** (うらやましそうに見る)

1024 **blame** [bléim]	動 (~を)非難する, (~を…に)責任を負わせる(on) 名 (失敗などの)責任

- Don't **blame** yourself. (自分を責めてはいけない)
- Don't **blame** it on me! (私にその責任を押しつけないで)

1025 **annoy** [ənɔ́i]	動 (~を)いらいらさせる・悩ませる

▶ annoyance 名 頭痛[悩み]の種　▶ annoyed 形 いらいらした
- He always **annoys** me with repeated questions.
  (彼はしつこい質問で私をいつも悩ませる)

1026 **frighten** [fráitn]	動 (~を)怖がらせる・驚かす, 《be ~ed で》怖がっている・おびえている

▶ fright 名 恐怖, 驚き
- The story really **frightened** me. (その話は本当に怖かった[私を怖がらせた])
- I was **frightened** to death. (死ぬほどびっくりした)

♣ be frightenedのfrightenedは形容詞扱い(分詞形容詞)。scare (1623)とほぼ同義。

1027  **pardon** [pá:rdn] 動 (~を)許す 名 許し

- **Pardon** me for interrupting, but ...
  (お話し中申し訳ないのですが, …) ➲interrupt (1571)
- (I beg your) **pardon**?(もう一度言っていただけませんか) ➲beg (1022)

1028  **lend** [lénd] 動 (お金・物・助力などを)貸す(⇔ borrow (621))

〔lend - lent - lent〕
- Could I ask you to **lend** me some money?
  (少しお金を貸していただけないでしょうか)
- **Lend** me a hand with these bags.(これらのかばん(を運ぶの)に手を貸してよ)

1029  **forbid** [fərbíd] 動 (~(すること)を)禁じる(⇔ allow (229))

〔forbid - forbade - forbidden〕
- I'm **forbidden** to drink alcohol.(私は酒を禁じられている)

1030  **cheer** [tʃíər] 動 (~を)元気づける・励ます[元気を出す] (up)
名 歓声・声援

- **Cheer** up! Things'll work out for the best.
  (がんばれ！事態は最高に良くなるよ)
- give a **cheer**(歓声を上げる[声援を送る])

名 詞 ②

1031  **birth** [bə́:rθ] 名 誕生, 生まれ

- give **birth** to a child(子どもを産む)
- the place of my **birth**(私の出生地)

1032  **nationality** [næʃənǽləti] 名 国籍

▸ nation (721)
- What **nationality** are you?—I'm French.
  (国籍はどちらですか — フランス人です)

1033  **ancestor** [ǽnsèstər] 名 先祖, 祖先(⇔ descendant「子孫」)

- His **ancestors** came from Ireland.(彼の先祖はアイルランドから来た)

1034	**blood** [blʌ́d]	名 血, 血筋

▶ bleed 動 出血する〔bleed - bled - bled〕
- lose a lot of **blood**(大量失血する)
- **Blood** is thicker than water.(血は水よりも濃い)《ことわざ》

1035	**tradition** [trədíʃən]	名 伝統, 伝説

▶ traditional (599)
- carry on the **tradition**(伝統を維持する)

1036	**brain** [bréin]	名 脳, 頭脳

- **brain** dead(脳死(状態))
- Use your **brain**!(頭を使いなさい)

1037	**memory** [méməri]	名 記憶(力), 思い出, (コンピュータの)記憶(装置・容量)

▶ memorize 動 (〜を)暗記する・記憶する　▶ memorable (1829)
- have a good[bad] **memory**(記憶力が良い[悪い])
- It will be a nice **memory**.(よき思い出となることでしょう)
- a computer with 32GB of **memory**(32GB のメモリを搭載したコンピュータ)

1038	**intelligence** [intélidʒəns]	名 知能・知性, 情報(機関)

▶ intelligent (1092)
- artificial **intelligence**(人工知能)　➲ artificial (791)
- Central **Intelligence** Agency(中央情報局《略》CIA)

1039	**creature** [kríːtʃər]	名 生物・生き物

▶ create (115)
- marine **creatures**(海洋生物)　➲ marine (1830)

♣ 植物は含まない。

1040	**insect** [ínsekt]	名 昆虫

- These **insects** are the same species.
(この昆虫はみな同一種である)　➲ species (2279)

1041  **bug** [bʌ́g] | 名 (小さな)**昆虫**, (機械・プログラムなどの)**欠陥**

- be bitten by a **bug**(虫に食わ[刺さ]れる) ➲bite (1143)
- fix a **bug**(バグを修正する) ➲fix (331)

♣ insect のくだけた語。人を刺すと虫というイメージ。

1042  **harm** [há:rm] | 名 **害**　動 (〜を)**傷つける・痛める**

▸ harmful 形 有害な
- Looking at the computer screen too long can do your eyes **harm**.
  (コンピュータの画面を長時間見つめすぎると目を痛めることがある)
- **harm** the environment(環境を傷つける[害を与える])

形容詞 ①

1043  **sunny** [sʌ́ni] | 形 **よく晴れた, 日のよく当たる**

- a **sunny** day(よく晴れた日)
- If it's **sunny**, we can go for a picnic.
  (もし晴れたらピクニックに行くのもいいね)
- a **sunny** room(日当たりのよい部屋)

1044  **windy** [wíndi] | 形 **風の強い, 風のよく吹く**

- It's **windy** today.(今日は風が強い)
- a **windy** hillside(風のよく吹く丘の斜面)

1045  **pleasant** [pléznt] | 形 **楽しい, 心地よい**(⇔ unpleasant「不愉快な, 不快な」)

▸ pleasure (612)
- Have a **pleasant** trip!(楽しいご旅行を)
- a **pleasant**, cool breeze(心地よい涼風)

1046  **gentle** [dʒéntl] | 形 **優しい, 穏やかな**

▸ gently 副 優しく, 穏やかに
- a **gentle** voice(優しい[穏やかな]声)
- **gentle** exercise(穏やかな[適度な]運動)

1047  **alive** [əláiv] | 形 生きている, 活力に満ちている

- We hope they're all **alive**.（彼らが皆生存していることを祈る）
- She is very much **alive** for her age.（彼女は年の割にとても元気だ）

♣ alive は「生存している」という意味。名詞の前には使わない。living や live (1495) を使う。

1048  **elementary** [èləméntəri] | 形 初等の, 初級の

- an **elementary** school（小学校）
- **elementary** level of French（初級レベルのフランス語）

1049  **worldwide** [wə́ːrldwáid] | 形 副 世界中の［で］

- attract **worldwide** attention（世界中の［世界的な］注目を集める） ➲ attract (866)
- The company employs 2,000 people **worldwide**.（その企業は世界中で 2000 人を雇用している）

1050 **political** [pəlítikəl] | 形 政治の

▸ politics 名 政治（学）　▸ politician 名 政治家

- **political** activity（政治活動）

1051 **logical** [lɑ́dʒikəl] | 形 論理的な・理にかなった

▸ logic 名 論理（学）

- a **logical** conclusion（理にかなった［必然的な］結論） ➲ conclusion *(1184)*

1052  **precise** [prisáis] | 形 正確な

▸ precisely 副 正確に　▸ precision 名 正確さ　形 精密な

- take **precise** measurements（正確な測定をする） ➲ measurement *(1376)*

1053 **polite** [pəláit] | 形 礼儀正しい, 丁寧な（⇔ rude (1119), impolite「無作法な」）

- It would be **polite** to return the phone call.（折り返し電話するのが礼儀［丁寧］でしょう）

1054 **royal** [rɔ́iəl] | 形 国王[女王]の, 王室の

• a **royal** wedding（王室の結婚式）

♣ loyal (1693) と混同しないよう注意。

名詞 ③

1055 **statue** [stǽtʃuː] | 名 彫像

• the **Statue** of Liberty（自由の女神像） ➲ liberty (847)

1056  **symbol** [símbl] | 名 象徴, 記号

▸ symbolic 形 象徴的な

• a **symbol** of peace（平和の象徴）

• "C" is the **symbol** for carbon.（C は炭素の記号である）

1057  **flag** [flǽg] | 名 旗　動（~に）合図をする

• The national **flag** is flying.（国旗が掲げられている）

• The man is **flagging** down the bus.
（その男性は手を上げてバスを止めようとしている）

1058 **championship** [tʃǽmpiənʃìp] | 名 選手権大会, 選手権

▸ champion 名 選手権保持者・チャンピオン（《略》champ）

• the world tennis **championship**（世界テニス選手権大会）

• a **championship** game（優勝決定戦[決勝]）

• win the **championship**（選手権を獲得する[優勝する]）

1059 **essay** [ései] | 名 随筆・評論,（学生の）レポート

• a short **essay** on current social issues
（現在の社会問題についての短い評論） ➲ current (890)

1060 **fiction** [fíkʃən] | 名 小説, 作り話

• Truth is sometimes stranger than **fiction**.
（事実は小説よりも奇なり）《ことわざ》

• His alibi was pure **fiction**. ▸ alibi「アリバイ」
（彼のアリバイはまったくの作り話だった） ➲ pure (1877)

1061 
passage [pǽsidʒ]
名（文章などの）一節, 通路

▸ pass (191)
• quote a **passage** from Shakespeare
（シェイクスピアの一節を引用する） ➲ quote (1427)
• the narrow **passage** between the buildings
（ビルの間の細い通路） ➲ narrow (1100)

1062 
context [kántekst]
名（文章の）文脈,（出来事などの）背景

• The meaning of a word depends on its **context**.
（単語の意味は文脈によります）
• look at the problem in a historical **context**
（その問題を歴史的背景に照らして考える） ➲ historical (1485)

1063 
consequence [kánsəkwèns]

名 結果

▸ consequently (1864)
• an unexpected **consequence**（思いもよらない結果）

♣ 事の成り行きとして起こる間接的なこと。否定的な意味合いをもつことが多い。
➲ result (171), effect (553)

1064 
behavior [bihéivjər]
名 ふるまい, 行動

▸ behave 動 ふるまう, 行儀よくする
• good[bad] **behavior**（良い[悪い]ふるまい）
• responsible **behavior**（責任ある行動） ➲ responsible (984)

♣ 人への「態度」は attitude (724), manner (725)。

1065 
trick [trík]
名 策略, いたずら　動（〜を）だます

▸ tricky 形 巧妙な
• The story was just a **trick**.（この話は単なるペテン[策略]だった）
• play a **trick** on him（彼にいたずらをする）
• She was **tricked** out of her money.（彼女はお金をだまし取られた）

♣ do the trick は「うまくいく・成功する」という意味のイディオム。

1066 **fault** [fɔ́:lt] | 名 (過失などの)**責任, 欠陥・欠点**

▶ faulty 形 欠陥のある
- It's my **fault**.(それは私の責任です[私の過失によるものです])
- The **fault** is in the fuel system.(燃料系統に欠陥がある)

動詞 ②

1067 **breathe** [bríːð] | 動 (空気などを)**呼吸する**

▶ breath 名 呼吸
- **breathe** (in) the fresh air(新鮮な空気を吸う)
- **breathe** in[out] hard(息を強く吸う[吐く])

1068 **sweat** [swét] | 動 **汗をかく** 名 **汗**

- He **sweats** even when it's not hot.(彼は暑くない日にも汗をかく)
- I'm dripping with **sweat**.(汗びっしょりだ) ➲drip (1621)

1069 **attack** [ətǽk] | 動 (～を)**襲う**, (～を)〔激しく〕**非難する** 名 (病気の)**発作, 襲撃**

- A group of four young men **attacked** a 57-year-old man.
  (4 人の若者の一団が 57 歳の男性を襲った)
- He was **attacked** in the press.(彼はマスコミ報道で激しく非難された)
- a heart **attack**(心臓発作)

1070 **invade** [invéid] | 動 (～に)**侵入する**, (権利などを)**侵害する**

▶ invasion 名 侵入, 侵害・侵略
- A virus **invaded** my computer.
  (コンピュータにウイルスが侵入した) ➲virus (1592)
- I didn't mean to **invade** your privacy.
  (君のプライバシーを侵害するつもりではなかったんだ) ➲privacy (1565)

1071 **steal** [stíːl] | 動 (～を)〔こっそりと〕**盗む** 名 **盗塁**

〔steal - stole - stolen〕
- I had my bag **stolen** on the train.(電車内でかばんを盗まれた)

1072  **rob** [rάb] | 動 (〜から…を)奪う・強奪する(of)

▶ robbery (1105)

• He was **robbed** of his money and credit cards.
(彼は所持金とクレジットカードを奪われた)

1073  **escape** [iskéip] | 動 (〜を)逃れる, (〜から)逃げる(from)
名 (〜からの)逃亡(from)

• He narrowly **escaped** being run over by a car.
(彼はあやうく車にひかれるという難から逃れた) ➲narrowly *(1100)*

• He had a narrow **escape** from death.(彼は九死に一生を得た)

1074  **hide** [háid] | 動 (〜を)隠す[隠れる]

〔hide - hid - hidden〕 ▶ hidden 形 隠れた, 隠された

• He tried to **hide** his feelings from his friends.
(彼は友人たちには自分の気持ちを隠そうとした)

1075  **bury** [béri] | 動 (〜を)埋める・埋葬する, (〜を)うずめる

• He was **buried** beside his wife.(彼は亡き妻のかたわらに埋葬された)

• She **buried** her face in her hands.
(彼女は両手に顔をうずめた[で顔を覆った])

1076  **destroy** [distrɔ́i] | 動 (〜を)破壊する(⇔ construct (1272))

▶ destruction 名 破壊

• The house was completely **destroyed** by fire.
(その家は火事で跡形もなくなった) ➲completely *(43)*

1077  **ruin** [rú(:)in] | 動 (〜を)破滅させる, (〜を)台なしにする 名 破滅

• No nation was ever **ruined** by trade.
(今まで貿易で破滅した国はない)《Benjamin Franklin の言葉》

• The rain **ruined** our holiday.(雨で休日が台なしになった)

1078 **spoil** [spɔ́il] | 動 (〜を)だめにする[だめになる]

• The meat **spoiled** in the heat.(暑さで肉がだめになった)

- **spoil** the appearance of the neighborhood
  (周辺の美観を損なう) ➲ appearance (656)

♣ 良い状態のものが悪くなること。また完全ではないというときにも使う。

名詞 ④

1079 	**mood** [múːd]	名 気分, 《the ～で》(～の・～する)気持ち (for, to do)

- She's in a good[bad] **mood** today. (彼女は今日は機嫌がいい[悪い])
- I'm not in the **mood** for joking. (冗談を言う気になれない)

1080 	**pity** [píti]	名 残念なこと, 哀れみ・同情

- It's a **pity** you can't make it to the party.
  (君がパーティーに来られないとは残念だ)

♣「哀れみ・同情」は見下すニュアンスがある。 ➲ sympathy (1871)

1081 	**headache** [hédèik]	名 頭痛

- I have a **headache**. (頭痛がする)

♣ 他の「…痛」は ache (1583) 参照。

1082 	**fever** [fíːvər]	名 (病気による)熱, 熱狂

- I think I have a **fever**. (熱があると思う)
- soccer **fever** (サッカー熱)

1083 	**drugstore** [drʌ́gstɔ̀ːr]	名 ドラッグストア《薬や雑貨などを売っている店》

- Is there a **drugstore** nearby? (近くにドラッグストアはありますか) ➲ nearby (989)

1084 	**brush** [brʌ́ʃ]	名 ブラシ 動 (～に)ブラシをかける, (～を)払いのける (away, off)

- a paint **brush** (絵筆)
- Go **brush** your teeth. (歯を磨いてきなさい)《母親が子どもに向かって》
- She **brushed** away a tear. (彼女は涙をぬぐった) ➲ tear (805)

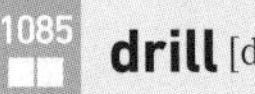

1085 **drill** [dríl] 名 きり, 訓練 動 (きりなどで)穴を開ける, 訓練する

- an electric **drill**(電動ドリル)
- a fire[an emergency] **drill**(消防[防災]訓練)
- **drill** a hole through the door(ドアにドリルで穴を開ける)

♣ 仕事に必要な技術の「訓練」は training (78)。

1086 **earthquake** [ə́:rθkwèik] 名 地震

- A strong **earthquake** hit the eastern part of India today.
（今日強い地震がインドの東部を襲った）

1087 **shock** [ʃɑ́k] 名 (精神的な)ショック, 衝撃 動 (～に)衝撃を与える

- The news came as a **shock**.(そのニュースはショックでした)
- I'm **shocked**!(ショックを受けた)

1088 **panic** [pǽnik] 名 恐慌(状態)・パニック 動 (～を)パニックにさせる[パニックになる]

- There was a **panic** in the shop when the fire started.
（火事が起こったとき，店の中はパニック状態になった）
- Don't **panic**.(落ち着いてください)

♣ 非常停止ボタン(an emergency botton)を a panic button ともいう。日常会話でよく使う。

1089 **rumor** [rú:mər] 名 うわさ 動《be ~ed で》うわさされる

- I have heard some **rumors** about you.
（君のうわさはいくつか聞いている）
- It is **rumored** that the President is going to resign.
（大統領が辞職するらしいというううわさがある） ➡ resign (1917)

1090 **pollution** [pəlú:ʃən] 名 汚染, 公害

▸ pollute 動 汚染する

- environmental **pollution**(環境汚染) ➡ environmental *(1505)*
- noise **pollution**(騒音公害)

形容詞②

1091  **strict** [stríkt] | 形 厳しい, 厳格な

▶ strictly 副 厳しく, 厳格に

- She is very **strict** about manners.
  (彼女は行儀作法にとても厳しい) ➲ manner (725)
- **strict** safety requirements (厳格な安全要件) ➲ requirement (925)

1092  **intelligent** [intélidʒənt] | 形 知能の高い, (高度な)情報処理能力を持つ

▶ intelligence (1038)

- an **intelligent** conversation (知的な会話)《頭の良さを感じさせる会話》
- an **intelligent** copier (多機能コピー機)

♣「頭がよい」という意味。intellectual (2230) は「(教育を受けて)知識が豊かな」。子どもやチンパンジー, あるいはコンピュータは intelligent といえるが intellectual とはいわない。

1093  **fancy** [fǽnsi] | 形 高級な, 装飾的な　名 好み

- a **fancy** restaurant (高級レストラン)
- **fancy** clothes (おしゃれ着)

1094  **brilliant** [bríljənt] | 形 (人・考えなどが)すばらしい, (業績などが)輝かしい

▶ brilliantly 副 鮮やかに

- a **brilliant** student (すばらしい才能のある学生)
- make **brilliant** achievements (目覚ましい業績を上げる) ➲ achievement (574)

♣ 見事である・優秀である。

1095  **marvelous** [mάːrvələs] | 形 すばらしい

- I had a **marvelous** time. (すばらしいひと時を過ごしました)

♣ wonderful のくだけた語で少し気取ったイメージ(「驚くほどよい」が元の意味)。

1096  **lucky** [lʌ́ki] | 形 幸運な

- I was **lucky** today. (今日はついていた)
- **Lucky** you[me]! (君は[僕は]なんて運がいいんだ!)

♣ 日本語のように Lucky! とはいわない。

1097  **comparative** [kəmpǽrətiv] 形 比較による

▶ compare (567) ▶ comparatively 副 比較的, 比較して

- a **comparative** study of European languages
  (ヨーロッパの言語についての比較研究)

1098  **principal** [prínsəpl] 形 主要な 名 校長

- the **principal** source of income (主な収入源)

♣ main (501) とほぼ同義だが《フォーマル》。「第一の」が元の意味。

1099  **further** [fə́:rðər] 形 それ以上の 副 さらに, それ以上に

- If you need any **further** information, please let me know.
  (さらに詳しく知りたい場合は, 私にお申しつけください)
- We shouldn't let this problem go any **further**.
  (それ以上問題をこじらせてはならない)

1100  **narrow** [nǽrou] 形 (幅が)狭い (⇔ wide (*828*), broad (1341)), かろうじての 動 (幅・差などを)狭める [狭まる]

▶ narrowly 副 かろうじて

- the **narrow** streets of the old town (旧市街の狭い通り)
- He had a **narrow** escape from death.
  (彼は九死に一生を得た) ➲ escape (1073)

♣「かろうじて(の)」は, あることが狭い範囲でぎりぎりであるということ。 ➲ barely (2013)

1101 **raw** [rɔ́:] 形 生の, 未加工の

- Sashimi is sliced **raw** fish. (刺身とは生魚の薄切りのことだ) ➲ slice (1113)
- **raw** materials (原料, 材料)

1102  **used** [jú:st] 形《be[get] used to で》~に慣れている [慣れる], [jú:zd] 中古の (⇔ unused (2408))

- You'll soon get **used** to that. (それにすぐ慣れますよ)
- I am looking for a **used** car. (中古車を探しているところだ)

♣ be[get] used to の後は名詞 [動名詞]。文中の be used to の形は, use A to do の受け身形 (A is used to do), あるいは名詞の後置修飾 (A used to do) であることが多い (発音は [jú:zd] で異なる)。これと混同しないよう注意。

名詞⑤

1103 **crime** [kráim] 名 犯罪，（個々の）犯罪（行為）

▶ criminal 形 犯罪の　名 犯人
- computer **crime**（コンピュータ犯罪）
- commit a **crime**（罪を犯す）　➲commit (1715)

1104 **thief** [θíːf] 名 泥棒

▶ theft 名 盗み・窃盗
- **Thieves** stole everything in the office.
（泥棒たちはその事務所にあるものすべてを盗んでいった）

1105 **robbery** [rábəri] 名 強盗（行為）

▶ rob (1072)
- **robbery** insurance（盗難保険）

1106 **evidence** [évidns] 名 証拠

▶ evident 形 明白な
- Do you have any **evidence** for your statement?
（あなたの陳述を立証する証拠がありますか）

1107 **clue** [klúː] 名 手がかり，（クイズなどの）かぎ，ヒント

- a **clue** to solve the problem（その問題を解く手がかり）
- I don't have a **clue**[I have no **clue**].（見当もつかない）

♣ hint (2205) よりも具体的で直接的なもの。

1108 **truth** [trúːθ] 名 真理・真実

▶ true 形 真実の　➲eventually (1860)
- The **truth** will come out eventually.（最後には真実が明らかになるだろう）

1109 **danger** [déin(d)ʒər] 名 危険

▶ dangerous 形 危険な

• His business is in **danger** of collapse.
（彼の会社は倒産の危険にさらされている）
➲collapse (1819)

1110  **brake** [bréik] | 名 ブレーキ, 歯止め 動 ブレーキをかける

• put on the **brakes**（ブレーキをかける）
• put the **brakes** on increasing debt
（増大する負債に歯止めをかける）
➲debt (1536)

1111  **stuff** [stʌ́f] | 名（ばく然と）物 動（~を）詰める

• Thanks, but I don't need all that **stuff**.
（ありがとう。でもそれらはみんな必要ありません）
• He **stuffed** his dirty clothes into the bag.（彼は汚れた衣類を袋に詰めた）

♣ 動物のぬいぐるみを a stuffed animal という。

1112  **string** [stríŋ] | 名 ひも,《the ~s で》弦楽器

• tie a package with a **string**（ひもで小包をしばる）
• music for piano and **strings**（ピアノと弦楽器のための曲）

1113  **slice** [sláis] | 名（薄く切った）一片 動（~を）薄く切る・薄く切り取る

• a **slice** of bread[beef]（パン[ビーフ]の一切れ）
• **slice** a piece of ham（ハムを一切れ切る）

1114 **ray** [réi] | 名 光線

▶ X-ray 名 レントゲン写真[検査]
• the sun's **rays**（太陽光線）

形容詞③

1115  **female** [fíːmeil] | 形 女性の, 雌の 名 女性, 雌（⇔ male (1116)）

• **female** supervisors（女性の上司）
➲supervisor (492)

1116  **male** [méil] | 形 男性の, 雄の 名 男性, 雄（⇔ female (1115)）

• **male** colleagues（男性の同僚）
➲colleague (457)

1117 **elderly** [éldərli] | 形 年配の,《the ~で》年配の人たち

- **elderly** people（高齢者）

1118 **angry** [ǽŋgri] | 形《be ~で》(~に) 腹を立てて (at, with), 怒った

▶ anger 名 怒り
- I'm very **angry** with you!（あなたにはとても腹を立てているんです）
- **angry** words（怒りの言葉）

1119 **rude** [rú:d] | 形 失礼な (⇔ polite (1053))

▶ rudeness 名 無礼
- I thought you acted a little **rude** to him.
（君は彼に対してちょっと失礼だと思ったよ）

1120 **nervous** [nə́:rvəs] | 形 緊張して, 不安な, 神経の

▶ nervously 副 神経質に　▶ nerve 名 神経
- I really get **nervous** in public.（公衆の前ではとても緊張する）
- a **nervous** look（不安そうな目つき）
- a **nervous** breakdown（神経衰弱・ノイローゼ）

1121 **honest** [ɑ́:nəst] | 形 正直な, 率直な, 《to be honest で》正直に言って・実は

▶ honestly 副 正直に・率直に, 正直なところ
- an **honest** person（正直な男）
- an **honest** answer（率直な返事）
- But to be **honest**, that wasn't necessary.
（しかし実を言うと, それは必要なかった）

♣ to be honest と honestly はほぼ同義で使える。

1122 **lonely** [lóunli] | 形 孤独な・寂しい

- I feel **lonely** living away from home.（家族と離れて暮らすのは寂しい）

1123 **asleep** [əslí:p] | 形 眠って (いる)

- I fell **asleep** during the boring speech.

（退屈なスピーチの間に眠ってしまった） ➲boring (*1622*)

♣ asleep は名詞の前には用いない。sleeping を使う。a sleeping dog（眠っているイヌ）。 ➲alive (1047)

1124 **awake** [əwéik] | 形 目が覚めて（いる）

- I was **awake** all night long.（一晩中目が覚めていた）

♣ 形容詞の awake は名詞の前には用いない。

1125 **lazy** [léizi] | 形 怠惰な

▸ laziness 名 怠惰

- He's so **lazy** that he avoids any kind of work.
（彼は怠け者でどんな仕事もしたがらない） ➲avoid (359)

1126 **loose** [lúːs] | 形 ゆるい, だぶだぶの, 結んでいない

▸ loosen 動 ゆるめる

- a **loose** screw（ゆるんだねじ）
- This sweater feels a little **loose** on me.
（このセーターは私にはちょっとだぶだぶみたい）

名詞⑥・形容詞④

1127 **bulb** [bʌ́lb] | 名 電球（= light bulb）, 球根

- The light **bulb** has burned out. ▸ burn out「燃えつきる」
（電球が切れた） ➲burn (768)
- lily[tulip] **bulbs**（ユリ［チューリップ］の球根）

1128 **chairperson** [tʃéərpə̀ːrsn] | 名 議長

▸ chair 名《the ～で》議長　動 議長をつとめる

- We elected him (as) **chairperson**.（彼を議長に選んだ） ➲elect (*1372*)

♣ chairperson と chair は同義。chairman, chairwoman はあまり使わない。

1129 **ugly** [ʌ́gli] | 形 不快な, 醜い

- Please don't speak in such **ugly** language.
（そんな汚い［不快な］言葉遣いで話さないでください）

1130 **terrible** [térəbl] | 形 ひどい・すさまじい, 恐ろしい

▸ terror 名 恐怖 ▸ terribly 副 とても, すごく
- a **terrible** accident (ひどい事故)
- I have a **terrible** headache. (ひどい頭痛がする) ➲ headache (1081)
- the **terrible** news (恐ろしいニュース)

1131 **awful** [ɔ́:fəl] | 形 ひどい・最悪の

▸ awfully 副 とても, すごく
- an **awful** smell (ひどい悪臭)
- an **awful** experience (ひどい[最悪の]経験)

♣「ひどい」の意味では terrible と同義。horrible (1854) も同義で使うが, より強い意味合い。

1132 **thirsty** [θə́:rsti] | 形 のどが渇いた

▸ thirst 名 (のどの)渇き, 渇望 (for)
- get[become] **thirsty** (のどが渇く)
- Everyone was hungry and **thirsty**. (誰もが空腹でのどが渇いていた)

1133 **blank** [blǽŋk] | 形 空白の 名 空欄

- **blank** sheet (白紙)
- fill in the **blanks** (空欄を埋める)

1134 **violent** [váiələnt] | 形 乱暴な, 激しい

▸ violence 名 暴力
- a **violent** crime (暴力犯罪) ➲ crime (1103)
- a **violent** earthquake (激震) ➲ earthquake (1086)

1135 **false** [fɔ́:ls] | 形 うその, にせの (⇔ real(207), genuine(2193)), (思い違いによる)誤った

- make a **false** statement (虚偽の申立てをする)
- a **false** passport (偽造パスポート)
- give a **false** impression (誤った印象を与える)

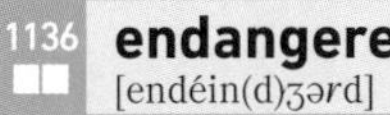

1136 **endangered** [endéin(d)ʒərd] | 形 **絶滅の危機に瀕した**

▸ endanger 動 (～を)危険にさらす
- **endangered** species (絶滅危惧種)

1137 **fried** [fráid] | 形 (油で)**揚げた**

▸ fry 動 揚げる[いためる, 焼く]
- **fried** chicken[oysters] (フライドチキン[かきフライ])

1138 **latter** [lǽtər] | 形 **後半の**　名《the ～で》**後者** (⇔ former (1246))

- the **latter** half of the year (後半期, 1年の後半)
- Of these two plans, I prefer the **latter**.
  (この2つの企画について言えば, 後者の方がいいね)　➲ prefer (234)

動詞③・副詞①・助動詞①

1139 **split** [splít] | 動 (～を)**分ける[分かれる]**, (～を)**割る[割れる]**　名 **分裂**

〔split - split - split〕
- Let's **split** the bill[check]. (割り勘にしましょう)
- She **split** up with her boyfriend. (彼女はボーイフレンドと手を切った)

1140 **survive** [sərváiv] | 動 (事故・困難などを)**生きのびる・切り抜ける**

▸ survival 名 生存　▸ survivor 名 生存者
- **survive** intense competition (厳しい競争を生き残る)　➲ intense (2007)

1141 **disturb** [distə́ːrb] | 動 (仕事などを)**妨げる**, (平穏・秩序などを)**乱す**

▸ disturbance 名 邪魔(物)
- I hope I'm not **disturbing** you. (お邪魔でないといいのですが)
- **disturb** the peace (平穏を乱す)

1142 **pronounce** [prənáuns] | 動 (単語などを)**発音する**

▸ pronunciation 名 発音
- How do you **pronounce** your last name? (ラストネームはどのように発音しますか)

1143  **bite** [báit]

動 (～を)噛む・(～に)噛みつく,〔虫などが〕(～を)噛む・刺す 名 かじること, ひと口

〔bite - bit - bitten〕

- **bite** one's lips with regret (悔しくて唇を噛む) ➲regret (835)
- I was **bitten** by a mosquito. (蚊に刺された)
- Let's have a **bite** (to eat). (ちょっとひと口[軽く]食べようよ)

♣ 毒針などで「刺す」はsting (2482)。蚊(mosquito)も日本語で「刺す」というが, 口の器官なので英語ではbite がふつう。

1144  **boil** [bɔ́il]

動 沸く・(～を)沸かす, 煮える・(～を)煮る

- The water in the pot is **boiling**. (ポットのお湯が沸騰している)
- **boil** water[potatoes] (湯を沸かす[ジャガイモを煮る])
- a **boiled** egg (ゆで卵)

1145  **wander** [wɑ́ndər]

動 (ぶらぶら)歩き回る・ぶらつく

- **wander** along the street (通りをぶらつく)

♣ wonder (328) と混同しないよう注意。

1146  **float** [flóut]

動 (水面・空中に)浮かぶ・(～を)浮かべる, 漂う

- A boat is **floating** on the river. (川にボートが浮かんでいる)
- The balloon **floated** through the air. (風船が空中を漂っていた)

1147  **fortunately** [fɔ́ːrtʃənətli]

副 幸いにも (⇔ unfortunately (381))

▸ fortunate 形 幸せな・幸運な (in, to do)　▸ fortune (1017)

- **Fortunately**, nobody was hit. (幸いなことに, 誰にもぶつからなかった)

1148 **nowadays** [náuədèiz]

副 (昔と比べて)この頃(では) (= these days)

- People dress more casually **nowadays**.
(この頃は, 人々はよりカジュアルな服装をする)

♣ these days が日常語。 いずれも「現在形」で使う。 ➲recently (282), lately (1858)

1149  **someday** [sʌ́mdèi]

副 (未来の)いつか

▸ sometime (1507)

- I'd like to get a full-time position here **someday**.
  (いつか，ここでフルタイムの仕事に就きたいです)

♣ one day は「(過去の) ある日，(未来の) いつか」の両方に使える。someday は過去には使わない。

1150	**used to** [jú:s(t)tu]	助《used to do[be] で》以前は～した [～だった]

- He **used to** work at the Blue Eagle Hotel.
  (彼は以前ブルーイーグルホテルで働いていた)
- There **used to** be a grocery store over there. (以前あそこに食料品店があった)

♣ be[get] used to と混同しないように。

副詞②・前置詞①・接続詞①

1151	**gradually** [grǽdʒuəli]	副 徐々に (⇔ suddenly *(787)*)

▶ gradual 形 徐々の
- You'll **gradually** get used to the humid weather.
  (徐々に湿度の高い気候に慣れるでしょう) ➲humid (1555)

1152	**hardly** [há:rdli]	副 ほとんど～ない

- There are **hardly** any people swimming today.
  (今日は泳いでいる人はほとんどいない)
- I could **hardly** believe my eyes.
  (私はほとんど自分の目を信じられなかった [自分の目を疑った])

1153	**heavily** [hévili]	副 多量に，(程度が) 大きく

▶ heavy 形 重い，(程度などが) 大きい，(交通量が) 多い
- It started to snow **heavily**. (雪がたくさん降り始めた) ➲occupy (1388)
- He is **heavily** occupied with that project. (彼はその事業で手一杯だ)

1154	**seriously** [síəriəsli]	副 まじめに・真剣に，ひどく

▶ serious (1411)
- We take all customer feedback **seriously**.
  (私たちはすべてのお客様の声を真剣に受け止めています) ➲feedback (437)
- The goods were **seriously** damaged by fire.
  (火事で商品は深刻な損害を受けた)

1155 **truly** [trú:li] | 副 本当に, 心から

▶ true (1108)
- I **truly** enjoyed meeting everyone.(皆さんにお会いして本当に楽しかったです)
- I am **truly** sorry.(本当に申し訳ない[心から申し訳なく思っている])

1156 **roughly** [rʌ́fli] | 副 大まかに, 乱暴に

- estimate the cost **roughly**(費用を概算する) ➲estimate (867)
- The package seems to have been **roughly** handled.
(その包みは乱暴に扱われたようだ) ➲handle (522)

1157 **badly** [bǽdli] | 副 まずく, ひどく

▶ bad 形 悪い, まずい
- He treated me **badly**.(彼は私を不当に扱った) ➲treat (1173)
- Tom was **badly** injured in a traffic accident.
(トムは交通事故でひどいけがをした)

1158 **plus** [plʌ́s] | 前 ~を足して・加えて(⇔ minus「~を引いて」) 接 その上, さらに 名 利点, 長所

- It costs 10 dollars **plus** tax.(それは10ドルに加えて税金がかかります)
- The job pays well. **Plus** I like working with animals.
(その仕事は給料がいい。それに私は動物と一緒に働くのが好きだ)
- Experience in teaching would be a **plus**.
(教育の経験は利点になるでしょう[経験者は優遇されます])

1159 **besides** [bisáidz] |  前 ~の他に・~に加えて 副 その上, さらに

- I have two sisters **besides** her.(私には彼女以外に2人の姉[妹]がいます)
- We have to do it. (And) **besides**, it'll be fun.
(やるしかないよ。(それに)楽しいだろうし)

1160 **provided** [prəváidid] | 接《~ (that) で》…という条件で, もし…ならば(= if)

▶ provide (23)
- Anyone can join the course, **provided** that there is space available.
(もし空きがあれば, 誰でもその講座に参加できます)

♣ providing (that) も同意。that 節の中は未来のことでも現在形を使う。

🔊 トラック 3-13

名詞 ①

1161  **crew** [krú:]
名《集合的に》(仕事の) **チーム**, (飛行機・船などの) **乗組員**

- a maintenance **crew**(メンテナンス班[チーム])
- a cabin **crew**(客室乗務員) ➲cabin (1726)

♣ a crew は 1 つの集団という意味。 集団の中の 1 人は a crew member。

1162  **personnel** [pə̀ːrsənél]
名《集合的に》**職員**, **人事**(課)

- reception desk **personnel**(受付職員[係]) ➲reception (975)
- a **personnel** department(人事課[部])

1163  **coworker** [kóuwə̀ːrkər]
名 **仕事仲間**, **同僚**

- He gets along well with his **coworkers**.
(彼は同僚とうまくいっている) ▸ get along well「仲よくやっている」

♣ 同義語の colleague (457) は専門的な職業で使われるニュアンスがあるが, TOEIC では設問文での言い換えによく使われる。

1164  **intern** [íntəːrn]
名 (職業) **研修生**, **研修医・インターン**

▸ internship 名 インターンシップ《研修生[研修医]の期間》
- We have technology **interns** starting next week.
(わが社では来週から技術研修生を受け入れる)

1165 **accountant** [əkáuntənt]
名 **会計係**, **会計士**

▸ account (52)
- a certified public **accountant**(公認会計士《略》CPA) ➲certify (1429)

1166 **architect** [ɑ́ːrkətèkt]
名 **建築家**

▸ architecture (629)
- a landscape **architect**(景観設計家[造園設計家])

1167  **craft** [krǽft]
名《~s で》**工芸品**, (職人などの) **技術・技能**
動 (~を)〔技術を駆使して〕**作る**

- traditional **crafts**(伝統工芸)
- finely **crafted** furniture(精巧に作られた家具)

1168 **division** [divíʒən] 名 部, 課

▶ divisional 形 部[課]の ▶ divide (711)

• Peter, this is Paul Jordan, head of the Overseas Sales **Division**.
（ピーター，こちらは海外販売部の部長，ポール・ジョーダンさんです）

1169 **salary** [sǽləri] 名 給料

• a base **salary**（基本給） ➲ base (306)
• a high[low] **salary**（高い[安い]給料）
• What's your annual **salary**?（年俸はどのくらいですか） ➲ annual (888)

♣ wage (1336) 参照。

1170 **profit** [prɑ́fət] 名 利益（⇔ loss (1415)） 動（～から）利益を得る（from, by）

▶ profitable (2341)

• The bazaar made a considerable **profit**.（バザーはかなりの利益を上げた）
• A wise person **profits** from his mistakes. ➲ considerable (1602)
（賢い人は失敗から利益を得る[転んでもただでは起きない]）《ことわざ》

1171 **paperwork** [péipərwə̀ːrk] 名 文書業務・事務処理，（契約・手続きなどの）必要書類

• The **paperwork** took all day long.（事務処理は丸一日かかった）
• There is a lot of **paperwork** to fill out.
（記入しなければならない書類がたくさんある）

1172 **version** [vɔ́ːrʒən] 名 …版・バージョン

• an electronic **version**（電子版） ➲ available (499), shortly (1501)
• A new **version** will be available shortly.（新バージョンは間もなくご提供できます）

動詞 ①

1173 **treat** [tríːt] 動（～を）取り扱う，（～を…で）もてなす（to），（人・病気を）治療する 名 もてなし，ごちそう

▶ treatment (1389)

• He **treated** her like a child.（彼は彼女を子どものように扱った）
• I'd like to **treat** you to dinner.（ディナーでおもてなしをしたい[ごちそうしたい]のですが）
• He was **treated** in the hospital.（彼は病院で治療を受けた）
• I have a **treat** for you.（あなたを喜ばせることがあります）

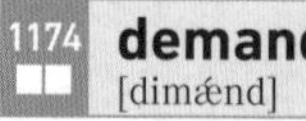

1174 demand [dimǽnd]　動 (～を)要求する　名 需要, 要求

▶ demanding 形 骨の折れる, 要求がきつい
- I **demand** to see my lawyer.(弁護士に会うことを要求します)　➲lawyer (633)
- consumer **demand**(消費者需要[ニーズ])

1175 approach [əpróutʃ]　動 (～に)近づく　名 (問題への)取り組み方・方法, 接近

- We are now **approaching** Narita International Airport.
  (この機は, いま成田国際空港に近づいています)
- A deadline is **approaching**.(期限が近づいている[迫っている])　➲skill (179)
- a new **approach** to teaching reading skills(読解力教育の新しい方法)

1176 contribute [kəntríbjuːt]　動 (活動・事業などに)貢献する(to), (お金・援助・時間などを)提供する・寄付する

▶ contribution 名 貢献, 寄付(金)
- **contribute** to world peace(世界平和に貢献する)　➲volunteer (459)
- **contribute** one's time to volunteer work(ボランティアの仕事に時間を使う)

1177 donate [dóuneit]　動 (お金・物などを)寄付[寄贈]する, (血液・臓器などを)提供する

▶ donation 名 寄付(金)
- **donate** $10,000 to a charity(慈善団体に1万ドルを寄付する)　➲charity (1358)
- **donate** blood(献血する)

♣ 慈善事業に寄付する。

1178 analyze [ǽnəlàiz]　動 (～を)分析する(⇔ synthesize「統合する」)

▶ analysis (1196)　▶ analyst *(1196)*
- **analyze** data(データを分析する)　➲data (438)

1179 emphasize [émfəsàiz]　動 (～を)強調する

▶ emphasis 名 強調
- **emphasize** the importance of education(教育の重要性を強調する)

1180 highlight [háilàit]　動 (～を)強調する　名 呼び物, 目玉

- **highlight** the need for reform(改革の必要を強調する)　➲reform (2036)

- this week's TV **highlights**
  (今週のテレビ番組のハイライト)

♣ 重要性などに気づくように目立たせること。emphasize と同義で使うこともある。

1181	**verify** [vérəfài]	動 (~(が正しいかどうか)を)確かめる, (~を)立証する

▶ verification 名 確認, 立証

- **verify** the figures(数字(が正しいかどうか)を確かめる) ➲ figure (248)
- The man's statement was **verified** by witnesses. ▸ witness「目撃者」
  (その男の供述は目撃者によって立証された) ➲ statement (347)

♣「確かめる」は check (62) が日常語。

1182	**inquire** [inkwáiər]	動 (~について)問い合わせる(about, wh-)

▶ inquiry (952)

- I am writing to **inquire** about your products.
  (貴社の製品についておたずねしたく手紙を差し上げます)

1183	**identify** [aidéntəfài]	動 (~を)特定する・突き止める, (~を)確認する

▶ identification 名 身元証明(書) ▶ identity (1567)

- **identify** the problem(問題点を特定する[突き止める])
- **identify** the man(その男(の身元)を確認する)

1184	**conclude** [kənklúːd]	動 (~と)結論づける, (~を…で)終了させる(with)

▶ conclusion 名 結論, 結末

- We **conclude** that the only problem is lack of money.
  (唯一の問題は資金不足だという結論に達した)
- He **concluded** his speech with a famous proverb.
  (彼はスピーチを有名なことわざで結んだ)

名詞 ②

1185	**terminal** [tə́ːrmənl]	名 ターミナル・発着場, (回路などの)端子 形 最終の, 末期の

▶ terminate (2247)

- a bus[an airport] **terminal**(バス[空港]ターミナル)
- **terminal** care(末期医療)

1186  **relation** [riléiʃən]
名（複数の物事の）**関係**，《~s で》（人・組織間の）**関係**（with, between）

▸ relate (1386)　▸ relationship (1540)

- the **relation** between food and health（食と健康の関係）
- enter into business **relations**（取引関係に入る）

♣ relation は抽象名詞で単数扱い。relations は複数扱い。

1187  **relative** [rélətiv]
名 **親類**（の人）　形 **比較的・相対的**（な）

▸ relatively 副 比較的に，相対的に

- She is my close[distant] **relative**.
（彼女は近い[遠い]親せきに当たります）　➲ distant *(1286)*
- a question of **relative** importance（相対的重要性の問題）

1188  **status** [stéitəs]
名 **状態・状況**，（社会的）**地位**

- Could you check the **status** of my order?
（私の注文の（処理）状況を確認してもらえますか）

1189  **foundation** [faundéiʃən]
名（建物・理論・制度などの）**土台・基礎**，《F ~で》**財団**，（学校などの）**設立**

▸ found (1273)

- The house was built on strong **foundations**.
（その家は強固な土台の上に建てられた）
- the **foundation** of democracy（民主主義の土台[基礎]）
- the Carnegie **Foundation**（カーネギー財団）

1190 **neighborhood** [néibərhùd]
名 **近所**，〔数値が〕（~の）**近く**（of）

▸ neighbor 名 隣の人　▸ neighboring 形 近くの，近隣の

- There is a big supermarket in the **neighborhood**.
（近所に大きなスーパーがある）
- The fee would be somewhere in the **neighborhood** of $300.
（料金は 300 ドル前後となります）　➲ fee (104)

1191 **county** [káunti]
名 **郡**《州の下位の行政区画》

- **county** police（郡警察）
- a **county** hospital（郡立病院）

1192 **assembly** [əsémbli] | 名 (機械の)**組み立て**, (州など)**議会**

▶ assemble (1275)
- an **assembly** line(組み立てライン)
- **assembly** instructions(組み立て説明書)
- the state **assembly**(州議会)

♣ 市町村の議会には council (906) を使うことが多い。

1193 **laboratory** [lǽbərətɔ̀:ri] | 名 **実験室**, **研究所**(《略》lab)

- a space **laboratory**(宇宙実験室)

1194 **experiment** [ikspérəmənt] | 名 **実験**
動 [ikspérəmènt](考え・方法などを)**試す**・**試みる**(with)

▶ experimental 形 実験の, 実験的な
- The **experiment** was successful.(実験は成功した)
- **experiment** with new ideas(新しいアイデアを試してみる)

1195 **proof** [prú:f] | 名 **証拠**, **証明**(するもの)

▶ prove (1319)
- There is no **proof** that he is guilty.
(彼が有罪であるという証拠は何もない) ▶ guilty「有罪の」
- May I see **proof** of your age?
(年齢を証明するものを見せてもらえますか)

♣ 接尾辞の -proof は「耐…」「防…」の意味。waterproof(防水)。

1196 **analysis** [ənǽləsis] | 名 **分析**(⇔ synthesis「統合」)

▶ analyze (1178) ▶ analyst 名 (情勢などの)アナリスト
- economic **analysis**(経済分析) ➲ economic (1255)

形容詞 ①

1197 **industrial** [indʌ́striəl] | 形 **産業の・工業の**

▶ industry (392)
- an **industrial** society(産業[工業]社会) ➲ society (722)

1198  **pharmaceutical** [fɑ̀ːrməs(j)úːtik(ə)l]
形 製薬の, 薬剤の
名《~s で》医薬品, 製薬会社《会社名に使う》

▶ pharmacy (1437)
- a **pharmaceutical** company (製薬会社)
- **pharmaceutical** products (医薬品)

1199  **complimentary** [kɑ̀mpləméntəri]
形 無料サービスの・優待の

▶ compliment (1784)
- a **complimentary** ticket (無料招待券)

1200 **competitive** [kəmpétətiv]
形 競争の(激しい),
(会社・商品・価格などが)競争力のある

▶ compete (1228)
- a **competitive** market (競争(の激しい)市場)
- sell used cars at **competitive** prices
(競争力のある[安い]価格で中古車を販売する)

1201  **multiple** [mʌ́ltəpl]
形 多数の, 多重の

- **multiple** reasons (多数の[さまざまな]理由)
- **multiple** languages (多言語)

1202 **proud** [práud]
形 (~を)誇りに思う (of, to do)

▶ pride (748)
- I'm so **proud** of you. (あなたのことをとても誇りに思っています)
- ABC Company is **proud** to announce its newest product.
(ABC 社は新製品を発表することを誇りといたします) ➲announce (403)

1203 **positive** [pázətiv]
形《be ~で》確信している (about, that),
積極的な・肯定的な (⇔ negative (691))

- I'm **positive** everything will come out all right.
(万事がうまくいくと確信している)
- a **positive** attitude (積極的な態度) ➲attitude (724)

1204  **unique** [juːníːk]
形 すばらしい・他にはない, 唯一の・特有の

▶ uniquely 副 比類なく ▶ uniqueness 名 唯一の存在であること

• take this **unique** business opportunity
（この絶好の商機を捕える） ➲opportunity (176)

• I am **unique**, just like everyone else.
（私は，他のみんながそうであるように固有の存在だ）

♣ unique には「変わった」という意味はないので注意。

1205	**particular** [pərtíkjələr]	形 特別の，《be ～で》(～について)好みがうるさい (about, over)

▶ particularly 副 特に (= especially (384))

• Any **particular** style[color]?
（特に（ご希望の）スタイル［色］はありますか） ➲style (577)

• He is very **particular** about his food.
（彼は食べ物については好みがうるさい）

1206	**essential** [isénʃl]	形 必要不可欠な，本質的な 名《～s で》不可欠な物，最重要事項

▶ essence 名 本質

• Absolute security at the meeting will be an **essential** point.
（会議が確実に安全に行われることが重要なポイントになろう） ➲absolute *(1503)*

• pack the bag with the **essentials**（バッグに最低限必要なものを詰める）

1207	**minimum** [mínimәm]	形 最小(限)の　名 最小限 (⇔ maximum (1342))

▶ minimize (1762)

• The **minimum** order is $10.（注文は 10 ドル以上から受け付けます）

• Set the volume to the **minimum**.（音量を最小にしなさい） ➲volume (979)

1208	**practical** [prǽktikәl]	形 実際的な，実用的な

▶ practice (268)　▶ practically 副 実質的に，事実上

• have **practical** experience（実践的な経験がある）

• **practical** books（実用書）

名詞 ③

1209	**mayor** [méɪәr]	名 市長・町長《自治体の長》

• the **mayor** of New York（ニューヨーク市長）

• The **mayor** will give an address at the opening ceremony.
（開会式では市長が演説［あいさつ］を行う予定です） ➲address (123), ceremony (973)

1210 **authority** [əθɔ́ːrəti]

名 権限, 《~ies で》当局

▶ authorize (1430)

- I don't have the **authority** to decide it on my own.
  （私にはそれを自分で決定する権限がありません）
- the city **authorities**（市当局）

1211 **approval** [əpruːvl]

名 承認・許可, 賛同・同意

▶ approve (469)

- request **approval** for expenses（経費の承認を求める）
- receive **approval** from the board（役員会の承認を得る）
- meet with the board's **approval**（役員会の賛同を得る）

1212 **initiative** [iníʃətiv]

名（~するための）（新）計画・構想, 自発性,
《the ~で》主導権

▶ initiate 動（事業・計画などを）始める

- a government **initiative** to tackle unemployment
  （失業問題に取り組む政府の新政策）　➲ tackle (2174), unemployment *(2008)*
- act on one's own **initiative**（自発的に行動する）
- take the **initiative**（主導権を取る）

1213 **priority** [praiɔ́(ː)rəti]

名 優先（事項・順序）

▶ prior (943)

- a top[high] **priority**（最優先事項）
- a **priority** level（優先レベル[順位]）

1214 **capacity** [kəpǽsəti]

名（部屋などの）収容能力,
（人・工場などの）〔潜在的な〕能力

▶ capable (1748)

- The hall has a seating **capacity** of 270.（ホールの収容人数は 270 席です）
- What is the production **capacity** of the plant?
  （この工場の生産能力はどのくらいですか）

1215 **housing** [háuziŋ]

名 住宅（供給）

- **Housing** in Japan is very expensive.（日本では住宅がとても高い）
  └➲ expensive (133)
- public **housing**（公営住宅）

1216 suite [swíːt]
名 (ホテルなどの)**一続きの部屋**, (家具などの)**一組[ひとそろい]**

- book a hotel **suite** (ホテルのスイートルームを予約する)
- a bedroom **suite** (寝室用家具のセット)

♣「ひとそろい」の意味では set (109) を使うことが多いが, 特にデザインなどが統一され, セットで販売される家具などに suite を使う。

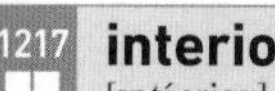

1217 interior [intíəriər]
名 **内部, 屋内**　形 **内部の, 屋内の**

- the **interior** of the house (家の内部)
- **interior** design (室内装飾・インテリアデザイン)

♣ 日本語の「インテリア」は interior design あるいは interior decoration「室内装飾」。

1218 cabinet [kǽbənət]
名 **整理棚・キャビネット, 内閣**

- a kitchen **cabinet** (食器棚)
- a file[filing] **cabinet** (書類棚・ファイルキャビネット)

1219 counter [káuntər]
名 (台所の)**カウンター・調理台** (= countertop), (銀行・店などの)**カウンター**

- a kitchen **counter** (キッチンカウンター)
- Is this the check-in **counter** for Flight 104 to Narita?
(ここは成田行き 104 便のチェックインカウンターですか)　➲ check-in (1464)

♣ countertop は, 特に上面の平らな部分に焦点を置いた言い方。

1220 clinic [klínik]
名 **診療所**

▸ clinical 形 臨床…
- a dental[an eye] **clinic** (歯科[眼科]診療所)　➲ dental (1299)

動詞 ②

1221 overlook [òuvərlúk]
動 (～を)**見渡す**, (～を)**見落とす**

- This window **overlooks** the beach.
(この窓からビーチが見渡せる)
- They must have **overlooked** your order.
(君の注文を見落としたに違いない)

1222 **connect** [kənékt] — 動 (〜を)**つなぐ・結ぶ** (to, with)

▶ connection 名 関係, 接続

- Please **connect** the cable to terminal A instead of terminal B.
  (ケーブルをターミナルBではなくターミナルAにつないでください)　➲terminal (1185)
- The highway **connects** the city's business district and the airport.
  (その高速道路は市のビジネス街と空港を結んでいる)

1223 **log** [lɔ́(ː)g] — 動 《log in[on] で》**ログイン[オン]する・接続する**
名 **丸太, アクセス記録**

- You need a password to **log** in.(ログインするにはパスワードが必要です)
- **log** in[on] to the Internet(インターネットにログイン[オン]する)
- a cabin built of **logs**(丸太小屋)

♣「ログアウトする」は **log out[off]**。

1224 **exhibit** [igzíbit] — 動 (〜を)**展示する**
名 **展示(品), 展示会** (= exhibition(655))

- **exhibit** new cars at the auto show (自動車ショーで新車を展示する)
- Please don't touch any of the **exhibits**.(展示品には手を触れないでください)

1225 **edit** [édit] — 動 (〜を)**編集する**

▶ editor (603)

- **edit** a book[magazine](本[雑誌]を編集する)

1226 **implement** [ímpləmènt] — 動 (〜を)**実行する・実施する**
名 [ímpləmənt] **道具・用具**

▶ implementation 名 履行・実行

- **implement** the new project(新プロジェクトを実施する)
- farming **implements**(農具)

♣ **carry out, conduct** (445) などが日常語。

1227 **finalize** [fáinəlàiz] — 動 (計画・契約などを)**仕上げる・まとめる**

- **finalize** the details of the deal(取引の詳細を決める)

1228 **compete** [kəmpíːt] — 動 (企業・製品・人などが…と)**競い合う・競争する** (with, against)

▶ competition (371)　▶ competitive (1200)

• **compete** with imported products（輸入品と競争する）

1229 **coordinate** [kouɔ́:rdənèit]
動（人・活動などを）〔うまく〕**調整する**

▶ coordination 名 調整　▶ coordinator 名 調整役, コーディネーター

• **coordinate** production schedules（製造計画を調整する）

1230 **settle** [sétl]
動（～を）〔楽な姿勢に〕**落ち着かせる［落ち着く］**,（負債・勘定を）**払う**,（論争・問題などに）**決着をつける**

▶ settlement 名 解決・合意,（負債などの）決済, 定住

• **settle** (down) on the sofa[= **settle** oneself on the sofa]
（ソファーに腰を下ろして落ち着く[くつろぐ]）

• I want to **settle** the bill now.（いま, 勘定を払いたいのです）

• The trouble was peacefully **settled**.（問題は丸くおさまった）

1231 **resolve** [rizálv]
動（問題などを）**解決する**,（～を）**決心［決定］する**（to do, that）　名 **決心・決意**

▶ resolution 名（問題の）解決, 決議, 決心

• **resolve** a problem[an issue]（問題を解決する）

• He **resolved** to study in the U.S.（彼はアメリカへ留学しようと決心した）

1232 **accommodate** [əkámədèit]
動〔施設などが〕（人・物を）**収容できる・収納できる**,（要求・意見などを）**受け入れる**

▶ accommodation 名 宿泊設備, 収容能力

• This hotel can **accommodate** 3,000 guests.
（このホテルには 3000 人が宿泊できる）

• I cannot **accommodate** your request.
（あなたの要求は受け入れられません）

➲ request (51)

名詞 ④

1233 **platform** [plǽtfɔ̀:rm]
名（駅の）**ホーム**,（コンピュータの）**プラットフォーム**,（作業用などの）**台, 演壇**

• What **platform** does the train leave from?
（その電車は何番ホームから出ますか）

• an online learning **platform**（オンライン学習プラットフォーム）

♣ platform は人が乗り降りする場所のことで, 列車が発着する番線は track (341)。「…番ホーム」の意味では区別なく使う。

1234 **destination** [dèstənéiʃən] 名 目的地, 行き先

- We arrived at our **destination** around 1 p.m.(午後1時ごろ目的地に着いた)
- a popular tourist **destination**(旅行者に人気のある観光地[行き先])

1235 **shuttle** [ʃʌ́tl] 名 シャトル便《近距離の定期往復便》

- take a **shuttle** (bus) to the airport(空港行きのシャトル便[バス]に乗る)

1236 **stack** [stǽk] 名 積み重ねた山　動 (~を)積み重ねる[重なる]

- **stacks** of papers to work on
  (処理しなければならない書類の山)　▸ work on「(仕事などに)取り組む」
- **stack** the dishes in the sink((食後の)食器類を流しに積み重ねる)

1237 **damage** [dǽmidʒ] 名 損害・被害, 《~s で》損害賠償金
動 (~に)損害を与える

▸ damaged 形 破損した

- The **damage** caused by the fire was estimated at $500,000.
  (火災による損害は50万ドルと見積もられた)　➲estimate (867)
- claim **damages** for injury
  (傷害に対して損害賠償を要求する)
- About 1,300 houses were **damaged** by the flood.
  (約1,300戸が洪水で損害を受けた)　➲flood (728)

1238 **newsletter** [n(j)ú:zlètər] 名 会報, 社報

- publish a **newsletter** twice a year
  (会報を年2回発行する)

1239 **journalist** [dʒə́:rnəlist] 名 ジャーナリスト《報道記者・編集者など》

▸ journal (1632)　▸ journalism *(1632)*

- a newspaper **journalist**(新聞記者)

1240 **orientation** [ɔ̀:riəntéiʃən] 名 (新入社員などの)オリエンテーション

- It's **orientation** week for new employees.
  (新入社員のためのオリエンテーションウィークです)

1241  **mentor** [méntɔːr]

名 (経験豊かな)**指導者・助言者**
動 (～を)**指導する・助言する**

- an experienced business **mentor**
（経験豊かなビジネス指導者[助言者]） ➲experienced *(60)*
- **mentor** younger workers（若い労働者を指導する）

♣ 新入・若手社員の研修・指導を担当する人。 日本語でも「メンター」という。

1242  **network** [nétwə̀ːrk]

名 **放送[交通]網**, (人・組織などの)**ネットワーク・人脈**, (コンピュータ)**ネットワーク**

- a public broadcasting **network**（公共放送網） ➲broadcast (977)
- a **network** of business partners
（ビジネスパートナーのネットワーク）
- a local area **network**（ローカル・エリア・ネットワーク《略》LAN）

1243 **trend** [trénd]

名 **傾向・動向, 流行**

- economic **trends**（経済の動向）
- keep up with the **trend**（流行[時勢]に遅れない）
▶ keep up with「～に遅れずについていく」

1244  **duty** [d(j)úːti]

名 **義務・職務, 関税**

- Your employment **duties** are outlined in the job description.
（職務内容は職務説明書に概説されています） ➲outline (1004), description *(260)*
- export[import] **duties**（輸出[輸入]税）

形 容 詞 ②

1245  **initial** [iníʃl]

形 **最初の**　名 **頭文字**

▶ initially 副 最初は, 初めに

- The program is in its **initial** stages.
（計画はごく初期の段階です） ➲stage (579)
- write one's **initials**（イニシャルを書く）

1246  **former** [fɔ́ːrmər]

形 **以前の・元の**　名 《the ～で》**前者**（⇔ latter (1138)）

▶ formerly 副 以前は, 昔は

- The **former** president has been dead for twenty years.
（その元大統領は 20 年前に亡くなっている）

1247 outdoor [áutdɔ̀:*r*]

形 **屋外の・野外の**(⇔ indoor「屋内の」)

▶ outdoors 副 屋外で・屋外で(⇔ indoors「屋内で」)

- enjoy **outdoor** activities(屋外[野外]の活動を楽しむ) ➲ activity (361)

1248 residential [rèzidénʃəl]

形 **住宅の**

▶ residence (1994)

- a **residential** area(住宅街[地])

1249 extensive [iksténsiv]

形 **広範囲な・幅広い, 広大な**

▶ extensively 副 幅広く　▶ extend(431)

- She has an **extensive** knowledge of industrial ceramics.
(彼女は工業用セラミックスに関する広範な知識を持っている)

1250 detailed [dí:teild]

形 **詳しい・詳細な**

▶ detail (100)

- **detailed** information about the program(計画の詳しい情報)

1251 administrative [ədmínəstrèitiv]

形 **管理の, 行政の**

▶ administration (1560)

- general **administrative** expenses(一般管理費) ➲ expense (464)
- an **administrative** assistant(管理スタッフ[補佐])

1252 formal [fɔ́:rml]

形 **正式の・公式の**, (言葉・態度などが) **改まった**
(⇔ informal (2226))

▶ formally 副 正式に・公式に

- a **formal** announcement(公式の発表) ➲ announcement *(403)*
- The teacher is very **formal** with her students.
(その教師は自分の教え子にとても改まった態度で接する)

1253 valid [vǽlid]

形 (法的に) **有効な**(⇔ invalid「無効な」),
(議論・理由などが) **妥当な**

▶ validity 名 妥当性, 法的有効性　▶ validate (2473)

- This passport is **valid** for 10 years.(このパスポートは10年間有効です)
- An employer can't fire someone without a **valid** reason.

（雇用主は正当な理由なしに人を解雇することはできない）

1254  **legal** [líːgl] | 形 **法律(上)の, 合法的な**(⇔ illegal「非合法の」)

▸ legally 副 法(律)的に
- the **legal** department（法務部）
- take **legal** action（法的な行動をする[訴訟を起こす]）
- In Japan, it is not **legal** to drink alcoholic beverages until age 20.
（日本では 20 歳前の飲酒は非合法である） ➲ beverage (998)

1255 **economic** [èkənάmik] | 形 **経済の**

▸ economy (1311) ▸ economical (2050) ▸ economics 名 経済学
▸ economist 名 経済学者
- How do you see the current **economic** trends?
（現在の経済[景気]動向をどう見ていますか）

1256  **alternative** [ɔːltə́ːrnətiv] | 形 **代わりの**, (伝統的基準に基づかない) **新しい** 名 **代わるもの**

▸ alternatively 副 その代わりに
- **alternative** sources of energy（代替ネルギー源） ➲ source (365)
- **alternative** treatments（代替医療） ➲ treatment (1389)
- We have no **alternative** but to cancel the order.
（その注文を取り消さざるを得ない） ➲ cancel (448)

▸ have no alternative (but to do)「(～するより)ほかに選択肢がない」

名詞 ⑤

1257  **entry** [éntri] | 名 (場所などに) **入ること**, (組織・競技会などへの) **加入・参加**, (データの) **入力**

▸ enter (232)
- the **entry** fee（入場料）
- an **entry** form（参加応募用紙）
- data **entry**（データ入力）

1258  **admission** [ədmíʃən] | 名 **入場料**(= admission fee), **入場[入学・入社]許可**

▸ admit (762)
- How much is the **admission**?（入場料はいくらですか）
- gain **admission** to the club（そのクラブへの入会を許可される）

1259 **progress** [prágres]

名 進歩, 発達
動 [prəgrés](仕事が)はかどる, 進歩[発達]する

▶ progressive 形 進歩的な ➡negotiation (911)

- As yet, we have made little **progress** in our negotiations.
  (今までのところ交渉はあまり進展していない) ▶ as yet「今までのところ」
- Our work is **progressing** rapidly.(仕事は迅速に進んでいる) ➡rapidly (1412)

♣ 物事が進歩[発達]する過程に焦点がある。 ➡development (304), advance (408)

1260 **merger** [mə́ːrdʒər]

名 合併

▶ merge 動 合併する[させる], 溶け込む[込ませる]

- a **merger** with Tokyo Trading Co., Ltd.(東京トレーディングとの合併)

1261 **partnership** [pɑ́ːrtnərʃip]

名 提携・協力(関係)

▶ partner (510)

- enter into strategic **partnerships** with GTM
  (GTMと戦略的提携[パートナーシップ]を結ぶ) ➡strategic (276)

1262 **signature** [sígnətʃər]

名 署名・サイン

▶ sign (68)

- May I have your **signature** here?(ここにご署名をいただけますか)

♣ 有名人のサインは autograph (2513)。

1263 **behalf** [bihǽf]

名《on behalf of で》(組織・団体を)代表して,
(人の)代わりに・代理で

- On **behalf** of everyone here, I would like to thank you for your lecture.
  (ここにいる皆を代表してあなたの講義に感謝いたします)

♣ on one's behalf の形もある。

1264 **recipe** [résəpi]

名 (〜の)調理法・レシピ(for)

- a **recipe** for tomato soup(トマトスープの作り方)

1265 **ingredient** [ingríːdiənt]

名 (料理などの)材料, 成分

- It is made of all-natural **ingredients**.(100%天然の材料でできています)
- a main[chief] **ingredient**(主成分)

1266 **luncheon** [lʌ́n(t)ʃən]	名（正式な）昼食会・午餐会

• hold[give] a **luncheon**（午餐会を催す）

1267 **vendor** [véndər]	名 販売会社・業者

• a computer **vendor**（コンピュータ販売会社）

1268 **bakery** [béɪkəri]	名 パン[ケーキ]屋・ベーカリー

▶ baker 名 パン職人, パン製造業者

• the opening of the new **bakery**（新しいベーカリーの開店）

動詞 ③

1269 **enclose** [enklóuz]	動（～を）同封する,（～を）囲む

▶ enclosure 名 同封（物）, 構内

• I have **enclosed** a list of events taking place this year.
（今年行われるイベントのリストを同封しました）

• The building **encloses** a courtyard.（建物が中庭を囲んでいる）

1270 **grant** [grǽnt]	動（許可などを）与える,（人の言うことなどを）認める 名 助成金

• I am happy to **grant** your request.
（あなたの要求を喜んで受け入れます） ➲ request (51)

• (I'll) **grant** (that) you are right, but ...
（君が正しいことは認めるよ, しかし…）

• offer a **grant** of $5,000 to an entrepreneur
（起業家に 5000 ドルの助成金を支給する） ➲ entrepreneur (2017)

1271 **accompany** [əkʌ́mpəni]	動（人と）一緒に行く・つき添う, 〔写真などが〕（～に）添えてある,（～に）伴って起こる

▶ company (1)

• She will **accompany** him on a sightseeing tour.
（彼女が彼の観光旅行に同行するでしょう）

• Children under 7 must be **accompanied** by an adult.
（7 歳未満のお子様は大人の同伴が必要です）

• The application must be **accompanied** by two recent photographs.
（申請書には最近（撮影）の写真 2 枚を添付すること）

1272 
construct [kənstrʌ́kt] | 動 (～を)建設する

▶ constructive 形 建設的な ▶ construction (412)
- The company plans to **construct** a new factory.
  (その会社は新しい工場を建設する計画である)

1273 
found [fáund] | 動 (～を)設立する・創立する

▶ foundation (1189) ▶ founder 名 創設者, 設立者
- Our company was **founded** in 1980.(わが社は 1980 年に設立された)

1274 
incorporate [inkɔ́ːrpərèit] | 動 (～を…に)組み込む

▶ incorporated 形 会社組織の(《略》Inc.)
- **incorporate** new ideas into the plan(案に新しい考えを組み込む)

1275 
assemble [əsémbl] | 動 (機械を)組み立てる, 集まる・(～を)集める

▶ assembly (1192)
- **assemble** a chair(椅子を組み立てる)

♣「集まる・集める」の意味は《フォーマル》。gather (332) や get together が日常語。

1276 
enable [enéibl] | 動 (～が…することを)可能にする(to do)

- These new procedures will **enable** us to work more efficiently.
  (今度の新しい手順でより効率的に仕事ができるようになるでしょう)

➲ procedure (904), efficiently *(1293)*

1277 
generate [dʒénərèit] | 動 (～を)生み出す・作り出す

▶ generator 名 発電機
- **generate** profits[revenue](利益[収益]を生み出す)
- **generate** the expected results(期待通りの結果を生む)

1278 
proceed [prəsíːd] | 動 (～へ)進む・前進する,〔次に〕(～へ)進む(to), (～を)続ける(with)

▶ proceeding 名《～ s で》(訴訟)手続き, 議事
- Passengers for Boston should **proceed** to gate 10.
  (ボストン行きのお客様は 10 番ゲートにお進みください)

- Let's **proceed** to the next question.
 (次の問題に進もう)
- Please let us know if we can **proceed** with the repair.
 (修理を続けてよいかどうかお知らせください)

1279	**import** [impɔ́ːrt]	動 (～を)輸入する(⇔ export (2282)) 名 [ímpɔːrt] 輸入,《～s で》輸入品

- All components are **imported** from Germany.
 (部品はすべてドイツから輸入している) ➲component (1954)
- direct **import**(s)(直輸入(品))

1280	**transport** [trænspɔ́ːrt]	動 (～を)輸送する

▶ transportation (484)
- The fruit was **transported** by air.(果物は空輸された)

名 詞 ⑥

1281	**auto** [ɔ́ːtou]	名 自動車《automobile の略語》

▶ automotive (2448)
- an **auto** repair shop(自動車修理店)
- **auto** parts(自動車部品)

1282	**race** [réis]	名 競走[争] 動 (～へ)急いで行く

- a horse **race**[an auto **race**](競馬[自動車レース])
- **race** to the airport(空港へ急いで行く)

1283	**pace** [péis]	名 速度・ペース, 歩調

- move at a **pace** of 40 meters an hour(時速 40 メートルで動く)
- walk with a slow **pace**(ゆっくりとした歩調で歩く)

1284	**prize** [práiz]	名 賞(品) 形 賞の

- win (the) first **prize**(1 等賞を取る)《the は省略することが多い》
- a **prize** winner(受賞者)

1285 □□	**length** [léŋ(k)θ]	名 長さ

▶ long 形 長い　▶ lengthen 動 (～を)長くする・延長する　▶ lengthy (2154)

- It measures twenty feet in **length**.
  (それは長さが 20 フィートある)　➲ measure (1376)

1286 □□	**distance** [dístəns]	名 距離, 遠方

▶ distant 形 (距離・時間・関係が) 遠い

- It's within walking **distance**. (歩いて行ける距離です)
- a long **distance** call (長距離電話)

1287 □□	**decade** [dékeid]	名 10 年間

- the first **decade** of this century (今世紀の最初の 10 年間)
- for (several) **decades** (数十年の間)

1288 □□	**surface** [sə́ːrfəs]	名 表面　形 表面の

- a flat **surface** such as a kitchen countertop
  (キッチンカウンターのような平らな面)　➲ countertop (*1219*)

1289 □□	**gym** [dʒím]	名 スポーツジム, 体育館《gymnasium の略語》

- a **gym** membership (スポーツジム会員 (権))
- the school **gym** (学校の体育館)

1290 □□	**tourism** [túərìzm]	名 観光事業

▶ tour (106)

- **tourism** development (観光開発)

1291 □□	**attraction** [ətrǽkʃən]	名 人を引きつけるもの《呼び物・出し物》, 魅力

▶ attract (866)

- a tourist **attraction** (観光名所)
- He couldn't resist the **attraction** of a high salary.
  (彼は高給の魅力に抵抗することができなかった)　➲ resist (1723)

1292 **outlet** [áutlèt] | 名 販売店, コンセント, 排出口（⇔ intake「取り入れ口」）

- We have retail **outlets** in every major city.
  （わが社はすべての主要都市に販売店があります）
- an electric **outlet**（コンセント）
- an air **outlet**（(空気の) 排気口）

♣ outlet = wall socket「コンセント」。この意味で consent は使わない。

形容詞 ③

1293  **efficient** [ifíʃənt] | 形 効率的な・能率的な（⇔ inefficient「効率の悪い」）

▶ efficiently 副 効率的に　▶ efficiency 名 能率・効率
- This method is not too **efficient**.（この方法はあまり効率的ではない）
- a very **efficient** secretary（大変効率的[有能]な秘書）

1294  **frequent** [fríːkwənt] | 形 たびたびの・頻繁な

▶ frequently 副 しばしば・頻繁に　▶ frequency 名 頻度, 回数
- a **frequent** customer（頻繁な客[常連客]）

1295  **durable** [d(j)úərəbl] | 形 耐久性のある

▶ durability 名 耐久性, 永続性
- **durable** (consumer) goods（耐久消費財）

1296  **central** [séntrəl] | 形 中心の, 中心的な・主要な

- the **central** business district（中心ビジネス地区）
- a **central** theme（中心テーマ）　➲ theme (2236)

1297  **organic** [ɔːrgǽnik] | 形 有機栽培の, 有機(体)の

▶ organ 名（動植物の）器官,（パイプ）オルガン
- **organic** agriculture（有機農業）　➲ agriculture (1445)
- **organic** materials（有機物）

1298 vegetarian [vèdʒətéəriən] 形 菜食(主義)の・ベジタリアンの 名 菜食主義者

• Do you have **vegetarian** dishes?(ベジタリアン料理にしますか)

1299 dental [déntl] 形 歯の, 歯科の

• **dental** care[treatment](歯の治療) ➲care (237), treatment (1389)

1300 eligible [élidʒəbl] 形 (～の・～する)資格がある(for, to do)

• You are **eligible** for membership.(あなたには会員になる資格があります)
• be **eligible** to receive $50 in cash(現金 50 ドルを受け取る資格がある)

1301 reliable [riláiəbl] 形 信頼できる・確かな

▶ reliability 名 信頼度, 確実性 ▶ rely (1380) ▶ unreliable (2186)
• highly **reliable** information(極めて信頼度の高い情報)

1302 willing [wíliŋ] 形《be willing to で》～する意志がある (⇔ be unwilling to「～したがらない」)

▶ willingness 名 喜んですること, 自発性(⇔ unwillingness「したがらないこと」)
• How much are you **willing** to pay?(いくらなら払う気がありますか)

1303 valuable [vǽljəbl] 形 貴重な, 高価な 名《～s で》貴重品

▶ value (317)
• Thank you very much for your **valuable** suggestions.
(貴重なご提案をくださり深く感謝いたします) ➲suggestion *(63)*
• Can you keep my **valuables**?(貴重品を預かってもらえますか)

1304 worth [wə́ːrθ] 前 (金額の)値打ちがある, (～(すること)の)価値がある (doing) 名 価値

▶ worthy 形 (～に)値する(of)
• This vase is **worth** $5,000.(この花びんは 5000 ドルの値打ちがある)
• I think it's **worth** the effort.(それは努力する価値があると思う)
• This book is really **worth** reading.(この本は本当に一読の価値がある)
• The fire caused $30,000 **worth** of damage.
(この火災は 3 万ドル相当の損害をもたらした)

♣ 辞書には「前置詞」とあるが, 使い方は形容詞と同じ。

名詞 ⑦

1305 
workplace [wə́ːrkplèis]
名 仕事場・職場

• a comfortable **workplace**（快適な職場）

1306 
profession [prəféʃən]
名（主に知的な）職業

▶ professional (93)

• What is her **profession**?—She's a doctor.
（彼女の職業は何ですか — 医師です）

♣ ➲job (31), work (13), occupation (754)

1307 
technique [tekníːk]
名（専門）技術・技法

• a basic **technique**（基本技術）
• farming **techniques**（農業技術）

1308 
expertise [èkspəːrtíːz]
名 専門知識［技術］

• require a certain **expertise**（ある程度の専門知識が必要とされる）
• **expertise** in industrial engineering（生産工学の専門知識）

1309 
master [mǽstər]
名 名人, 主人　動（～を）習得する　形 親［原］…

• She is a **master** at cooking.（彼女は料理の名人だ）
• Japanese is a difficult language to **master**.
（日本語は習得するのが難しい言語だ）　➲language (540)
• a **master** key（親キー）

1310 
overtime [óuvərtàim]
名 時間外労働・残業

• work **overtime**（時間外労働［残業］をする）

1311
economy [ikánəmi]
名 経済　形 経済的な・徳用の

▶ economic (1255)　▶ economical (2050)

• The **economy** is heading for recovery.
（経済は回復に向かっている）　➲recovery *(1570)*
• **Economy** class, please.（エコノミークラス［普通席］をお願いします）

PART 3 LEVEL A LEVEL B

1312 **contractor** [kάntrӕktər] 名 (工事)**請負人・建築業者**

▶ subcontractor 名 下請け業者　▶ contract (415)
• a general **contractor**（総合建築請負業者，ゼネコン） ➲general (935)

1313 **transaction** [trӕnsǽkʃən] 名 **取引**

▶ transact 動 取引を行う
• an overseas **transaction**（海外取引）

1314 **phase** [féiz] 名 (発達・変化の)**段階・局面**

• the initial[final] **phase**（初期[最終]段階） ➲initial (1245)
• enter a new **phase**（新しい局面に入る）

1315 **aspect** [ǽspek(t)] 名 (物・事の)**側面**

• There are two **aspects** about this issue.
（この問題には２つの側面がある） ➲issue (130)

1316 **completion** [kəmplíːʃən] 名 **完成，完了**

▶ complete (43)
• The construction is nearing **completion**.
（その建築工事は完成間際だ）

動詞 ④

1317 **aim** [éim] 動 (～の達成・獲得を)**目指す** (at, to do)，(～を…に)**向ける** (at)　名 **目標，目的**

• We are **aiming** to increase[at increasing] foreign trade.
（わが社は海外取引の増加を目指している）
• Our products are **aimed** at working mothers.
（わが社の製品は働く母親たちをターゲットにしています）
• The **aim** of the research is to find the cause of the disease.
（研究の目的はこの病気の原因を突き止めることにある） ➲cause (303)

♣「目標・目的」は具体的・短期的なもの。しばしば purpose (82) を達成する手段になる。

1318 

occur [əkə́:r]

動 (思いがけない事・変化が)**起こる**, (考えなどが)**ふと心に浮かぶ**

▶ occurrence 名 出来事

• A disk error **occurred** during a read operation.
(読み込み中にディスク・エラーが発生しました) ➲error (272), operation (933)

• A good idea just **occurred** to me.(いい考えを思いついた)

♣ happen (165) が日常語。

1319 

prove [prú:v]

動 (~を)**証明する**, (~であると)**判明する**

〔prove - proved - proved[proven]〕 ▶ proof (1195)

• You have to **prove** the information in this document is correct.
(あなたはこの文書の情報が正しいことを証明しなければならない)

• The statement **proved** (to be) incorrect. └➲document (416), correct (206)
(その陳述は正しくないことが判明した)

1320 

reward [riwɔ́:rd]

動 (努力などに)**報いる** 名 **報酬・ほうび**

▶ rewarding 形 やりがいのある, ためになる

• I am pleased that your efforts have been **rewarded**.
(あなたの努力が報われてうれしいです)

• receive a **reward** of $10,000 for this information
(この情報提供で1万ドルの報酬を受け取る)

1321 

thrill [θríl]

動 (喜び・期待などで)**わくわくする[させる]**
名 **わくわくすること, スリル**

▶ thrilling 形 スリル満点の

• This novel will **thrill** and excite you!
(この小説はあなたをわくわくさせ, 興奮させるだろう!) ➲excite (2283)

• I was **thrilled** at the news.(ニュースを聞いてうきうきした)

• The roller coaster was quite a **thrill**.
(ジェットコースターはスリル満点だった)

♣ be thrilled の thrilled は形容詞扱い(分詞形容詞)。

1322 

vary [véəri]

動 (同種の物の間で)**異なる・さまざまである**

▶ varied 形 変化に富んだ・さまざまな ▶ variation 名 変化, 変動
▶ various (936) ▶ variety (494)

• Ticket prices **vary** depending on the season.
(チケットの価格はシーズンによって異なります)

1323 **waste** [wéist] 動 (~を)浪費する 名 浪費, 廃棄物

- Don't **waste** your money on poor quality goods.
  (安っぽい品物を買って, 無駄遣いをしてはいけない) ➡quality (132)
- It's just a **waste** of time.(それは単に時間の浪費だ)
- nuclear **waste**(核廃棄物) ➡nuclear (1879)

1324 **decrease** [dìːkríːs] 動 減る・(~を)減らす 名 [díːkriːs] 減少(⇔ increase (69))

- If this proposal is not accepted, sales will **decrease**.
  (この提案が受け入れられなければ, 売上高は減少するでしょう)
- a 5% **decrease** in cost(5%の費用の減少)

♣「(~を)減らす」の意味では **reduce** (427) が同義でよく使われる。

1325 **decline** [dikláin] 動 低下する・減少する, (招待などを)〔丁寧に〕断る 名 減少, 低下・下落

- The economy **declined** by 2% last year.(経済は昨年 2%低下した)
- **decline** an invitation(招待を辞退する) ➡invitation *(185)*
- **decline** in population(人口の減少) ➡population (723)
- **decline** in interest rates(金利の低下)

1326 **hang** [hǽŋ] 動 ぶら下がる・(~を)つるす・掛ける(up)

〔hang - hung - hung〕

- The traffic signs are **hanging** from a pole.
  (交通標識が柱から垂れ下がっている) ➡pole (1616)
- **hang** a picture on the wall(壁に絵を掛ける)

1327 **lean** [líːn] 動 寄りかかる, (~を…に)立て掛ける(on, against), 上体を傾ける・かがめる(over, forward)

- A man is **leaning** against the wall.(男性が壁に寄りかかっている)
- He **leaned** his bicycle against the fence.
  (彼は自転車を柵[フェンス]に立て掛けた)
- She **leaned** over and gave him a kiss on the cheek.
  (彼女はかがんで彼の頬にキスした)

1328 **lift** [líft] 動 (~を)持ち上げる 名 (スキー場などの)リフト

- A man is **lifting** some furniture.(男性は家具を持ち上げている)

名詞 ⑧

1329  **hardware** [há:rdwèər] | 名《集合的に》ハードウェア(⇔ software (84)), 金物類

- computer **hardware**(コンピュータのハードウェア)
- a **hardware** store(金物店)
- household **hardware**(家庭用金物) ➲household (1344)

1330  **machinery** [məʃí:nəri] | 名《集合的に・単数扱い》機械

▶ machine 名 機械

- automated **machinery**(オートメーション化した機械) ➲automation (2438)

♣ machinery は集合的に「機械(類)」の意味。個々の「機械」は machine を使う。

1331 **mechanic** [məkǽnik] | 名 機械工

▶ mechanical (1597)

- an auto[aircraft] **mechanic**(自動車[航空機]整備士)

1332  **laundry** [lɔ́:ndri] | 名 クリーニング店, 洗濯(物)

- a **laundry** service(ランドリーサービス)
- I'd like to send this to the **laundry**.(これをクリーニング店に出したいのですが)
- She is doing (the) **laundry**.(彼女は洗濯中です)

1333 **plumbing** [plʌ́miŋ] | 名 (建物の)配管

▶ plumber 名 配管工, 水道工事業者

- There's something wrong with the **plumbing**.(配管に何か不具合がある)

1334 **spokesperson** [spóukspə̀:rsn] | 名 スポークスパーソン

- a **spokesperson** for the nonprofit organization
  (NPO 団体の広報担当者)

♣ 政府や組織の広報担当者。spokesman は使わない。

1335  **income** [ínkʌm] | 名 (定期的な)収入, 所得

- His annual **income** is about 10 million yen.
  (彼の年収は約 1000 万円です) ➲annual (888)

1336 **wage** [wéidʒ]	名 賃金・給料

- a demand for **wage** increases(賃上げの要求) ➲demand (1174)

♣ wage は主に肉体労働に対して支払われる報酬。salary (1169) 参照。

1337 **loan** [lóun]	名 貸付け・貸出し 動 (金・物を)貸す

- a home[housing] **loan**(住宅ローン) ➲housing (1215)
- take out a **loan** to buy a car(車を買うために金を借りる)
- Can you **loan** me $10 until payday?
(給料日まで 10 ドル貸してくれないか)

1338 **tenant** [ténənt]	名 (家・部屋などの)賃借人, テナント(⇔ landlord (1835))

- Hi. I'm a new **tenant** here, and I live in 2A.
(こんにちは。私はここの新しい住人です。2A に住んでます)

1339 **scholarship** [skálərʃip]	名 奨学金

- apply for a **scholarship**(奨学金に応募する[を申し込む])

1340 **premium** [prí:miəm]	名 保険料 形 高級な, プレミアの

- car insurance **premiums**(自動車保険の保険料)
- a **premium** condominium(高級マンション)
- a **premium** member(プレミア会員)

形容詞 ④

1341 **broad** [brɔ́:d]	形 (幅が)広い(⇔ narrow (1100)), 広範な

▶ broaden 動 広げる ▶ breadth 名 幅

- have a **broad** knowledge of European history
(ヨーロッパ史についての広い知識をもつ)
- We stock a **broad** selection of wines.
(豊富な品揃えのワインを在庫しています) ➲stock (486), selection *(446)*

♣「広々とした・堂々とした」などのニュアンス。wide *(828)* が日常語。

1342 **maximum** [mǽksəməm]

形 **最大限の**(⇔ minimum (1207)) 名 **最大限**

▸ maximize (2111)
- the **maximum** speed(最高速度)
- The rental period can be extended to a **maximum** of 10 days.
(貸出期間は最大限 10 日間まで延長することができます) ➲extend (431)

1343 **internal** [intə́ːrnl]

形 **内部の**(⇔ external (2080))

- the **internal** structure(内部構造)
- an **internal** audit(内部監査) ➲audit (1357)

1344 **household** [háushòuld]

形 **家庭の** 名 **家族・世帯**

- **household** chores(家事)
- **household** garbage(家庭ごみ)
- maintain a **household**(家族[家計]を維持する) ➲maintain (476)

1345 **domestic** [dəméstik]

形 **国内の, 家庭(内)の**

- the **domestic** market(国内市場)
- **domestic** flights(国内線)
- **domestic** waste(家庭廃棄物[ごみ]) ➲waste (1323)

1346 **overall** [òuvərɔ́ːl]

形 **全体の, 全体的な** 副 **全体として(は)**

- the **overall** cost(全費用, 総原価)
- improve **overall** system performance
(全体的なシステムの性能を向上させる) ➲performance *(333)*
- **Overall**, the meeting was a success.
(全般的に見ればその会議は成功だった)

1347 **critical** [krítikəl]
形 (事が)**重大な, 批判的な, 批評(家)の**

- This training program is **critical** to becoming a successful manager.
(この研修プログラムは成功するマネージャーになるために不可欠である)
- be of **critical** importance(決定的に重要である)
- **critical** remarks(批判的な発言) ➲remark (1638)
- receive **critical** acclaim(批評家の賞賛を受ける) ➲acclaim (1973)

1348 quarterly [kwɔ́ːrtərli]　形 副 年4回(の)　名 季刊誌

▶ quarter (250)
- a **quarterly** report(四半期ごとの報告)
- a scientific **quarterly**(科学季刊誌)

1349 fiscal [fískəl]　形 会計の

- the **fiscal** year(会計年度)

1350 ongoing [ángòuiŋ]　形 進行中の, 継続中の

- an **ongoing** project(進行中のプロジェクト)

1351 wireless [wáɪərləs]　形 (通信機器が)無線の・ワイヤレスの　名 無線通信

▶ wire 名 針金, 電話線
- a **wireless** headphone(ワイヤレス・ヘッドホン)
- **wireless** Internet access(無線インターネットアクセス)

1352 brief [bríːf]　形 短い・簡潔な

▶ briefly 副 簡潔に　▶ briefing 名 (政治家・記者などへの)状況説明
- make a **brief** comment(短評を加える)　➲comment (902)

名詞 ⑨

1353 institute [ínstət(j)ùːt]　名 研究機関　動 (制度・規則などを)制定する

▶ institution (1354)
- the English Language **Institute**(英語研究所)
- **institute** a new dress code policy(新しい服装規定[ドレスコード]を制定する)

1354 institution [ìnstət(j)úːʃən]　名 団体・機関, 制度

▶ institute (1353)
- a financial **institution**(金融機関)
- an educational **institution**(教育機関, 学校)　➲educational *(538)*
- the **institution** of marriage(婚姻制度)

1355  **union** [júːnjən] | 名 組合(= labor union), 結合

- The railway **unions** went on a two-hour strike early this morning.
  (鉄道組合は本日早朝ストライキを 2 時間続けた)

1356  **venture** [vén(t)ʃər] | 名 ベンチャー(事業・企業) 動 〔リスクを冒して〕(~に)行く・乗り出す(into)

- set up a new **venture** company(新しいベンチャー企業を設立する)
- **venture** into the foreign market(海外市場へ乗り出す[参入する])

1357  **audit** [ɔ́ːdət] | 名 会計監査

▸ auditor (2023)
- an annual **audit**(年次監査)

1358  **charity** [tʃǽrəti] | 名 慈善(事業・団体)

▸ charitable (2453)
- a **charity** concert(チャリティ演奏会) ▸ concert「コンサート」

1359  **aid** [éid] | 名 援助・救助, 補助器具 動 (~を)援助する

- financial **aid**(財政援助・学資援助) ➲ financial (887)
- first **aid**(応急手当)

♣ help の《フォーマル》な語。

1360  **appeal** [əpíːl] | 名 (援助などの)訴え(for), 人気・魅力 動 (人の)心に訴える・興味を引く(to), (~[すること]を)訴える(for, to do)

- an **appeal** for peace(平和への訴え[アピール])
- have wide **appeal** for young people(若者に幅広い人気がある)
- **appeal** to younger consumers(若い消費者にアピールする)
- **appeal** to the world to eliminate nuclear weapons
  (核兵器廃絶を世界に訴える) ➲ eliminate (1433)

1361  **content** [kɑ́ntent] | 名 (話・本などの)内容, (デジタル)コンテンツ, 《~s で》(容器・文書などの)内容・目次, 《名 の後で》含有量

▸ contentment 名 満足
- a summary of the book's **content**(その本の内容の要約) ➲ summary (555)
- **content** formatted for mobile phones
  (携帯電話向けにフォーマットされたコンテンツ) ➲ format (1365)

- the **contents** of the package（包みの内容[中身]）
- fat and water **content** of the food（食品の脂肪と水分の含有量）

♣ 目次は a table of contents ともいう。

1362	**overview** [óuvərvjùː]	名 概観

- give[provide] an **overview** of market trends（市場動向を概観する）

1363	**category** [kǽtəgɔ̀ːri]	名 部類・部門

▶ categorize 動 分類する
- belong to the same **category**（同じ部類に属する）
- be divided into four **categories**（4 つのカテゴリーに分けられる）

1364	**sector** [séktər]	名（経済・産業などの）部門・分野

- expand the export **sector**（輸出部門を拡大する）

名詞 ⑩

1365	**format** [fɔ́ːrmæt]	名 形式, 書式・体裁 動（本・データなど（の体裁・形式）を）設定する

- a question-and-answer **format**（Q&A 形式）
- Please save the file in text **format**.
（このファイルをテキストフォーマットで保存してください）

1366	**layout** [léiàut]	名 割付け・レイアウト, 配置・間取り

- the page **layout** of a magazine（雑誌のページの割付け）
- the dining room **layout**（ダイニングルームのレイアウト[配置]）

1367	**edition** [idíʃən]	名（出版物・新聞などの）版, 号

- the first **edition** of a book（初版本）
- a paperback **edition**（ペーパーバック版）

1368	**critic** [krítik]	名 批評家

▶ criticize 動（～を）批評する・批判する　▶ critique 名 批評　動 批評する
- a film[music, drama] **critic**（映画[音楽, 演劇]評論家）

1369  **factor** [fǽktər] | 名 (ある結果をもたらす)要因

• a basic[major] **factor**(基礎的な[重要な]要因)
• Many **factors** contribute to the success of a business.
(ビジネスの成功にはさまざまな要因が寄与する) ➲contribute (1176)

1370  **basis** [béisis] | 名 (知識などの)基礎, 基準

▸ base (306)
• Shoyu is the **basis** for many Japanese dishes.
(醤油は多くの日本料理の基礎である)
• I am working on a part-time **basis**.
(パートタイム制で働いています)

1371  **channel** [tʃǽnl] | 名 (テレビの)チャンネル, (情報・商品販売などの)経路・ルート

• What's on **channel** five?(5 チャンネルでは何をやってる?)
• go through the proper **channels**
(しかるべきルートを通す) ➲proper (737)

1372  **election** [ilékʃən] | 名 選挙

▸ elect 動 ((投票で)~を…に)選ぶ・選出する((as), to)
▸ elective 形 (公職などが)選挙で選ばれる
• national[local] **elections**(国政[地方]選挙)

1373  **reputation** [rèpjətéiʃən] | 名 評判, 名声

• Johnson Company has a high **reputation** for quality and service.
(ジョンソン社は品質とサービスには定評がある) ➲quality (132)

1374 **respect** [rispékt] | 名 尊敬・尊重, 《in ... respect で》(…の)点で
動 (~を)尊敬する

▸ respective (2400) ▸ respectively *(2400)* ▸ respectful 形 敬意を払う, 礼儀正しい
• I have a lot of **respect** for his ability.
(彼の能力に大きな尊敬の念を持っています)
• These two products are similar in many **respects**.
(これらの 2 つの製品は多くの点で類似している) ➲similar (376)
• He is highly **respected** as a fashion designer.
(彼はファッションデザイナーとして尊敬されている[評判が高い]) ➲fashion (244)

1375 **praise** [préiz] | 名 称賛　動 (~を…のことで)称賛する(for)

- His work has won high **praise** from his colleagues.
  (彼の仕事は同僚から絶賛を博した) ➲ win (334)
- Everybody **praised** him for his hard work.
  (彼の働きぶりを誰もが称賛した)

1376 **measure** [méʒər] | 名《しばしば~s で》(公的な)対策, 計量器・メジャー 動 (~を)測る

▸ measurement 名《~ s で》寸法, 測定
- safety **measures** (安全対策)
- All possible **measures** have been implemented.
  (可能なすべての対策は実施された) ➲ implement (1226)
- Would you **measure** my waist, please?
  (胴周りを測っていただけますか)

動詞 ⑤

1377 **flow** [flou] | 動 流れる　名 流れ

- The traffic is **flowing** smoothly. (車は順調に流れている) ➲ smoothly (785)
- Stop the **flow** of blood. (出血を止めなさい)
- cash **flow** (キャッシュフロー)

1378 **undergo** [ʌ̀ndərgóu] | 動〔人・建物が〕(手術・検査・改装などを)受ける

〔undergo - underwent - undergone〕
- **undergo** a health check (健康診断を受ける)
- The library is **undergoing** a major renovation.
  (図書館は大規模な改修工事中です)

1379 **assume** [əs(j)ú:m] | 動 (~と)想定する・見なす, (任務・責任などを)引き受ける

▸ assumption 名 仮定・想定, 就任
- If we don't hear anything from you by August 20, we will **assume** that everything is OK.
  (8 月 20 日までに何も連絡がない場合はすべて了解されたものと見なします)
- **assume** a new position (新しい地位につく[引き受ける])

♣「引き受ける」は undertake (2148) が同意語。

1380 **rely** [rilái]	動 (～に)頼る, (～を)頼りにする・当てにする (on, upon)

▶ reliance 名 依存　▶ reliable (1301)

- They **rely** on the dam for their water. (彼らは水をそのダムに頼っている)
- You can **rely** on us to deliver on time.
  (時間通りに配達しますのでおまかせください[当てにする])　➲ deliver (424)

♣ depend (670) よりも依存度が高い。

1381 **disappoint** [dìsəpɔ́int]	動 (～を)失望させる, 《be ~ed で》失望する・がっかりする

▶ disappointment 名 失望　▶ disappointing 形 失望させる(ような)

- I'm sorry to **disappoint** you, but we can't go.
  (がっかりさせて申し訳ないけど, 私たちは行けません)
- I promise you won't be **disappointed**.
  (がっかりしない[がっかりさせない]ことを約束します)　➲ promise (587)

♣ be disappointed の disappointed は形容詞扱い(分詞形容詞)。

1382 **warn** [wɔ́ːrn]	動 (～に・～と)警告する・注意する

▶ warning 名 警告

- He **warned** me not to walk home alone.
  (彼は私に1人で歩いて帰らないようにと注意した)
- He **warned** that the present situation could get much worse.
  (彼は, 現在の状況がもっと悪化する可能性があると警告した)

1383 **hesitate** [hézitèit]	動 (～を)ためらう (about, to do), 《don't ~ to do で》遠慮なく～する

▶ hesitation 名 ためらい　▶ hesitant 形 ためらいがちな

- She **hesitated** to go to the party with him at first.
  (彼女は最初, 彼と一緒にパーティーに行くのをためらった)
- Please do not **hesitate** to ask. (遠慮なくおたずねください)

♣ TOEIC では, ほとんど 2 番目の意味で出る。

1384 **oversee** [òuvərsíː]	動 (～を)監督する・監視する

〔oversee - oversaw - overseen〕

- a regional manager, who **oversees** five stores in this area
  (この地域の5店舗を監督する地域マネージャー)　➲ regional (946)

♣ 全体を見渡して監督・指揮するというニュアンス。

1385 

supervise [sú:pərvàiz] | 動 (〜を)**監督する・管理する**

▶ supervision 名 監督, 管理　▶ supervisor (492)

- **supervise** the staff members (職員を管理する)

♣ 現場で直接, 監督・指揮するというニュアンス。

1386

relate [riléit] | 動 (〜を)**関連づける**, (〜に)**関連する** (to)

▶ related 形 (〜に)関連のある(to)　▶ relation (1186)

- **relate** his overseas experience to his work
(海外での経験を仕事に関連づける[活かす])
- His talk will **relate** to Internet security.
(彼の話はインターネット・セキュリティに関連したものです)

1387 

acquire [əkwáiər] | 動 (〜を)**獲得する**, (知識・技術などを)**身につける**

▶ acquisition 名 獲得, 買収

- **acquire** XYZ Company (XYZ 社を獲得する[買収する])
- **acquire** new skills (新しい技術を身につける)

♣ 継続的な努力によって「入手困難なもの」を得る, 身につける。
➲ gain (959), obtain (960)

1388 

occupy [ákjəpài] | 動 (場所・地位などを)**占める**, 《be 〜ied で》(家・座席などが)**ふさがっている**, (〜で)**手一杯である** (with)

▶ occupation (754)

- Stores **occupy** the first floor of this building.
(ビルの1階は店舗が占めている)
- All the seats are **occupied**.
(すべての席がふさがっています[満席です])

♣ be occupied の occupied は形容詞扱い(分詞形容詞)。

名詞 ⑪

1389 

treatment [trí:tmənt] | 名 **待遇**, **治療(法)**

▶ treat (1173)

- special **treatment** (特別扱い[特別待遇])
- The patient requires immediate **treatment**.
(その患者は直ちに治療が必要だ)　➲ immediate (991)

1390 **auditorium** [ɔ̀:dətɔ́:riəm]
名 観客席, 講堂

- The **auditorium** was packed.(観客席は満員だった) ➲pack (518)
- a school **auditorium**(学校の講堂)

1391  **questionnaire** [kwèstʃənéər]
名 アンケート(用紙)

- fill out a **questionnaire**(アンケートに記入する)

1392  **comprehension** [kàmprihénʃən]
名 (読み・聞きの)理解(力)

▸ comprehend 動 理解する, 包括する ▸ comprehensive (1938)
- reading **comprehension** questions(読解問題)《Reading test 指示文の一部》
- beyond one's **comprehension**(理解できない)

1393  **desktop** [désktàp]
名 (パソコンの)デスクトップ, デスクトップコンピュータ (= desktop computer) 形 卓上型の

- drag and drop a file on the **desktop**
  (デスクトップにファイルをドラッグ&ドロップする) ▸ drag「(～を)引きずる」
- a **desktop** lamp(卓上型ランプ)

1394  **keyboard** [kí:bɔ̀:rd]
名 (コンピュータの)キーボード, (ピアノなどの)鍵盤

- She's typing on the **keyboard**.(彼女はキーボードを打っている) ➲type (76)

1395  **database** [déɪtəbèɪs]
名 データベース

- The **database** contains 25,000 images.
  (このデータベースには2万5000枚の画像が入っています) ➲contain (474)
- search a **database**(データベースを検索する)

1396  **sort** [sɔ́:rt]
名 種類 動 (～を)分類する・整理する

- What **sort** of business are you in?(どんな種類の仕事をしているのですか)
- The new robots help us **sort** the shipments. ➲shipment (485)
  (新しいロボットは出荷の仕分けを手伝ってくれる)
- the database of over 5,000 companies **sorted** by location
  (所在地でソートされた[分類された]5000社を超える企業データベース)

♣「種類」の意味では kind と同義。

1397 **usage** [júːsɪdʒ] 名 使用(法), 使用量

- monthly **usage** fees(月別使用料金)
- reduce electricity **usage**(電気の使用量を減らす)

1398 **bulletin** [búlətn] 名 広報, (テレビ・ラジオの)速報

- a **bulletin** board(掲示板[広報版])
- a news **bulletin**(ニュース速報)

1399 **transit** [trǽnsət] 名 輸送・交通(機関), (空港などでの)乗り継ぎ

▶ transition (1950)
- The goods were damaged in **transit**.(商品は輸送中に損傷した)
- **transit** riders(交通機関の利用者[乗客])
- a **transit** lounge((空港の)乗り継ぎ客用待合室) ➲ lounge (2365)

1400 **rank** [rǽŋk] 名 地位・階級 動 (〜に)位置する・(〜に)位置づける

▶ ranking 名 ランキング
- an official of high **rank**(地位の高い役人) ➲ official (144)
- He **ranks** first on the list of candidates.
(彼は候補者リストで1位の位置にいる)
- The team is **ranked** first in the world.
(そのチームは世界でトップにランクされている)

形容詞 ⑤

1401 **trial** [tráiəl] 形 試験的な 名 試み・試験, 裁判

▶ try 動 (〜を)試みる
- a **trial** subscription(お試し購読) ➲ subscription *(963)*
- clinical **trials**(臨床試験) ➲ clinical *(1220)*
- a criminal **trial**(刑事裁判) ➲ criminal *(1103)*

1402 **urgent** [ə́ːrdʒənt] 形 緊急の

▶ urgently 副 緊急に ▶ urgency 名 緊急(性)
- have some **urgent** business(緊急の用件[急用]がある)

• Could I speak to Mr. Holmes? It's **urgent**.
（ホームズさんとお話しできますか。緊急の用件なのです）

1403 **exceptional** [iksépʃənl] | 形（人・事が）**並外れた・特に優れた**,（事が）**例外的な**

▶ exceptionally 副 例外的に　▶ except (850)

• He has an **exceptional** memory.
（彼は並外れた記憶力の持ち主だ）　➲ memory (1037)

• **exceptional** customer service（特に優れた[卓越した]カスタマーサービス）

• **exceptional** weather conditions（例外的[異常]気象）

♣「並外れた・特に優れた」は outstanding (987) と同義。

1404 **managerial** [mænədʒíəriəl] | 形 **管理（上）の, 経営（者）の**

▶ manage (309)　▶ manager (33)

• **managerial** positions（管理職〔地位〕）

• the **managerial** staff（管理職〔人〕）

1405 **exclusive** [iksklúːsiv] | 形 **独占的な**

▶ exclusively 副 独占的に　▶ exclude (2071)

• an **exclusive** interview（独占インタビュー）

• an **exclusive** sales agreement（独占販売協定）　➲ agreement (923)

1406 **steady** [stédi] | 形 **安定した, 着実な**

▶ steadily 副 しっかりと, 着実に

• **steady** employment（安定雇用）

• **steady** economic growth（着実な経済成長）

1407  **eager** [íːgər] | 形《be ～で》（～（すること）を）**熱望している**（for, to do）

• I'm **eager** to start working on the project.
（その計画の実行に一刻も早く着手したい）

1408  **athletic** [æθlétik] | 形 **運動競技の**

▶ athlete (755)

• an **athletic** stadium（陸上競技場）　➲ stadium (702)

• **athletic** equipment（運動競技用器材）

1409 thorough [θə́:rou] 形 **徹底的な**

▶ thoroughly 副 徹底的に

- a **thorough** investigation（徹底的な調査） ➲investigation (1754)

1410 sharp [ʃɑ́:rp] 形（刃物・感覚が）**鋭い**,（変化・増減などが）**急激な**,（カーブなどが）**急な** 副（時刻）**きっかりに**

▶ sharply 副（変化・動きが）急に, 鋭く

- **sharp** marketing instincts（鋭いマーケティングの勘） ➲instinct (2165)
- a **sharp** increase in demand（需要の急激な増加） ➲demand (1174)
- Please be there at seven **sharp**.（7 時ちょうどに来てください）

1411 serious [síəriəs] 形 **本気な・まじめな**,（問題・病気などが）**重大な**

▶ seriously (1154)

- Are you **serious**?（本気なの）
- a **serious** problem（重大な[深刻な]問題） ➲suffer (1525), burn (768)
- He suffered **serious** burns in the fire.（彼は火事でひどいやけどを負った）

1412 rapid [rǽpid] 形 **速い・急速な**

▶ rapidly 副 速く・急速に

- a **rapid** increase in customer demand（顧客需要の急速な増加）

名詞 ⑫

1413 incident [ínsədənt] 名（付随的な・小さな）**出来事**

▶ incidence 名（事件・病気などの）発生（率）

- report the **incident** to the police（その出来事を警察に報告する）

1414 failure [féiljər] 名 **失敗**,《~ to do で》**~しないこと・不履行**,（機械の）**故障**

▶ fail (576)

- His project was a big **failure**.（彼の企画は大失敗に終わった）
- **Failure** to do so is likely to cause injury.
（これを怠るとけがをする恐れがあります） ➲injury (1582)
- power **failure**（停電）
- system **failure**（システム障害）

1415  **loss** [lɔ́(:)s] | 名 損失, 損害(⇔ gain (959)), 死亡, 敗北

▶ lose (239)
- profit and **loss**(利益と損失, 損益《略》PL)
- suffer great **losses**(大損失[損害]を受ける) ➲suffer (1525)
- I was sorry to hear about the **loss** of your mother.
  (お母様の訃報を聞いてお悔やみ申し上げます)

1416  **risk** [rísk] | 名 危険(性) 動 (~を)危険にさらす, (~を)あえてする

▶ risky 形 危険を伴う
- I think we really have to take that **risk**.
  (我々はそのリスクを引き受けねばならないと思う)
- Don't **risk** your money on an investment like that!
  (そんな投資をしてお金を危険にさらしてはだめだ!) ➲investment *(863)*

1417  **conflict** [kɑ́nflikt] | 名 (意見・利害などの)対立, (予定の)重なり 動 [kənflíkt](~と)対立[矛盾]する(with)

- a **conflict** of interests(利害の対立)
- have a scheduling **conflict**(スケジュールがかち合う)
- My interests **conflict** with his.(私の利害は彼のと相反する)

1418  **struggle** [strʌ́gl] | 名 奮闘 動 (~のために)奮闘する(for, to do)

- a **struggle** for survival(生存のための闘い) ➲survival *(1140)*
- **struggle** to solve the problem(問題を解決するために奮闘する)

1419  **meantime** [míːntàim] | 名《in the meantime で》ところで・その間に

- In the **meantime**, if you need anything, please don't hesitate to let us know.
  (ところで, 何か必要なことがあれば, 遠慮なくお知らせください。) ➲hesitate (1383)

1420 **comfort** [kʌ́mfərt] | 名 快適さ, 慰め 動 (~を)慰める・励ます

▶ comfortable (543) ▶ discomfort 名 不快, 苦痛
- relax in **comfort**(ゆったりと[快適に]くつろぐ)
- I was greatly **comforted** by her story.(彼女の話を聞いてとても励まされた)

1421  **delight** [diláit]
名 大喜び・歓喜
動 (～を)喜ばせる,《be ～ed で》とても喜んでいる

▶ delightful 形 楽しい, 愉快な

- It was a great **delight** talking with you yesterday.
  (昨日あなたとお話しできたことは非常な喜びです)
- We're **delighted** that you can come.
  (あなたが来られることをとても喜んでいます)

♣ be delightedのdelightedは形容詞扱い(分詞形容詞)。pleased (95)よりも喜びが強く, be really pleased が同義になる。

1422  **relief** [rilí:f]
名 安堵・安心, (苦痛などの)除去

▶ relieve (2285)

- It's a **relief** to hear that her condition is not serious.
  (彼女の状態がさほど悪くないとのことでほっとしました) ➲serious (1411)
- Oh, what a **relief**!(ああ, ほっとした)
- pain **relief**(痛みの除去[鎮痛])

1423  **height** [háit]
名 高さ, 最高潮

▶ high 形 高い 名 最高水準[記録・温度](⇔ low「低い, 最低値」)

- The new model is 800 cm in **height**.
  (新型は高さが 800cm です) ➲model (151)
- the **height** of the tourist season(行楽シーズンの真っ盛り)

1424  **percentage** [pərséntidʒ]
名 比率・割合

▶ percent 名 パーセント

- What **percentage** of sales comes from advertising on the Internet?
  (売上の何パーセントがインターネット広告から来ていますか)

動詞 ⑥

1425 **decorate** [dékərèit]
動 (～を)飾る・装飾する

▶ decoration 名 装飾(物)

- The room was **decorated** with the flags of all nations.
  (部屋は万国旗で飾られていた)

1426 **modify** [mádəfài] 動 (～を)修正する・変更する

▶ modification 名 修正(点)

- **modify** the terms of the contract(契約の条件を修正する)

1427 **quote** [kwóut] 動 (～を)見積もる, (～を)引用する 名 見積もり, 引用文

▶ quotation 名 見積もり(額), 引用(文・句)

- The prices **quoted** do not include sales tax.
  (見積もり価格には売上税は入っていません)
- Visit our contact page to request a free **quote**.
  (無料お見積もりのご依頼はお問い合わせページでどうぞ)

♣ TOEIC では, ほぼ「見積もる, 見積もり」の意味で出る。名詞の quote は quotation と同義。estimate (867), estimation *(867)* よりも正確で, 確定した見積もりの意味合い。

1428 **examine** [igzǽmin] 動 (～を)調査する, (～を)考察する・検討する, (～を)診察する

▶ exam (750)

- I need to **examine** the contents of your bag.
  (かばんの中身を調べさせてください) ➲content (1361)
- We need to **examine** how we can improve the product image.
  (どうすれば商品イメージを向上させられるかを検討する必要があります)
- I had my eyes **examined**.(目の診察を受けた[診てもらった])

1429 **certify** [sə́:rtifài] 動 (～を)証明する, (～と)認定する

▶ certified 形 公認の・資格を有する ▶ certification 名 証明, 保証

▶ certificate (928)

- The document is **certified** as accurate.
  (この文書は正確であることが証明されている)
- He is **certified** as a commercial driver.
  [= He is a **certified** commercial driver.]
  (彼は商業ドライバーの資格を持っている)

1430 **authorize** [ɔ́:θəràiz] 動 (～に…する)権限を与える・(～することを)許可する (to do)

▶ authorized 形 権限が与えられた, 許可された(⇔ unauthorized (2267))

▶ authorization 名 公認, 認可 ▶ authority (1210)

- I'm not **authorized** to answer these questions.
  (私にはこれらの質問にお答えする権限がありません)

1431  **congratulate** [kəngrǽdʒəlèit] | 動 (〜に[を]…のことで)**お祝いを述べる・称える**(on)

▸ congratulation (972)
- I'd like to **congratulate** you on your engagement.
（ご婚約おめでとうございます） ➲engagement *(1811)*
- I'd like to **congratulate** you all on a job well done.
（皆さんの健闘を心から称えたいと思います）

1432  **trim** [trím] | 動 (〜を)**きちんと刈り込む**, (〜を)**削減する** 名 **刈り込み, 手入れ**

- **trim** a hedge（生け垣を刈り込む）
- We need to **trim** costs by 10%.（コストを10%削減する必要がある）

♣「削減する」は cut が日常語。

1433  **eliminate** [ilímənèit] | 動 (不要なものを)**取り除く・除去する**

▸ elimination 名 除去, 廃棄
- **eliminate** unnecessary expenses（無駄な出費を省く）

♣ get rid of が同義。

1434  **preserve** [prizə́ːrv] | 動 (〜を)**保存する**, (〜を)**保護する** 名 (自然)**保護区域**

▸ preservation 名 保存・保護 ▸ preservative 名 防腐剤, 保存剤
- **preserve** food by drying it（乾燥させることによって食品を保存する）
- **preserve** the natural environment（自然環境を保護する）
- a nature **preserve**（自然保護区） └➲environment (955)

1435  **restore** [ristɔ́ːr] | 動 (失われたものを)**取り戻す・回復する**, (〜を(元の状態に))**戻す・修復する**

▸ restoration 名 修復, 復元
- Power was **restored** to most businesses in this area.
（電力はこの地域のほとんどの企業で回復した）
- **restore** the art to its original condition（美術品を元の状態に戻す[修復する]）

1436  **acknowledge** [əknɑ́lidʒ] | 動 (問題・過失などを)**認める**, (手紙などを)**受け取ったことを知らせる**, (〜に)**謝意を表す**

▸ acknowledgment 名 承認, 感謝
- He **acknowledged** that his opinion was wrong.
（彼は自分の意見が誤りであることを認めた）

- I **acknowledge** receipt of your letter of November 21.
  (11月21日付のお手紙を拝受いたしました) ➲receipt (172)
- I would like to **acknowledge** the support of the company.
  (会社のサポートに感謝申し上げます)

♣「感謝する」の意味で appreciate (255) の同義になるが, 公的な場面で使われる。

名詞 ⑬

1437  **pharmacy** [fáːrməsi] | 名 (調剤)薬局 (= drugstore (1083))

▸ pharmacist 名 薬剤師 ▸ pharmaceutical (1198)

- Take this prescription to a **pharmacy**.
  (この処方箋を持って薬局に行ってください) ➲prescription (1588)

1438  **tablet** [tǽblət] | 名 (コンピュータ)タブレット (= tablet computer), 錠剤 (= pill (776))

- the latest **tablet** computers (最新型のタブレットコンピュータ)
- a vitamin C **tablet** (ビタミンCの錠剤)

♣ TOEIC では computer tablet としている箇所もあるが同じものと考えてよい。「錠剤」の意味は《英》なので TOEIC では pill が出る。

1439  **accessory** [əksésəri] | 名 《~ies で》付属品, 装身具

- car **accessories** (車の付属品[カーアクセサリー])
- We offer shirts, pants, shoes, and fashion **accessories**.
  (私どもはシャツ, パンツ, 靴, そしてファッション雑貨をご提供いたします)

♣ 日本語のアクセサリー(装身具)よりも意味が広く, 帽子・かばん・手袋なども含まれる。

1440  **apparel** [əpǽrəl] | 名 衣服・既製服

- women's[men's, children's] **apparel**
  (婦人[紳士, 子ども]衣料品)
- an **apparel** shop (アパレルショップ)

1441  **fabric** [fǽbrik] | 名 織物・布地

- cotton[silk, wool] **fabric** (綿[絹, 毛]織物)

1442 **textile** [tékstàil] | 名 織物 形 織物の

- woolen **textiles**(毛織物)
- **textile** goods(繊維製品)

1443 **taste** [téist] | 名 味・風味, (味見の)ひと口・ひと飲み 動 (~の)味がする

▶ tasty (1850)
- How's the **taste**?(味はどうですか)
- Would you like a **taste**?(味見なさいますか) ➲ absolutely (1503), delicious (377)
- This **tastes** absolutely delicious.(これは極上の味がする)

1444 **flavor** [fléivər] | 名 (特定の飲食物の)味, (香りも含めた)風味 動 (食べ物に~で)風味を添える(with)

▶ flavoring 名 調味料, 香味料
- an almond[a vanilla] **flavor**(アーモンド[バニラ]の味)
- This wine has an excellent **flavor**.
  (このワインの風味は極上だ) ➲ excellent (142)
- The cook **flavored** his food with pepper.
  (コックはコショウで料理の味つけをした)

1445 **agriculture** [ǽgrikʌ̀ltʃər] | 名 農業

▶ agricultural 形 農業の
- engage in **agriculture** (農業に従事する) ➲ engage (1811)

1446 **soil** [sɔ́il] | 名 土壌

- fertile **soil**(肥沃な土壌) ➲ fertile (2503)

1447 **lawn** [lɔ́:n] | 名 芝生

- mow the **lawn**(芝を刈る) ▶ mow「(芝・草など)を刈る」

1448 **ladder** [lǽdər] | 名 はしご, (出世の)階段

- climb up a **ladder**(はしごを登る)
- She swiftly climbed the **ladder** of success.
  (彼女は出世の階段をかけ登った) ➲ swiftly *(2232)*

形容詞 ⑥

1449 **sufficient** [səfíʃənt] — 形 十分な・足りる(⇔ insufficient「不十分な」)

▶ sufficiently 副 十分に

- **sufficient** data to make a decision(決定を下すのに十分なデータ)

1450 **huge** [hjúːdʒ] — 形 巨大な・非常に大きな, 莫大な

- a **huge** warehouse building(巨大な倉庫ビル)
- a **huge** success(大成功)
- spend a **huge** amount of money(莫大なお金を使う)

1451 **cultural** [kʌ́ltʃərəl] — 形 (社会の)文化的な, (教養の)文化的な

▶ culture 名 文化, 教養

- **cultural** differences(文化的相違) ➲difference (657)
- a **cultural** background(文化的背景) ➲background (512)
- **cultural** events(文化的行事[催し])

1452 **protective** [prətéktiv] — 形 保護[防護]する

▶ protect (961)

- a **protective** mask[hat](防護マスク[帽])
- **protective** clothing[gloves](防護服[手袋])

1453 **medium** [míːdiəm] — 形 (サイズ・程度・量などが)中くらいの

▶ media (901)

- a **medium**-size(d) car(中型車)
- I'd like my steak **medium**.
  (ステーキの焼き方はミディアムにしてください)

♣「情報媒体」の意味では media (901) 参照。

1454 **numerous** [n(j)úːmərəs] — 形 多数の

- receive **numerous** inquiries from customers
  (顧客から数多くの問い合わせを受ける) ➲inquiry (952)

♣ a lot of が日常語。

1455 complicated [kámpləkèitəd]

形 複雑な(⇔ simple (594))

- ▸ complicate 動 (～を)複雑にする(⇔ simplify (1765))
- ▸ complication 名 複雑なこと，やっかいなこと
  - a **complicated** story(込み入った話)
  - The process is very **complicated**.(そのプロセスは非常に複雑だ)

1456 reasonable [rí:znəbl]

形 理にかなった・妥当な，(数量・値段などが)適切な・手ごろな(⇔ unreasonable (2266))

- ▸ reasonably 副 (値段などが)適切に，まずまず　▸ reason (228)
  - We hope our suggestions sound **reasonable**.　➲sound (258)
    (私たちの提案が妥当なものであることを願っています)
  - I'm looking for a restaurant with **reasonable** prices.
    (手ごろな値段で食べられるレストランを探しています)

1457 enthusiastic [ɪnθ(j)ù:ziǽstɪk]

形 熱心な，熱狂的な

- ▸ enthusiastically 副 熱狂的に，熱烈に　▸ enthusiasm (1659)
  - We are seeking motivated, **enthusiastic** individuals to join us.
    (わが社ではやる気と熱意のある人を求めています)
    ➲seek (354), motivate (1477), individual (944)

1458 primary [práimèri]

形 主要な・第一の，初級の

- ▸ primarily 副 主として，第一に
  - The **primary** factor in our success is the quality of our products.
    (我々が成功した第一の要因は製品の質の良さだ)　➲factor (1369)
  - **primary** education(初等教育)

♣ main (501) とほぼ同義で，「最も重要な」の意味。

1459 civil [sívl]

形 市民の，民間の

- ▸ civilian 形 民間(人)の　名 民間人
  - **civil** rights(市民権)
  - a **civil** airport(民間空港)

♣ civil engineering「土木工学」，civil engineer「土木技師」は，同じ語源(ラテン語)から派生したもの。

1460  **antique** [æntíːk] | 形 骨董の 名 骨董品

- **antique** furniture（アンティーク家具）
- an **antique** shop（骨董品店）

名詞 ⑭

1461  **visa** [víːzə] | 名 ビザ・査証

- The tourist **visa** is good for three months.
（その観光ビザは 3 カ月有効です） ➲tourist (*106*)

1462  **passport** [pǽspɔ̀ːrt] | 名 旅券・パスポート

- May I see your **passport**, please?（パスポートを拝見できますか）

1463  **baggage** [bǽgidʒ] | 名《集合的に・単数扱い》手荷物（= luggage[lʌ́gidʒ]）

- How much **baggage**[luggage] can I carry on?
（手荷物はどれくらい持ち込めますか）
- carry-on **baggage**[luggage]（機内持ち込み（の）手荷物） ➲carry-on (2436)
- a **baggage** claim (area)（手荷物受取所）

♣ TOEIC での baggage と luggage の頻度は同程度。luggage は「手荷物」全般に，baggage は特に「預け入れ荷物」の意味で多く使われる。baggage claim に luggage は使わない。

1464  **check-in** [tʃékɪn] | 名 チェックイン《ホテル・空港などでの手続き，その場所・時間》（⇔ checkout）

▸ check in 動 チェックインする
- the airline **check-in** counter（航空会社のチェックインカウンター）
- Please arrive 15 minutes before **check-in**.
（チェックイン（の時間）の 15 分前までにお越しください）

1465  **checkout** [tʃékàut] | 名 チェックアウト《ホテルの精算（の時間）》（⇔ check-in），（スーパーなどの）レジ

▸ check out 動（ホテルを）チェックアウトする，（～を）見る，（店などで）支払いを済ませる
- A customer is standing by a **checkout** counter.
（買い物客がレジのわきに立っている）

♣ check-in はハイフンを入れるが checkout はハイフンなしが多い。

1466 aircraft [éərkræ̀ft] | 名 航空機

- An **aircraft** is taking off from a runway.
  （飛行機が滑走路から離陸しようとしている）
  ➲ runway (1467)
  ▸ take off「離陸する」

♣ 飛行機の総称。TOEIC では (air)plane と同義で使われる。

1467 runway [rʌ́nwèi] | 名 滑走路

- A plane is approaching the **runway** for takeoff.
  （飛行機が離陸のため滑走路に向かっている）
  ➲ approach (1175), takeoff (1468)

1468 takeoff [téikɔ̀(ː)f] | 名 離陸

- an emergency **takeoff**（緊急離陸[発進]）

♣ take off で「離陸する」の意味。

1469 resort [rizɔ́ːrt] | 名 行楽地　動（手段などに）訴える (to)

- a ski[seaside] **resort**（スキー場[海水浴場]（のリゾートホテル））
- **resort** to extreme measures
  （思いきった処置を取る）
  ➲ extreme (1690), measure (1376)

1470 backpack [bǽkpæ̀k] | 名 バックパック　動 バックパックを背負って旅行する

▸ backpacker 名 バックパッカー

- carry a **backpack**（バックパックを背負う）
- go **backpacking** through Europe
  （ヨーロッパをバックパック1つで旅行する）

1471 climate [kláimət] | 名 気候, 情勢

- We have a mild[warm, cold] **climate** here.
  （ここは穏かな[温暖な, 寒い]気候だ）
  ➲ mild (1876)
- social[economic] **climate**（社会[経済]情勢）
  ➲ economic (1255)

1472 moisture [mɔ́ɪstʃər] | 名 湿気, 水分

▸ moisturizer 名 モイスチャークリーム, 保湿剤

- remove **moisture** from the air（空気中の湿気を取り除く）
  ➲ remove (922)

動詞 ⑦

1473  **appoint** [əpɔ́int] | 動 (～を…に)**任命する** (as, to), (日時・場所を)**設定する**

▶ appointed 形 指定された・約束した, 任命された ▶ appointment (108)

- He was **appointed** as Managing Director of the company.
  (彼は会社の常務に任命された)
- **appoint** a place and time for the next meeting
  (次の会合の場所と時刻を決める)

♣「設定する」は set(109) が日常語。

1474  **enroll** [enróul] | 動 (～に)**入学[入会]する** (in)

▶ enrollment 名 入学[入会], 登録者数

- **enroll** in a seminar (セミナーに登録する)

1475  **persuade** [pərswéid] | 動 (～を…するよう)**説得する** (to do)

▶ persuasion 名 説得 ▶ persuasive 形 説得力のある

- I **persuaded** her to take a rest today.
  (私は彼女を説得して今日1日休みをとらせた)

1476  **urge** [ə́:rdʒ] | 動 (～に…するよう)**強く促す** (to do) 名 **衝動**

- I **urge** you to reconsider your resignation.
  (辞職をぜひとも思いとどまるようお願いいたします) ➲ resignation (*1917*)
- I got an **urge** to take a trip.
  (旅に出たいという衝動に駆られた[急に旅に出たくなった])

1477  **motivate** [móutəvèit] | 動 (～に…する)**動機を与える** (to do)

▶ motivation 名 動機づけ・やる気 ▶ motive 名 (主に隠された)動機
▶ motivated 形 やる気のある

- What **motivated** you to enter this field? (この分野に入った動機は何ですか)

1478  **refuse** [rifjú:z] | 動 (～(すること)を)**拒む・断る** (to do) (⇔ accept (240))

▶ refusal 名 拒否 ┌➲ comment (902)

- He **refused** to comment on the case. (彼はその事件については論評を拒んだ)
- **refuse** an offer (申し出を断る)

1479	**reject** [ridʒékt]	動 (～を)拒絶する(⇔ accept (240))

▶ rejection 名 拒絶
- His loan request was **rejected**.(彼の借入れ申請は拒絶された)
- **reject** a proposal(提案をはねつける)

♣ refuse(1478)よりも強く断固として断る。turn down が日常語。

1480	**owe** [óu]	動 (～に)支払い義務[借り]がある, (～の)おかげである(to)

- How much do I **owe** you?((代金は)おいくらですか)
- We **owe** much of our success to you.(私たちの成功の多くは皆さんのおかげです)

1481	**stick** [stík]	動 (～を)貼る[貼り付く],(考え・計画などを)貫く(to), 《be stuck で》(車・物などが)動けない 名 棒

〔stick - stuck - stuck〕 ▶ sticker 名 ステッカー
- **stick** a note on the desk(メモを机に貼り付ける) ➲ note (125)
- **stick** to one's principles(主義を貫く) ➲ principle (1753)
- Some cars are **stuck** in traffic.(何台かの車が渋滞に巻き込まれている)

♣ be stuck の stuck は形容詞扱い(分詞形容詞)。

1482	**attach** [ətǽtʃ]	動 (～を)貼り付ける・取り付ける,(～を)添付する

▶ attachment (954) ▶ attached 形 添付[同封]の
- Make sure a photo is **attached** to your résumé.
  (履歴書に必ず写真を貼ってください) ➲ résumé(2024)
- I have **attached** a map for your reference.
  (参考までに地図を添付しておきます) ➲ reference (931)

1483	**retain** [ritéin]	動 (～を)保持する・持ち続ける,(記憶に)留める

- **retain** the right to cancel the agreement(契約を取り消す権利を保有する)
- **retain** the fact in one's memory(事実を記憶に留めておく) ➲ memory (1037)

1484	**frustrate** [frʌ́streit]	動 失望させる, 《be ～d で》いらいらしている,不満である

▶ frustrating 形 いらいらする ▶ frustration 名 欲求不満,挫折
- I'm **frustrated** with the present working conditions.
  (現行の労働条件には不満だ)

♣ be frustrated の frustrated は形容詞扱い(分詞形容詞)。

形容詞 ⑦

1485 **historical** [histɔ́(:)rikəl]
㊋ 歴史に関する, 歴史上の

▸ historic ㊋ 歴史的な　▸ history ㊔ 歴史

- a **historical** event（歴史上の事件[出来事]）
- a **historical** site（歴史的な場所，史跡）

♣ historical は「歴史上の, 史実の」という意味。historic は「歴史上有名[重要]な, 歴史に残る」という意味。a historic moment（歴史的[歴史に残る]瞬間）。

1486  **accurate** [ǽkjərət]
㊋ 正確な, 精密な（⇔ inaccurate「不正確な」）

▸ accurately ㊎ 正確に　▸ accuracy ㊔ 正確さ

- Your report was completely **accurate**.（あなたのレポートは完全に正確でした）
- an **accurate** watch（精密な時計）

1487  **mutual** [mjú:tʃuəl]
㊋ 相互の, 共通の

▸ mutually ㊎ お互いに, 相互に

- **mutual** understanding（相互理解）
- We met each other through a **mutual** friend.
（私たちは共通の友だちを通じて知り合った）

♣ mutual fund は「投資信託」の意味。

1488  **productive** [prədʌ́ktiv]
㊋ 実りのある・建設的な, 生産力のある

▸ productivity ㊔ 生産力　▸ produce (326)

- It was a very **productive** meeting.（非常に実りのある[建設的な]会議だった）
- **productive** land（豊かな土地）

1489  **favorable** [féivərəbl]
㊋ 好意的な, 好都合の

▸ favorably ㊎ 好意的に, 有利に　▸ favor (625)

- **favorable** reviews（好意的な批評）　➲ review (50)
- achieve **favorable** results（好成績を収める）　➲ achieve (574)

1490 **amazing** [əméiziŋ]
㊋ 見事な・すばらしい, 驚くべき

▸ amaze (2286)

- She gave an **amazing** performance in the film.

250 500 750 1000 1250 1500 1750 2000 2250 2500

（彼女はこの映画ですばらしい演技を見せた）
- This is an **amazing** story.（これは驚くべき話だ）
- It's **amazing** how many things you remember.
（そんなに多くのことを覚えているなんて驚きだ）

1491 **virtual** [və́ːrtʃuəl] 形 仮想の, 事実上の

▸ virtually 副 実質的に・ほとんど
- **virtual** reality（仮想現実（感）, バーチャル・リアリティ《略》VR） ➲reality *(207)*
- a **virtual** tour of the facility（施設のバーチャルツアー）
- a **virtual** impossibility（事実上の不可能）

1492 **diverse** [dəvə́ːrs] 形 さまざまな・多様な

▸ diversity (2238) ▸ diversify (2472)
- people of **diverse** nationalities（さまざまな国籍の人々） ➲nationality (1032)

1493 **impressive** [imprésiv] 形 印象的な・すばらしい

▸ impress (760) ▸ impression (1516)
- an **impressive** performance on the piano（すばらしいピアノ演奏）

1494 **active** [ǽktiv] 形 活発な, 積極的な（⇔ passive (1789)）

▸ actively 副 積極的に ▸ activity (361) ▸ activate (1990)
- an **active** market（活発な市況）
- **active** members of the club（クラブの積極的な会員）

1495 **live** [láiv] 形 生きている,（放送・演奏などが）生の

- **live** fish（生きた魚・活魚）
- a **live** performance（生演奏・ライブ）

♣「生きている」は限定用法（名詞を修飾する用法）のみで, 人が利用する生き物がまだ生きているという意味。類義語の living も限定用法のみで,（人・動物が）今生きている・生存しているの意味。叙述用法（補語になる用法）には alive (1047) を使う。

1496  **equal** [íːkwəl] 形（～と）等しい, 平等な 動（～と）等しい

▸ equally 副 等しく・平等に, 同様に ▸ equality 名 同等, 平等
- Two times four is **equal** to eight.（4 × 2 = 8）

- All people are **equal**.(人間はすべて平等である)
- 10 minus 7 **equals** 3.(10 − 7 = 3)

副詞 ①

1497 approximately [əprάksəmətli] 副 おおよそ

▶ approximate 形 おおよその
- The cost will be **approximately** $300.(費用はおおよそ 300 ドルです)

1498 definitely [défənətli] 副 確かに, そのとおり

▶ definite 形 明確な
- I'll **definitely** go.(もちろん行きます)

♣ ➲exactly (818)

1499 otherwise [ʌ́ðərwàiz] 副 さもなければ, その他の点では

- **Otherwise**, we will have to charge you overdue interest.
(さもなければ, 延滞利息を請求することになります) ➲charge (420), overdue (1940)
- He was tired, but **otherwise** in good health.
(彼は疲れてはいたが, それ以外は健康であった)

1500 moreover [mɔːróuvər] 副 その上, さらに

- The new system is not very good. **Moreover**, it is very expensive.
(新しいシステムはあまり良くない。その上, とても費用がかかる)

1501  **shortly** [ʃɔ́ːrtli] 副 まもなく・すぐに, 手短に

▶ short (140)
- She will be here **shortly**.(彼女はまもなくここへ来ます)
- to put it **shortly**(簡単に言えば)

1502  **slightly** [sláitli] 副 わずかに

▶ slight 形 わずかな
- Housing costs dropped **slightly**.
(住居費がわずかに下がった) ➲housing (1215)

1503 **absolutely** [æbsəlù:tli] 副 まったく・本当に, 絶対

▶ absolute 形 まったくの, 完全な
- You're **absolutely** right.（まったくその通りだよ）
- **Absolutely**.（まったくその通り）
- **Absolutely** not!（絶対にだめ！）

1504 **increasingly** [inkrí:siŋli] 副 ますます, いっそう

▶ increasing 形 多くなりつつある, 増加しつつある ▶ increase (69)
- become **increasingly** popular（ますます評判になる）

1505 **environmentally** [ɪnvàɪərnméntəli] 副 環境的に, 環境保護の面から

▶ environmental 形 環境の, 環境保護の ▶ environment (955)
- **environmentally** friendly（環境に優しい）
- **environmentally** sustainable（環境的に持続可能な） ➲ sustainable (2500)

1506 **nevertheless** [nèvərðəlés] 副 それにもかかわらず

- I was very tired, but **nevertheless** I was unable to sleep.
（私はとても疲れていたが, それでも眠れなかった）

1507 **sometime** [sʌ́mtàɪm] 副〔未来の〕いつか,〔過去の〕ある時, いつか

▶ sometimes 副 時々, たまに
- Come and visit us **sometime**.（いつか訪ねて来てください）
- This book was published **sometime** in the '90s.
（この本は 90 年代（のいつか）に出版されました）

♣ sometime と sometimes を混同しないよう注意。someday (1149) は「未来」についてのみ使う。

1508 **generally** [dʒénərəli] 副 一般に, 一般的に言って（= generally speaking）

▶ general (935)
- He **generally** comes home around 6 o'clock.
（彼はたいてい 6 時ごろ帰宅する）
- **Generally**, the train arrives on time.
（一般的に言って[だいたい], 列車は時間通りに到着する）

PART 4

1509-2016

Level B1　388 語

Level B2　120 語

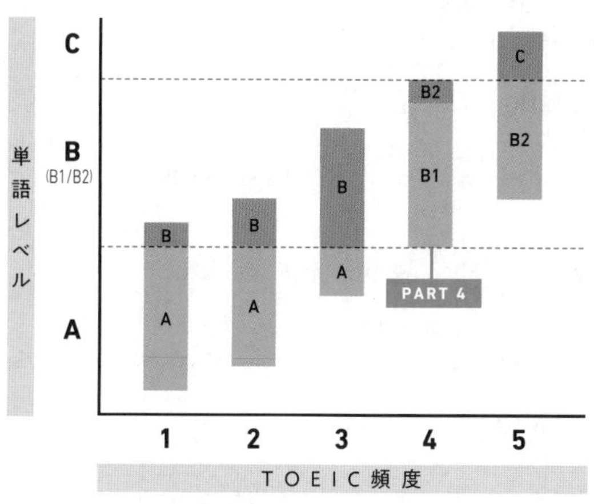

トラック 4-1

名詞 ①

1509 **harbor** [há:rbər] 名 港, 避難所

▶ port (1510)

- The **harbor** is filled with fishing boats.（港は漁船でいっぱいだ）

1510 **port** [pɔ́:rt] 名 港, 港町

▶ harbor (1509)

- A boat is scheduled to leave **port** at 3:00 p.m.
（船は午後 3 時に出航予定です）

♣ port は貿易を中心にする商業港。harbor (1509) が一般的な語。

1511 **dock** [dá:k] 名 ドック, 埠頭,（貨物の）搬入・搬出口（= loading dock） 動 ドック［埠頭］に着く

- The ship is unloading at the **dock**.
（その船は埠頭で積み荷を降ろしている） ➲ unload (2181)
- The ship **docked** at the port of Los Angeles.
（船はロサンゼルスに入港した） ➲ port (1510)

♣ ドックは〔船を建造・修理する場所〕, 埠頭は〔人・船荷を積み降ろしする場所〕の意味。

1512 **vessel** [vésl] 名（大型の）船,（解剖学上の）管

- a passenger **vessel**（客船） ➲ passenger (148)
- blood **vessels**（血管）

1513 **sidewalk** [sáidwɔ̀:k] 名 歩道

- The women are walking down the **sidewalk**.
（女性たちが歩道を歩いて行く）

1514 **stream** [strí:m] 名 小川, 流れ 動 流れる

- swim against the **stream**（流れに逆らって泳ぐ［時流に逆らう］）
- Tears **streamed** down her cheeks.（涙が彼女のほおを流れ落ちた）

1515 **atmosphere** [ǽtməsfìər] 名 雰囲気, 大気・空気

- I'd like a restaurant with a relaxed **atmosphere**.
（くつろいだ雰囲気のレストランがいいのですが） ➲ relaxed *(666)*
- the earth's **atmosphere**（地球の大気圏）

1516 **impression** [impréʃən] | 名 印象

▸ impress (760) ▸ impressive (1493)

- My first **impression** was that his idea was not a good one.
  (彼の思いつきはいいものではないというのが第一印象でした)

1517 **pottery** [pátəri] | 名 陶器(類), 製陶所

- make **pottery** (陶器を作る)

  ♣「陶器」を日常語では china ともいう。「磁器」は porcelain。

1518 **bin** [bín] | 名 (大型の)貯蔵箱[容器]

- He's setting a plastic **bin** on a shelf. (彼はプラスチック容器を棚に置いている)

  ♣《英》では「ごみ入れ・ごみ箱」の意味(《米》では trash can ➲trash (1842)。

1519 **lid** [líd] | 名 (容器の)ふた, まぶた (= eyelid)

- open[close] the **lid** of the container
  (容器のふたを開ける[閉める]) ➲container (530)

1520 **edge** [édʒ] | 名 端, (刃物の)刃

- The girl is on the **edge** of the cliff. (少女はがけの端にいる)
- a razor's **edge** (かみそりの刃)

動詞 ①

1521 **glance** [glǽns] | 動 (~を)ちらっと見る (at, over, etc.) 名 ちらっと見ること

- He **glanced** nervously at his watch.
  (彼はいらいらしながら時計をちらっと見た) ➲nervously *(1120)*
- I recognized her at first **glance**. (一目見てすぐに彼女だとわかった)

1522 **fold** [fóuld] | 動 (~を)折りたたむ, (腕などを)組む (⇔ unfold「(折りたたんだ物を)広げる」)

- **Fold** the paper in[into] four. (紙を 4 つに折りなさい)
- **fold** one's hands (腕を組む)

1523 **blend** [blénd] | 動 (~を)混ぜ合わせる[混ざる] 名 混合物

- **blend** the sugar, eggs, and flour (砂糖と卵と小麦粉を混ぜ合わせる)
- a cotton and wool **blend** (コットンとウールの混紡)

1524  **dial** [dáiəl] 動 (電話(の番号)を)**回す[かける]** 名 (ラジオなどの)**ダイヤル**, (時計などの)**文字盤**

- **dial** a phone(電話(番号)を回す[電話をかける])
- turn the **dial**((ラジオなどの)ダイヤルを回す)

♣ 現在の電話はダイヤルを回すことはないが，電話をかける意味でそのまま使われている。

1525 **suffer** [sʌ́fər] 動 (病気などで)**苦しむ**(from), (損害・被害を)**こうむる**

- I'm **suffering** from insomnia.(不眠症なんだ)
- The city **suffered** much damage from the earthquake.
(その街は地震によって深刻な被害をこうむった) ➲earthquake (1086)

1526 **slip** [slíp] 動 (誤って)**滑る**, **こっそり動く[入る・出る]** 名 **伝票**

▸ slippery 形 滑りやすい
- I **slipped** and fell on the stairs.(階段で足を滑らせて転んだ) ➲stair (652)
- It's **slipped** my mind.(それを忘れてしまった)
- Here is my confirmation **slip**.(これが私の確認伝票です) ➲confirmation *(407)*

1527 **lay** [léi] 動 (～を)**横たえる**, (計画・基盤などを)**作る**

〔lay - laid - laid〕
- He **laid** his hand on her shoulder.(彼は彼女の肩に手を置いた)
- **lay** the groundwork for the project(プロジェクトの基礎を築く)

♣ lie (714) の過去形と混同しないよう注意。layoff (2057) 参照。

1528 **stretch** [strétʃ] 動 **伸びる・伸びている・(～を)伸ばす** 名 **広がり**

- The trail **stretches** along the river.(その小道は川に沿って伸びている)
- Please **stretch** your legs.(どうぞ脚を伸ばしてください) ➲trail (958)
- a beautiful **stretch** of beach(美しく広がる砂浜)

1529 **surround** [səráund] 動 (～を)**取り囲む**

▸ surrounding 形 周囲の，付近の ▸ surroundings 名 (取り巻く)環境
- A high fence **surrounds** the building.(高いフェンスが建物を囲んでいる)

1530 **insist** [insíst] 動 (～を)**主張する・要求する**(on, that)

- He **insisted** that he pay the hotel charges.
(彼は自分がホテル代を払うといって譲らなかった) ➲charge (420)

♣ that 節の動詞は原形を使う。

1531 **bet** [bét] | 動 (金などを)**賭ける**, 《I[I'll] bet ... で》**きっと…だ** 名 **賭け**(金)

- I'll **bet** ten dollars on this.(こちらに 10 ドル賭けます)
- I('ll) **bet** it's not real.(きっとそれは本当ではないですよ) ➲ real (207)

1532 **afford** [əfɔ́:rd] | 動 《can ~で》(経済的・時間的)**余裕がある**

▸ affordable (1936)
- We can't **afford** to buy a new car.(新車を買う余裕はない)
- We can't **afford** any more delays.
  (これ以上遅れる時間的余裕はない) ➲ delay (167)

名詞 ②

1533 **dealer** [dí:lər] | 名 **販売店[人]**

▸ dealership 名 販売代理店
- a car **dealer**(自動車販売業者)

1534 **buyer** [báɪər] | 名 **買い手・購入者, バイヤー**

▸ buy 動 (~を)買う
- potential **buyers**(潜在的な購買層) ➲ potential (897)

1535 **debit** [débət] | 名 (銀行預金の)**引き落とし**(額) 動 〔銀行口座から〕(金を)**引き落とす**

- a **debit** of $50(50 ドルの引き落とし)
- a **debit** card(デビットカード)

1536 **debt** [dét] | 名 **借金, 負債**

▸ debtor 名 借り主・債務者(⇔ creditor「貸し主, 債権者」)
- He is up to his ears in **debt**.
  (彼は借金で首が回らない) ▸ up to one's ears「(借金で)身動きがとれない」

1537 **teller** [télər] | 名 (銀行の)**窓口係・出納係**(= bank teller)

- an automatic **teller** machine
  (現金自動預入支払機《略》ATM) ➲ automatic (695)

1538 **currency** [kə́:rənsi] | 名 **通貨・貨幣**

- I'd like to exchange some foreign **currency**.(外貨を替えたいのですが)

1539 **slot** [slɑ́ːt]　名 (硬貨・カードなどの)**投入[挿入]口**, (予定・予約などの)**時間枠**, (スペースの)**枠**

- put a coin in the **slot**(硬貨を投入口に入れる)
- a 30-minute **slot** in the morning(午前中 30 分間の時間枠)
- a parking **slot**(1 台分の駐車スペース)

1540 **relationship** [riléiʃənʃìp]　名 (〜との)**関係**(between, to, with)

▶ relation (1186)

- I look forward to a good **relationship** with your company.
  (貴社と友好関係を持てることを期待しています)

♣ relationship は物と物のほかに, 人と人との(親しい)関係や親せき関係にも用いる。

1541 **fellow** [félou]　名 **同僚・仲間**　形 **仲間の・同級生の**

- He is a **fellow** at Yale University.(彼はイエール大学での仲間です)
- his **fellow** classmate(彼の級友)

1542 **trainee** [treɪníː]　名 **研修生・研修中の人**

▶ training (78)

- a management **trainee**(管理職研修生)

1543 **curriculum** [kəríkjələm]　名 (学校の)**教科課程・カリキュラム**

- a **curriculum** for elementary school
  (小学校のための教科課程)　➡ elementary (1048)

1544 **interaction** [ìntərǽkʃən]　名 (相互)**交流**

▶ interact 動 交流する　▶ interactive (2123)

- **interaction** with different cultures(異文化との交流)

形容詞 ①

1545 **plain** [pléin]　形 **明白な, 平易な, 質素な**　名 **平原・平野**

- It was **plain** that she was out of condition.(彼女の調子が悪いのは明白だった)
- Please explain in **plain** English.(わかりやすい英語で説明してください)
- Please show me some that are more **plain**.(もっと地味なものを見せてください)

♣ わかりやすくて理解[認識]しやすい。 ➡ clear (214)

1546 
worthwhile [wə̀:rθwáil]
形 (時間や労力をかける)**価値のある**

▶ worthy *(1304)*
- It would be **worthwhile** having the data checked over again.
(そのデータをもう一度調べてみる価値はあるだろう)

1547 
ordinary [ɔ́:rdənèri]
形 **普通の, 通常の**

- **ordinary** people(一般人, 普通の人々)
- in the **ordinary** way(いつものとおり)

♣ 他と変わりがなくて「普通」ということ。
➲regular (211), average (591), common (689), normal (690)

1548 
brand-new [brǽndn(j)ú:]
形 **真新しい・新品の**

- We are enclosing our **brand-new** catalog.(最新のカタログを同封いたします)

1549 
rough [rʌ́f]
形 **大まかな**, (精神的に)**苦しい・つらい**, **乱暴な**, **ざらざらした**

▶ roughly (1156)
- Can you give me a **rough** idea of what you have in mind?
(何を考えているか大まかなところを教えてくれませんか)
- a **rough** day at work(職場でのきつい1日)
- **rough** handling of goods(品物の粗雑な取り扱い)

1550 
severe [sivíər]
形 (状況・批判などが)**厳しい**, (痛みなどが)**激しい**

▶ severely 副 激しく, 厳しく
- **severe** criticism(厳しい批評) ➲criticism (2233)
- I have a **severe** headache.(激しい頭痛がする)

1551
solid [sάləd]
形 **固体の**(⇔ liquid (1785)), **固い** 名 **固体**

- **solid** fuel(固体燃料) ➲fuel (1704)
- a **solid** friendship(固い友情)

1552 
absent [ǽbsənt]
形 《be ~で》(~を)**欠席する**(from), **不在の**(⇔ present (96))

▶ absence 名 欠席, 不在
- Barry was **absent** from yesterday's lectures.
(バリーは昨日の講義を欠席した) ➲lecture (903)

1553 **academic** [ækədémik] 形 学問的な, 学校[大学]の,

- **academic** freedom（学問の自由）
- an **academic** institution（学術機関） ➡ institution (1354)

1554 **generous** [dʒénərəs] 形 寛大な, 気前のよい

▶ generosity 名 寛大
- The director of our department is a kind and **generous** person.（部長は親切で寛大な人だ）
- He is **generous** with his money.（彼は気前よくお金を使う）

1555 **humid** [hjú:mid] 形（天候などが）湿った・湿気の多い

▶ humidity 名 湿気, 湿度
- It's very hot and **humid** today.（今日はとても蒸し暑いですね）

1556 **twin** [twín] 形 対の, 双子の 名 双子

- I'd like a **twin** room.（ツインの部屋をお願いします）
- **twin** brothers[sisters]（双子の兄弟[姉妹]）

名詞 ③

1557 **majority** [mədʒɔ́(:)rəti] 名 過半数, 多数（派）（⇔ minority *(1593)*）

▶ major (212)
- a **majority** decision（多数決）
- The **majority** voted for[against] the bill.（大多数がその法案に賛成[反対]の投票をした） ➡ vote (563)

1558 **celebrity** [səlébrəti] 名 有名人・著名人

- a film[sports] **celebrity**（有名映画スター[スポーツ選手]）

1559 **establishment** [istǽbliʃmənt] 名（設立された）組織・機関,《the ～で》体制・権威

▶ establish (519)
- an educational **establishment**（教育機関）
- the medical **establishment**（医学界） ➡ medical (277)

1560 administration [ədmìnəstréiʃən]

名 経営・管理, 政府

▶ administer 動 管理する　▶ administrator 名 管理者［人］, 行政官
▶ administrative (1251)

- business **administration**（（企業）経営）
- the **administration** department（管理［総務］部）
- the Obama **administration**（オバマ政権）

♣「経営・管理」の意味では management (411) と同義になるが, administration は組織全体を統括するイメージ。

1561 summit [sʌ́mit]

名 首脳会議, 頂上［頂点］

- a **summit** meeting[conference]（サミット, 首脳会議）　➲conference (391)
- reach the **summit** of Mt. Everest（エベレスト山頂に到達する）

1562 occasion [əkéiʒən]

名（特定の）時, 機会

▶ occasionally (2012)

- on several **occasions**（数回にわたって）
- Please allow us to decline your request on this **occasion**.
（今回はご要望にお応えできないことをお許しください）　➲decline (1325)

1563 forecast [fɔ́ːrkæst]

名 予報, 予測　動（～を）予測する

〔forecast - forecast[forecasted] - forecast[forecasted]〕

- What's the weather **forecast** for the weekend?
（週末の天気予報はどんなですか）　➲weather (203)
- It's hard to **forecast** the next earthquake.
（次の地震を予測するのは難しい）

♣ 情報やデータに基づいて科学的に予測すること。 ➲predict (572)

1564 notion [nóuʃən]

名（漠然とした）考え・意見

- the traditional **notion** of marriage（結婚についての伝統的な考え）

♣ 生活や社会についての漠然とした考え（誤っていることが多い）。

1565 privacy [práivəsi]

名 プライバシー

▶ private (215)

- protect customer **privacy**（顧客のプライバシーを守る）

1566	**glimpse** [glím(p)s]	名 ちらりと見えること　動 (~を)ちらりと見る

• catch a **glimpse** of the thief(泥棒の姿がちらりと目に入る)

1567	**identity** [aidéntəti]	名 身元, (自分が何者であるかの)認識

▶ identify (1183)

• disclose[conceal] one's **identity**(身元を明かす[隠す])

➲ disclose (2477), conceal (2214)

1568	**caution** [kɔ́ːʃən]	名 用心, 警告　動 (~に)警告する

▶ cautious (1788)

• We advise you to act with **caution**.(慎重に行動しなさい)

• We were **cautioned** not to drink tap water.
(水道水を飲まないよう警告された)

➲ tap (809)

動詞 ②

1569	**hunt** [hʌ́nt]	動 (~を)探す・捜す(for), (~を)狩る　名 捜索

▶ hunting 名 狩り, 捜索

• **hunt** for a job(仕事を探す, 職を探す)

• the **hunt** for the missing child(行方不明の子どもの捜索)

♣「探す」は look for が最も基本の語。hunt は「獲物を追い求める」の比喩的な用法。

1570	**recover** [rikʌ́vər]	動 (病気・不況などから)回復する(from), (~を)取り戻す

▶ recovery 名 回復, 回収

• I hope you **recover** from your illness soon.
(早く病気が治ることを願っています)

• The economy is beginning to **recover**.(景気は回復に向かいつつある)

• try to **recover** the lost money(失ったお金を取り戻そうとする)

1571	**interrupt** [ìntərʌ́pt]	動 (人(の話など)を)さえぎる, (事を)中断させる

▶ interruption 名 (話を)さえぎること, 中断

• May I **interrupt** you for a moment?(お話し中ちょっとお邪魔していいですか)

• His speech was **interrupted** several times by applause.
(彼の演説は何度か拍手で中断された)

1572 **melt** [mélt] 動 溶ける・(〜を)溶かす

- The snow **melted** quickly in the afternoon sun.
  (午後の日を浴びて雪は急速に溶けた)

1573 **forgive** [fərgív] 動 (人・過ちなどを)許す

〔forgive - forgave - forgiven〕
- Please **forgive** me.(どうか私を許してください)

1574 **pause** [pɔ́ːz] 動 (動作・話などを)ちょっと止める 名 小休止, 句切り

- He **paused** for a moment to catch his breath.
  (彼はちょっと休んでひと息ついた)
- After a brief **pause**, she said, "Yes."
  (少し間をおいて, 彼女は「はい」と言った) ➲brief (1352)

1575 **adopt** [ədɑ́pt] 動 (技術などを)採用する, (議案などを)採択する

▸ adoption 名 採用
- **adopt** a new automation system
  (新しいオートメーションシステムを採用する) ➲automation (2438)
- **adopt** a bill(法案を採択する) ➲bill (156)

1576 **arise** [əráiz] 動 (問題などが)生じる・起こる

〔arise - arose - arisen〕
- I'm sorry that this problem has **arisen**.
  (この問題が起きて残念です)

♣ come up が日常語。occur (1318) も同義語で使える。

1577 **beat** [bíːt] 動 (〜を)打ち負かす, (連続的に)打つ, (心臓が)鼓動する 名 鼓動

〔beat - beat - beaten〕
- Brazil **beat** France in the final, 2-1.
  (決勝でブラジルがフランスを 2 − 1 で打ち負かした) ➲final (139)
- **beat** on the door(ドアを(ドンドンと)たたく)
- a heart **beat**(心拍)

1578 **delete** [dilíːt] 動 (文字・語などを)消す・削除する

- **delete** a file(ファイルを削除する)

1579  **burst** [bə́ːrst] 動 破裂する・(～を)破裂させる,《～ing で》(～で)はちきれそうになる(with)　名 破裂・爆発

〔burst - burst - burst〕

- A water main has **burst** out in the street.
(通りで水道本管が破裂した) ➲main (501)
- The file cabinet is **bursting** with paper.
(ファイル棚は書類で崩れそうだ) ➲cabinet (1218)

1580  **convince** [kənvíns] 動 (～を)確信させる・納得させる(of, that)

▶ convincing 形 説得力のある

- I am **convinced** by your explanation.
(君の説明で納得した) ➲explanation *(168)*

名詞④

1581  **disease** [dizíːz] 名 病気(= illness)

- A cold can lead to all kinds of **diseases**.(風邪は万病のもと) ➲lead (158)

1582 **injury** [ín(d)ʒəri] 名 けが, 負傷

▶ injure (839)

- suffer head[leg, knee] **injuries**(頭に[足に, 膝に]傷を負う)

1583 **ache** [éik] 名 痛み　動 (ずきずきと)痛む

- I have an **ache** in my back.(背中が痛い)
- My stomach **aches** terribly.(胃がひどく痛む)

♣ 持続的な鈍い痛み。 痛みの複合語:headache (1081), toothache「歯痛」, stomachache「腹[胃]痛」, backache「背中の痛み」。 ➲hurt (840)

1584 **pain** [péin] 名 (肉体的・精神的な)痛み・苦痛,《～s で》骨折り

▶ painful 形 痛い, つらい

- I have a sharp **pain** in my stomach.(胃がきりきり痛む)
- I took great **pains** with my last assignment.
(この前の課題にはとても骨を折ったよ) ➲assignment *(865)*

1585 **skin** [skín] 名 皮膚, 皮

- She has clear **skin**.(彼女は肌がきれいだ)
- animal **skins**(動物の皮)

1586 **stress** [strés] | 名 ストレス, 強調　動 (～を)強調する

- I'm under a lot of **stress** at work.(私は仕事でストレスが多い)
- **stress** the importance of quality
  (品質の重要性を強調する)　➲ quality (132)

1587 **symptom** [sím(p)təm] | 名 (病気の)症状・徴候

- show hayfever **symptoms**(花粉症の症状を見せる)

1588 **prescription** [priskrípʃən] | 名 処方(箋), 規定

▸ prescribe 動 (薬などを)処方する, (～を)規定する
- Can you fill this **prescription** for me?(この処方箋の薬をください)

♣ この文の fill は「(処方薬を)調合する」の意味。

1589 **ambulance** [ǽmbjələns] | 名 救急車

- Please call for an **ambulance**.(救急車を呼んでください)

1590 **ward** [wɔ́ːrd] | 名 病棟, (大部屋の)病室

- the maternity[children's] **ward**(産科[小児]病棟)　➲ maternity (2514)

1591 **nutrient** [n(j)úːtriənt] | 名 栄養分, 養分

▸ nutritious (1697)
- Spinach is particularly rich in **nutrients**.　▸ spinach「ホウレンソウ」
  (ホウレンソウは特に栄養に富んでいる)　➲ particularly *(1205)*

1592 **virus** [váiərəs] | 名 ウイルス

- the influenza **virus**(インフルエンザウイルス)
- a computer **virus**(コンピュータウイルス)

形容詞 ②

1593 **minor** [máinər] | 形 軽度の, (重要度などが)小さな(⇔ major (212))

▸ minority 名 少数(派)(⇔ majority (1557))
- a **minor** injury(軽傷)　➲ injury (1582)
- a **minor** problem(小さな問題)

1594 **joint** [dʒɔ́int] 形 共同の・合弁の　名 関節, 継ぎ目

▶ join (161)　▶ jointly 副 共同で, 協力して

- a **joint** venture（共同企業体, 合弁事業）　➲venture (1356)
- My **joints** ache terribly.（関節が激しく痛む）　➲ache (1583)

1595 **permanent** [pə́:rmənənt] 形 永続的な・永久の　名 パーマ（= perm）

▶ permanently 副 永久に

- a **permanent** job（正社員）
- a **permanent** magnet（永久磁石）

1596 **rare** [réər] 形 まれな・珍しい, (ステーキが) レアの

▶ rarely 副 めったに〜ない

- a **rare** book（珍本[希少本]）
- It is **rare** for him to be absent from work.（彼が仕事を休むなんて珍しい）
- I'd like my steak **rare**.（ステーキはレアでお願いします）

1597 **mechanical** [məkǽnikəl] 形 機械(上)の, 機械式の

▶ mechanic (1331)

- The flight has been canceled due to a **mechanical** failure.（機械故障のためその便は欠航になっています）　➲cancel (448)
- **mechanical** devices（機械装置）

1598 **calm** [kɑ́:m] 形 落ち着いた, 穏かな　動 落ち着く・(〜を) 落ち着かせる (down)

- a **calm** voice（落ち着いた声）
- **calm** days（穏かな日々）
- The situation has **calmed** down a little.（状況は少し落ち着いてきた）

1599 **casual** [kǽʒuəl] 形 形式ばらない, 不定期の・臨時の

▶ casually 副 形式ばらずに・カジュアルに

- **casual** wear[clothes]（ふだん着）
- a **casual** conversation（くだけた[なにげない]会話）
- **casual** employment（不定期雇用）

♣「臨時の」は temporary (942) と同義。

1600 **independent** [ìndipéndənt] 形 (～から)独立した・自立した(of)

▸ independently 副 独立して, 自主的に, 別個に, ▸ independence 名 独立

• an **independent** production company(独立系制作会社[プロダクション])

• He is **independent** of his parents.(彼は両親の世話を受けていない)

1601 **dependent** [dipéndənt] 形 頼っている 名 扶養家族

▸ depend (670)

• be heavily **dependent** on tourism
(観光に大きく依存している) ➲ heavily (1153)

• I have three **dependents**.(3 人の扶養家族がいる)

1602 **considerable** [kənsídərəbl] 形 かなりの・相当な

▸ considerably 副 かなり, 相当に ▸ consider (231)

• He has **considerable** experience in this field.
(彼はこの分野で豊富な経験を積んでいる) ➲ experience (60)

1603 **dramatic** [drəmǽtik] 形 劇的な・飛躍的な

▸ dramatically 副 劇的に ▸ drama 名 劇, 戯曲

• a **dramatic** change(劇的な変化)

• a **dramatic** increase in Internet use(インターネット利用の飛躍的増加)

1604 **dull** [dʌ́l] 形 退屈な, (痛みなどが)鈍い, (商売が)活気がない

• The task was **dull** and boring.(その仕事は退屈でつまらないものだった)

• I have a **dull** pain in my back.(背中に鈍い痛みがあります)

♣ boring *(1622)* も同義で日常語。 上の例文では同義語を重ねて強調している。

名詞 ⑤

1605 **era** [íːrə] 名 時代・年代

• the **era** of zero interest rates(ゼロ金利時代) ➲ interest (218)

1606 **origin** [ɔ́(ː)ridʒin] 名 起源

▸ original (208) ▸ originate (2291)

• certificates of **origin**(原産地証明(書))

1607 **monument** [mánjəmənt] | 名（人・業績などの）記念碑，（歴史的）記念物・遺跡

- The company is a **monument** to his energy and determination.（会社は彼のエネルギーと決意の記念碑[たまもの]である）
- a historical **monument**（歴史的記念物） ➡historical (1485)

1608 **souvenir** [sù:vəníər] | 名 記念品，みやげ物

- **souvenirs** of one's trip（旅行の記念品）
- a **souvenir** shop（みやげ物店）

1609 **sculpture** [skʌ́lp(t)ʃər] | 名 彫刻（物）　動（～を）彫刻する

- Greek **sculpture**（ギリシャ彫刻）
- **sculpture** a statue（像を彫る） ➡statue (1055)

1610 **biography** [baiágrəfi] | 名 伝記

- a **biography** of John F. Kennedy（ジョン・F・ケネディの伝記）

1611 **wildlife** [wáildlàif] | 名《集合的な》野生生物

- **wildlife** protection[conservation]（野生生物保護）
➡protection *(961)*, conservation *(2378)*

1612 **habitat** [hǽbitæ̀t] | 名（動植物の）生息地・自生地

- a penguin's natural **habitat**（ペンギンの自然生息地）

1613 **greenhouse** [grí:nhàus] | 名 温室

- **greenhouse** vegetables（温室野菜）
- **greenhouse** gas emissions（温室（効果）ガスの排出） ➡emission (2469)

♣「温室効果」は the greenhouse effect という。

1614 **gardener** [gá:rdnər] | 名 庭師，植木屋

▸ garden 名 花壇・菜園，《英》庭（=《米》yard）
- The **gardener** is digging in the dirt.（庭師は土を掘っている）

1615 **slope** [slóup] 名 坂, 斜面, 傾斜

- a steep **slope**（急斜面） ➲steep (1786)
- a gentle **slope**（緩やかな斜面） ➲gentle (1046)

1616 **pole** [póul] 名 さお, 柱, 極

▶ polar 形 極地の, 南[北]極の
- a fishing **pole**（釣りざお）
- the North[South] **Pole**（北[南]極）

動詞 ③

1617 **deserve** [dizə́:rv] 動（～に）値する・～して当然だ

- Everybody in the office thinks Bill **deserves** the promotion.
（ビルは昇進に値する[して当然だ]と会社の誰もが考えている） ➲promotion (857)

1618 **stare** [stéər] 動（～を）じっと見つめる（at, in, into）

- The man **stared** directly at me.
（その男は私の顔を真正面からじっと見つめた）

1619 **observe** [əbzə́:rv] 動（～を）観察する,（～するのを）目撃する,（法律などを）守る

▶ observation 名 観察（力） ▶ observance 名（法律などの）順守
- **observe** the tides（潮の干満を観察する）
- He was **observed** entering the park.
（彼は公園に入るのを見かけられた）
- Please **observe** the No Smoking signs.
（「禁煙」の標示を守ってください） ➲sign (68)

1620 **ignore** [ignɔ́:r] 動（～を）無視する

- Their request was completely **ignored**.
（彼らの要求は完全に無視された） ➲request (51)

1621 **drip** [dríp] 動（液体が）したたり落ちる 名 しずく, したたり

- The faucet is **dripping**.
（蛇口から水がしたたり落ちている） ➲faucet (2516)
- the **drips** of coffee（コーヒーのしずく）

1622  **bore** [bɔ́ːr]　動 (～を)**退屈させる**,《be ～d で》(～に)**退屈する** (with)　名 **退屈な人[事]**

▶ boring 形 退屈な, うんざりするような

• I was **bored** with the concert. (コンサートは退屈だった)

♣ bear (811) の過去形と混同しないように。be bored の bored は形容詞扱い(分詞形容詞)。

1623  **scare** [skéər]　動 (～を)**おびえさせる**,《be ～d で》(～を)**怖がる** (of)　名 **恐怖**

• You **scared** me to death! (びっくりさせるなよ, 死にそうだったよ)

• She's **scared** of heights. (彼女は高い所を怖がる)

♣ frighten (1026) とほぼ同義。be scared の scared は形容詞扱い(分詞形容詞)。

1624 **tend** [ténd]　動 (～の[する])**傾向がある** (to, to do)

▶ tendency 名 傾向

• He **tends** to take things too seriously.
(彼は物事を必要以上に深刻に受け取る傾向がある)　➲ seriously (1154)

1625  **twist** [twíst]　動 (～を)**ねじる[ねじれる]**, (～を)**曲げる[曲がる]**　名 **ねじれ**

• I **twisted** my ankle. (足首を捻挫した)

• You've **twisted** my words. (あなたは私の言葉をねじ曲げた)

1626 **wrap** [rǽp]　動 (～を)**包む**

▶ wrapping 名 包装紙[材]

• Can you **wrap** this as a gift? (これをギフト用に包んでもらえますか)

1627 **expose** [ikspóuz]　動 (～を光・危険などに)**さらす** (to)

▶ exposure 名 さらすこと, (フィルムの)1こま

• The colors will not fade even when **exposed** to sunlight.
(日光にさらされてもこれらの色があせることはありません)　➲ fade (1771)

1628 **discourage** [diskə́ːridʒ]　動 (～を)**思いとどまらせる**, (～を)**落胆させる**　(⇔ encourage (187))

▶ discouraged 形 落胆した　▶ discouraging 形 がっかりするような

• The cameras **discourage** shoplifters. (カメラがあることで万引を防いでいる)

• Don't be so **discouraged**. (そんなに落胆しないで)

名詞 ⑥

1629 **orchestra** [ɔ́ːrkəstrə] | 名 オーケストラ, 管弦楽団

- The **orchestra** will perform this month at Carnegie Hall.
  (そのオーケストラは今月, カーネギーホールでコンサートを行う予定だ)

1630 **rehearsal** [rɪhə́ːrsl] | 名 (演劇・行事などの) リハーサル《下稽古・予行演習》

▸ rehearse 動 (～の) 稽古をする, リハーサルをする
- have a wedding **rehearsal** (結婚式のリハーサルをする)

1631 **intermission** [ìntərmíʃən] | 名 (演劇などの) 休憩時間, 幕あい

- We talked for a while during the **intermission**.
  (私たちは休憩時間に少し話をした)

♣ intermit「中断する」が同一語源の動詞。

1632 **journal** [dʒə́ːrnl] | 名 (雑誌など) 定期刊行物, 日誌

▸ journalism 名 ジャーナリズム　▸ journalist (1239)
- a medical **journal** (医学雑誌)　➲ medical (277)

1633 **literature** [lítərətʃər] | 名 文学, 文献, (広告・宣伝用の) 印刷物

▸ literary 形 文学の・文芸の
- classical **literature** (古典文学)　➲ classical (1737)
- technical **literature** (技術文献)　➲ technical (937)
- advertising **literature** (チラシ・広告)

♣ literally (2358) 参照。

1634 **genre** [ʒɑ́ːnrə] | 名 (芸術・文学などの) ジャンル, 様式

- create a new **genre** of writing
  (文学の新しいジャンルを生み出す)

1635 **poetry** [póuətri] | 名《集合的に》詩

▸ poem 名 (1 編の) 詩　▸ poet 名 詩人
- a **poetry** reading at the bookstore
  (書店での詩の朗読会)

1636 **blog** [blɑ́:g] | 名 ブログ (= weblog)

- write a **blog** about marketing (マーケティングについてのブログを書く)

♣ weblog の省略形。web 上の日誌サイト。

1637 **booklet** [búklət] | 名 小冊子・ブックレット

- a **booklet** on how to cook brown rice (玄米の炊き方についての小冊子)

♣ 小さな本。 少頁ながら製本されたもの。 ➲brochure (468), pamphlet (2486)

1638 **remark** [rimɑ́:rk] | 名 意見,《~s で》(公式な発言中の) 言葉 動 (~と) 述べる (that)

▸ remarkable (1792)

- Please let me hear your **remarks** if any.
  (もしあれば, あなたの意見を聞かせてください)
- opening **remarks** (開会の言葉[あいさつ])
- "I have many fond memories of the time working here," he **remarked**.
  (「ここで働いていた頃の楽しい思い出がたくさんあります」と彼は述べた) ➲fond (1739)

1639 **phrase** [fréɪz] | 名 句《1 つの語と同じ働きをする語群》, 言い回し・成句

- words and **phrases** (単語と句)
- a key **phrase** (キーフレーズ[重要な語句])

1640 **photocopy** [fóutoukɑ̀:pi] | 名 (コピー機で複写した) コピー 動 〔複写機で〕(~を) コピーする

▸ copy (127)

- make a **photocopy** of the document [= **photocopy** the document]
  (その文書のコピーを取る)

形容詞 ③

1641 **conscious** [kɑ́nʃəs] | 形《be ~で》(~を) 意識している (of), 意識のある (⇔ unconscious「意識不明の, 無意識の」)

▸ consciousness 名 意識, 自覚

- Many firms nowadays are **conscious** of their social responsibility.
  (現在, 多くの企業が社会的責任を意識している)

1642 **handy** [hǽndi] | 形 使いやすい・便利な, 手近な

- a **handy** reference book (便利な参考書) ➲reference (931)
- Keep this manual **handy**. (このマニュアルを手近なところに置いてください)
  ➲manual (941)

1643 **vast** [vǽst] 形 莫大な・膨大な

▶ vastly 副 たいそう

- **vast** numbers of people (おびただしい数の人)

1644 **bold** [bóuld] 形 大胆な, ずうずうしい 名 太字(書体)

- take a **bold** step (大胆な手段を取る)
- The company name was printed in **bold**. (会社名は太字で印刷されていた)

1645 **visual** [víʒuəl] 形 視覚の, 目に見える 名《~s で》視覚資料[教材]

▶ visualize 動 (~を) 視覚化する ▶ vision (1752)

- **visual** effects (視覚効果)
- the **visual** world (目に見える[視覚の]世界)
- include some **visuals** in the presentation
  (プレゼンテーションに視覚資料を取り入れる)

1646 **visible** [vízəbl] 形 目に見える (⇔ invisible「見えない」), 明らかな

- **visible** light (可視光線)
- It is **visible** to everybody. (それは誰の目にも明らかだ)

1647 **vague** [véig] 形 (発言・考えなどが) あいまいな・漠然として, (表情・物の輪郭などが) ぼんやりした

- She always gives **vague** replies. (彼女の返事はいつもあいまいだ)
- the **vague** shape of a figure (ぼんやりとした人の姿) ➲figure (248)

1648 **superior** [supíəriər] 形 (~より) 優れた (to) (⇔ inferior「(~より) 劣って」) 名 目上の人

▶ superiority 名 優れていること

- Our products are **superior** to any other on the market.
  (弊社の商品は市場に出回っている他のどれよりも優れています)
- one's immediate **superior** (直属の上司) ➲immediate (991)

♣ subordinate (2515) 参照。

1649 **contrary** [kántrèri] 形 反対の, (~に) 反する (to) 名《the ~で》逆・反対

- a **contrary** view (反対の意見)
- This is **contrary** to our interests. (これは我々の利益に反する)
- The test was not easy. On the **contrary**, it was very difficult.
  (テストは簡単ではなかった。それどころか, とても難しかった)

1650 **prominent** [prάminənt] 形 著名な, 目立った

- a **prominent** artist(著名な芸術家)
- a **prominent** place[position](よく目立つ場所[位置])

1651 **curious** [kjúəriəs] 形《be ~で》(~を)知りたがっている・~したがっている (about, to do), 好奇心の強い, (物・事が)奇妙な

▶ curiosity 名 好奇心
- I'm **curious** about how the system works.
(このシステムがどう動くか知りたい[興味がある])
- I am **curious** to know if it is true.(それが本当であるかどうか知りたい)
- a **curious** noise(奇妙な音) ➲noise (*692*)

1652 **accustomed** [əkʌ́stəm] 形《be ~ to で》(~に)慣れている

▶ accustom 動 (~に)慣れる
- I'm not **accustomed** to this kind of hot weather.
(このような暑さには慣れていない)

♣ be used to (1102) とほぼ同義(to の後は名詞[動名詞])。長期にわたる状況や経験などを言うイメージ。

名詞 ⑦

1653 **characteristic** [kæ̀rəktərístik] 名《~s で》特徴・特性 形 (~に)特有の(of)

▶ character (773)
- What are the **characteristics** of this machine?
(この機械の特徴は何ですか)
- His accent is **characteristic** of the South.
(彼のアクセントは南部特有のものだ) ➲accent「なまり, アクセント」

♣ character (773) は全体的な性格・性質。その個々の・特定のものが characteristic。

1654 **moral** [mɔ́(:)rəl] 名 教訓,《~s で》道徳 形 道徳上の, 道徳的な

- The **moral** of this story is that dishonesty does not pay.
(この話の教訓は不誠実が割に合わないということだ)
- a **moral** issue(道徳的問題)
- He has a keen sense of **moral** responsibility.
(彼は道徳的責任感が強い) ➲responsibility (*984*)

♣ morale (2200) と混同しないよう注意。

1655 affection [əfékʃən] | 名 愛情

▶ affect (966)

• She has a deep **affection** for her children.
（彼女は自分の子どもに深い愛情を抱いている）

1656 uncertainty [ʌnsə́ːrtnti] | 名 不確実性, 不安（感）（⇔ certainty）

▶ uncertain 形 不確かな　▶ certain (374)

• There is increasing **uncertainty** about the company's future.
（会社の将来について不確実性が増している）

1657 sensation [senséiʃən] | 名 感覚, 大評判

▶ sense (676)　▶ sensational 形 大評判の

• lose all **sensation**（感覚がまったくなくなる）

• cause a great **sensation**（大評判になる）　➲ cause (303)

1658 boom [búːm] | 名（景気・人気の）急上昇　動 急に景気づく

• a building **boom**（建築ブーム）

• a **boom** in Napa wines（ナパワインのブーム）

• The IT business is **booming**.（IT ビジネスは急成長している）

1659 enthusiasm [enθ(j)úːziæ̀zm] | 名 熱中, 熱狂

▶ enthusiast 名 熱中している人, 熱狂的ファン　▶ enthusiastic (1457)

• have **enthusiasm** for baseball[sumo]（野球[相撲]に熱中する）

1660 comedy [kɑ́ːmədi] | 名 喜劇, コメディー

• a **comedy** show（コメディー番組）

1661 gesture [dʒéstʃər] | 名 身ぶり・しぐさ,（気持ちを表す）しるし
動 身ぶり[手ぶり]で示す

• make a **gesture**（身ぶりをする, 合図をする）

• As a **gesture** of goodwill, the wine is free.
（好意のしるしとしてワインはサービスです）　▶ goodwill「善意・好意」

• He **gestured** for me to sit down.
（彼は私に座るようにと身ぶりで示した）

1662 **spectator** [spékteitər] | 名 観客・見物人

- At least 100,000 **spectators** were in the stadium.
  （スタジアムには少なくとも 10 万人の観衆がいた） ➲stadium (702)

1663 **applause** [əplɔ́:z] | 名 拍手, 称賛

▶ applaud 動 拍手する
- The audience gave him a round of **applause**.
  （聴衆はひとしきり彼に拍手を送った）

1664 **farewell** [fèərwél] | 名 別れ

- a **farewell** party（送別会）

動詞 ④

1665 **breed** [brí:d] | 動（動植物を）飼育［栽培］する・育てる 名 品種

〔breed - bred - bred〕
- **breed** horses（馬を飼育する）
- I was born and **bred** in Kansai.
  （私は生まれも育ちも関西です） ▸ be born and bred「生まれも育ちも・生粋の」
- exotic **breeds** of cats（珍しい品種［外来種］の猫） ➲exotic (2265)

1666 **possess** [pəzés] | 動（能力・財産などを）持っている,（考えなどが）とりつく

▶ possession 名 所有（物）
- The man **possesses** great wealth and power.
  （その男には巨大な富と権力がある） ➲wealth (794)
- A feeling of anxiety **possessed** him.
  （彼は不安にとりつかれた） ➲anxiety (744)

1667 **recall** [rikɔ́:l] | 動（～を）思い出す,（欠陥品を）回収する 名（欠陥商品の）回収・リコール

- I don't **recall** ever meeting her.
  （今まで彼女と会ったことがあるか思い出せない）
- Mitsuwa Motors is **recalling** their mini vans.
  （ミツワモーター社はミニバンをリコールしている）

♣ 意識して思い出すというイメージ。**remember** (259) よりくだけた語。

1668  **deny** [dinái] 動 (~を)否定する

▶ denial 名 否定

- I can't **deny** that I'm very disappointed.
  (大変失望していることは否定できません) ➲disappoint (1381)

1669  **inspire** [inspáiər] 動 (人を)鼓舞する, (考え・感情を)起こさせる

▶ inspiration 名 ひらめき・インスピレーション ▶ inspiring 形 鼓舞する

- His success **inspired** me to work ever harder on my own research.
  (彼の成功で私も自分の研究にもっと努めなければと鼓舞された) ➲research (97)

1670  **mount** [máunt] 動 (問題・費用などが)増加する, (~を)取り付ける[はめ込む]

▶ mounting 形 (費用などが)増える一方の, (緊張などが)高まる

- The costs on this project keep **mounting** up.
  (この企画のコストは増加し続けている) ➲chip (2329), circuit (2319)
- **mount** chips on a circuit board(回路基板にチップを取り付ける)

1671  **swear** [swéər] 動 (~を)誓う(to do, that)

〔swear - swore - sworn〕

- **swear** to tell the truth(真実を語ることを誓う)
- I **swear** it's true.(絶対にうそじゃないよ)

1672  **resemble** [rizémbl] 動 (~に)〔外見が〕似ている

- Bryan and his brother don't really **resemble** each other.
  (ブライアンと彼の兄[弟]はあまりよく似ていない)

♣《フォーマル》な語で, look like, look alike (1849) などが日常語。

1673  **encounter** [enkáuntər] 動 (危険・困難などに)直面する 名 遭遇

- **encounter** difficulties(困難に直面する)

1674 **endure** [end(j)úər] 動 (~に)〔長い間〕耐えぬく, 持ちこたえる

▶ endurance 名 耐久(性・力), 忍耐

- If we can **endure** the next 30 days, our prospects will greatly improve.
  (この 30 日間を持ちこたえられれば, わが社の見通しはかなり良くなるだろう)

➲prospect *(2118)*

1675 **fasten** [fǽsn] | 動 (～を)締める, (～を…に)固定する(to)

▶ fast 形 固く締まった
- **Fasten** your seat belts, please.(シートベルトをお締めください)
- **fasten** a shelf to the wall(棚を壁に固定する)

1676 **scratch** [skrǽtʃ] | 動 (～を)かく・ひっかく 名 ひっかき傷

- **scratch** one's head(頭をかく, 頭を悩ませる)
- **scratch** the surface(表面をひっかく, 上っ面をなでる)

名詞 ⑧

1677 **chemistry** [kémistri] | 名 化学

▶ chemical (646)
- organic **chemistry**(有機化学) ➡ organic (1297)

1678 **physics** [fíziks] | 名 物理学

- a professor of **physics**(物理学の教授)

1679 **biology** [baɪɑ́:lədʒi] | 名 生物学

▶ biotechnology (2278)
- molecular **biology**(分子生物学) ▸ molecular「分子の」

♣ bio- は「生物の, 生命の」などを意味する接頭辞。

1680 **gene** [dʒí:n] | 名 遺伝子

▶ genetic 形 遺伝の
- **gene** recombination(遺伝子組換え)

1681 **cell** [sél] | 名 細胞, 携帯電話(= cell phone), 電池

- brain **cells**(脳細胞)
- Call me on my **cell** (phone).(携帯に電話して)

1682 **ecology** [ikɑ́lədʒi] | 名 生態(学), 自然環境

▶ ecological 形 生態学の, 環境の
- animal **ecology**(動物生態学)
- **ecology** movement(自然環境保護[エコロジー]運動)

♣ eco- は「環境の, 生態の」などを意味する接頭辞。

1683  **geography** [dʒiágrəfi] | 名 地理(学), 地形

• I studied **geography** in college.(私は大学で地理学を学んだ)

♣ geo- は「地球の, 地理の」などを意味する接頭辞。

1684  **mathematics** [mæ̀θəmǽtɪks] | 名 数学(《略》math)

• elementary **mathematics**(初等数学) ➲elementary (1048)

1685  **formula** [fɔ́ːrmjələ] | 名 公式・方式

▶ formulate 動 公式化する

• a scientific **formula**(科学上の公式)

• There is no sure **formula** for success.(成功への確実な方式はない)

1686 **scholar** [skɑ́lər] | 名 学者

▶ scholarship (1339)

• a brilliant **scholar**(優れた学者) ➲brilliant (1094)

1687  **guidance** [gáidns] | 名 指導・ガイダンス

▶ guide (291)

• I would like to thank you for your support and **guidance**.
(ご支援とご指導に感謝申し上げます)

1688  **copyright** [kɑ́piràit] | 名 著作権・コピーライト

• have[own] the **copyright** of[on] a book(本の著作権を持っている)

形容詞 ④

1689  **enjoyable** [endʒɔ́iəbl] | 形 楽しい, おもしろい

▶ enjoy (162)

• have a very **enjoyable** weekend(とても楽しい週末を過ごす)

1690  **extreme** [ikstríːm] | 形 極端な　名 極端

▶ extremely (819)

• an **extreme** case(極端な場合[事例])

• That's a little **extreme**.(それは少し極端です)

1691	**abundant** [əbʌ́ndənt]	形 豊富な（⇔ scarce *(2353)*）

▶ abundantly 副 豊富に　▶ abundance 名 大量（of）

• an **abundant** supply of oil（石油の豊富な供給（量））　➲ supply (393)

1692	**faithful** [féiθfəl]	形 誠実な, 忠実な

▶ faith 名 信頼, 信仰

• He has always been **faithful** to me.（彼はずっと私に対して誠実です）

♣「誠実」に焦点がある。

1693	**loyal** [lɔ́iəl]	形 忠実な, 誠実な

▶ loyally 副 忠実に, 誠実に　▶ loyalty 名 忠実さ, 誠実さ

• **loyal** customers（得意客）

♣「忠実」に焦点がある。

1694	**partial** [pɑ́:rʃl]	形 部分的な（⇔ total (892)）, 不公平な（⇔ impartial「公平な」）

▶ partially 副 部分的に　▶ part (56)

• a **partial** solution to the problem（問題の部分的解決）　➲ solution (274)

• She isn't **partial** to anyone.
（彼女は誰にも不公平ではない[えこひいきしない]）

1695	**moderate** [mɑ́dərət]	形 中程度の・適度な

• a **moderate** price（手ごろな値段）

• **moderate** exercise（適度の運動）

1696	**scenic** [sí:nik]	形 景色のよい

▶ scenery (1008)

• one of the three **scenic** spots of Japan（日本三景の１つ）

1697	**nutritious** [n(j)u:tríʃəs]	形 栄養のある

▶ nutrition 名 栄養（摂取）　▶ nutrient (1591)

• You should eat more **nutritious** food.
（もっと栄養のある食事をとりなさい）

1698  **unexpected** [ʌ̀nikspéktid] | 形 予期せぬ, 思いがけない

▶ unexpectedly 副 予想外に　▶ expect (117)　┌➲ experiment (1194)
- the **unexpected** results of the experiment（実験の思いがけない結果）

1699  **technological** [tèknəlɑ́dʒikəl] | 形 科学［工業］技術の, 技術的な

▶ technology (128)
- **technological** advances（技術的進歩）　➲ advance (408)

1700  **artistic** [ɑːrtístɪk] | 形 芸術の・美術の, 芸術的な

▶ art 名 美術,《the ~ s で》芸術
- **artistic** works（芸術作品）
- **artistic** expression（芸術的表現）　➲ expression *(256)*

名詞 ⑨

1701  **motorcycle** [móutərsàɪkəl] | 名 オートバイ

- ride (on) a **motorcycle**（オートバイに乗る）　➲ ride (353)

1702  **van** [vǽn] | 名（有蓋の）小型トラック,（大型の）乗用バン

- a baker's **van**（パン屋の配達車）
- Two men are loading the **van**.（2 人の男がバンに荷物を積んでいる）　➲ load (559)

1703 **tank** [tǽŋk] | 名（貯蔵用）タンク, 水槽

- a fuel **tank**（燃料タンク）　➲ fuel (1704)
- get a full **tank** of gas（ガソリンを満タンにする）
- a fish **tank**（魚の水槽）

1704 **fuel** [fjúːəl] | 名 燃料

- fossil **fuels**（化石燃料）《石炭・石油・天然ガスなど》　▶ fossil「化石」

1705  **fountain** [fáuntn] | 名 噴水,（噴水式の）水飲み場（= water fountain）, 泉（= spring）

- the **fountain** in the park（公園にある噴水）
- drink from water **fountain** in the square（広場の噴水式水飲み場で水を飲む）

250 500 750 1000 1250 1500 1750 2000 2250 2500

1706 **rack** [rǽk] 名 棚, ラック, …掛け

- a display **rack**(陳列棚)
- a magazine **rack**(マガジンラック)
- a bike **rack**((車用)自転車掛け)

1707 **microphone** [máɪkrəfòun] 名 マイクロホン, マイク

- speak into a **microphone**(マイクに向かって話す)

1708 **spreadsheet** [sprédʃìːt] 名 スプレッドシート《計算の表》, 表計算ソフト

- See the attached **spreadsheet** for details.
  (詳細は付属のスプレッドシートを参照してください)　➲ attached *(1482)*

1709 **bond** [bánd] 名 債券, きずな, 接着(剤)　動 (~を)接着する

- a government **bond**(国債)　➲ government (505)
- the **bonds** of family[friendship](家族[友情]のきずな)
- **bond** the plastic sheets together
  (プラスチック・シートを貼り合わせる[接着する])

1710 **oxygen** [áksidʒən] 名 酸素

▸ hydrogen (2467)

- **oxygen** levels in the blood(血液中の酸素濃度)

♣ 水素は **hydrogen** (2467), 窒素は **nitrogen**, 炭素は **carbon** (2301)。

1711 **crop** [kráp] 名 農作物, 収穫高

- The weather is just right for the **crops**.(この天候は作物に最高だ)
- have a large **crop** of rice(米が豊作である)

1712 **bunch** [bʌ́n(t)ʃ] 名 束・ふさ, (人・動物の)群れ

- a **bunch** of flowers(1束の花)
- a **bunch** of students(学生の一群)

動詞 ⑤

1713 **jog** [dʒág] | 動 ジョギングする

▸ jogging 名 ジョギング
• I **jog** five miles a day.(1日に5マイルのジョギングをしている)

1714 **calculate** [kǽlkjəlèit] | 動 (~を)計算する, (~を)見積もる

▸ calculation 名 計算・見積もり
• **calculate** shipping charges(送料を計算する)
• **calculate** the cost(費用を計算する[見積もる])

1715 **commit** [kəmít] | 動《be ~ted で》(~に)〔献身的に〕取り組んでいる(to, to doing)

▸ commission (1927) ▸ commitment (749)
• He is fully **committed** to the project.(彼はこのプロジェクトに全力を注いでいる)

1716 **furnish** [fə́:rniʃ] | 動 (家具などを)備えつける, (~を)供給する・提供する

▸ furnished 形 (家・部屋が)家具付きの
• a room **furnished** with a desk and a chair(備えつけの机と椅子がある部屋)
• I will be glad to **furnish** you with the necessary information.
(喜んで必要な情報を提供しましょう)

1717 **grab** [grǽb] | 動 (~を)ぐいとつかむ, (~を)ちょっと食べる

• A man **grabbed** her and forced her into his car.
(男は彼女をつかむと無理やり車に乗せた) ➲ force (720)
• Let's **grab** a bite to eat before we go. ▸ grab a bite で「軽い食事をとる」
(出かける前に軽い食事をとろう) ➲ bite (1143)

1718 **accomplish** [əkámpliʃ] | 動 (~を)成し遂げる

▸ accomplishment 名 完成, 業績 ▸ accomplished 形 熟達した・堪能な, 既成の
• I'm sure that you can **accomplish** this task.
(あなたがこの仕事を成し遂げるものと確信します)

1719 **emerge** [imə́:rdʒ] | 動 (~から)現れる(from), (事実などが)明るみに出る

• **emerge** from the darkness(暗闇から現れる)
• Eventually the truth **emerged**.(ついに真実が明るみに出た) ➲ eventually (1860)

1720	**strip** [stríp]	動（衣服を）〔さっと〕**脱ぐ**（off），（〜を…から）**はぐ**（off）

- **strip** off one's coat（上着を脱ぐ）
- **strip** wallpaper off the wall（壁から壁紙をはぎ取る）

1721	**convey** [kənvéi]	動（情報・思想などを）**伝える**，（人・物を）**運ぶ**

▶ conveyor 名 コンベア

- **convey** information（情報を伝達する）

♣「（〜を）運ぶ」は《フォーマル》で，carry や deliver (424) が日常語。

1722	**restrict** [ristríkt]	動（〜を…に）**制限する**（to）

▶ restriction 名 制限　▶ restricted 形 制限された

- **restrict** access to the database
  （データベースへのアクセスを制限する）
- Speed is **restricted** to 40 kilometers an hour on this road.
  （この道路では制限速度は時速 40 キロです）

1723	**resist** [rizíst]	動《主に否定文で》（〜を）**がまんする**，（〜に）**抵抗する・反対する**

▶ resistance 名 抵抗（力）　▶ resistant (2456)

- I can't **resist** chocolate milk shakes.
  （チョコレートミルクセーキをがまんできない［に目がない］）
- **resist** the takeover attempt
  （買収の試みに抵抗する）　➲ takeover (2061), attempt (667)

1724	**dedicate** [dédikèit]	動（〜を…に）**ささげる**（to），《be 〜d で》（〜に）**打ち込んでいる・専念している**（to）

▶ dedicated 形《名 の前で》献身的な，専用の　▶ dedication 名 献身

- He's **dedicated** his life to helping others.
  （彼は人生を他人を助けることに捧げている）
- The team is **dedicated** to providing exceptional customer service.
  （チームは卓越したカスタマーサービスを提供することに専念している）
- a **dedicated** volunteer（献身的なボランティア）
- a **dedicated** parking lot（専用の駐車場）

♣ be dedicated の dedicated は形容詞扱い（分詞形容詞）。限定用法の形容詞の例文も出しておく。

名詞 ⑩

1725  **satellite** [sǽtəlàit] | 名 (人工) 衛星, (天体の) 衛星

- a communications **satellite** (通信衛星) ➲communication (535)

1726  **cabin** [kǽbin] | 名 小屋, 船室・(飛行機の) 機室

- a log **cabin** (丸太小屋)
- a first-class **cabin** (1等船室)

1727  **deck** [dék] | 名 (船の) デッキ・甲板, (木製の) テラス

- Let's go up on **deck**. (甲板に上がりましょう)

1728  **wing** [wíŋ] | 名 (鳥・飛行機などの) 羽・翼, (建物の) 翼・棟

- a butterfly's **wings** (チョウの羽)
- a library **wing** on the west side of the building (建物の西側にある図書館棟)

1729 **horizon** [həráizn] | 名 水平線 [地平線], (考え・知識などの) 範囲・視野

▶ horizontal 形 水平の (⇔ vertical「垂直の, 縦の」)

- the sun on[over] the **horizon** (水平線 [地平線] の太陽)
- broaden[expand] one's **horizons** (視野を広げる) ➲broaden *(1341)*, expand (430)

1730 **border** [bɔ́ːrdər] | 名 国境, 境界(線)　動 隣接する

- cross the **border** (国境を越える)
- Switzerland is **bordered** on the west by France.
  (スイスの西側はフランスに隣接している)

1731 **curve** [kə́ːrv] | 名 曲線, カーブ　動 曲がる・(～を) 曲げる

- The blue **curve** is our market share.
  (青の曲線がわが社のマーケットシェアです) ➲share (119)
- The road **curves** sharply to the right. (道は急角度で右へ曲がっている)

♣ curve は滑らかな弧を描くイメージ。 ➲bend (712)

1732 **depth** [dépθ] | 名 深さ

▶ deep 形 深い

- This lake has an average **depth** of only four meters.
  (この湖は平均の深さがわずか 4 メートルです) ➲average (591)

1733	**gap** [gǽp]	名 **隔たり, 隙間**

• the wage **gap** between men and women (男女間の賃金格差)

1734	**angle** [ǽŋgl]	名 **角度, 角,** (物を見る) **角度・観点**

• at an **angle** of 60° (60度の角度で)
• look at the problem from a different **angle** (別の角度[観点]からその問題を見る)

1735	**extent** [ikstént]	名 **程度・範囲**

▶ extend (431)
• to some[a considerable] **extent** (ある程度[かなりの程度]まで)

1736	**interval** [íntərvl]	名 (時間・空間の) **間隔**

• I saw him after a long **interval**. (久しぶりに彼に会った)
• at regular **intervals** (一定の間隔で, 定期的に) ➲ regular (211)

形容詞 ⑤

1737	**classical** [klǽsɪkəl]	形 (芸術・科学などが) **古典主義の,** (音楽・楽器などが) **古典的な・クラシックの**

▶ classic (648)
• **classical** ballet (クラシックバレエ)
• **classical** music (クラシック音楽)

1738	**timely** [táɪmli]	形 **ちょうどよい時の・タイムリーな**

• **timely** information (タイムリーな情報)
• in a **timely** manner (タイムリーに[タイミングよく])

1739	**fond** [fá:nd]	形 《be fond of で》**～が大好きである,** 《名 の前で》**楽しい, 優しい**

• be **fond** of classical music (クラシック音楽が好きである)
• have **fond** memories of one's childhood (子どもの頃の楽しい思い出がある) ▶ childhood「子ども時代」

1740	**seasonal** [sí:zənl]	形 **季節の, 季節的な**

• **seasonal** produce (季節の農作物) ➲ produce (326)

• **seasonal** sales variations（季節的な売上の変動） ➲variation *(1322)*

1741  **hourly** [áuərli]
形 1時間ごとの, 毎時間の
副 1時間ごとに, 毎時間

▸ weekly *(893)* ▸ monthly (893) ▸ annually *(888)*

• **hourly** fees（時間単位の料金）

• an **hourly** worker[employee]（時間給労働者）

1742  **dynamic** [daɪnǽmɪk]
形 活動的・活発な

• a passionate and **dynamic** person
（情熱的で活動的な人） ➲passionate *(1780)*

• a **dynamic** economy（活発な経済）

1743 **unlimited** [ʌnlímɪtɪd]
形 無制限の, 無限の

▸ limited *(495)*

• **unlimited** free amusement rides
（アトラクション乗り物が無制限無料） ➲amusement (756)

• an **unlimited** amount of time（無限の時間）

1744 **extraordinary** [ikstrɔ́ːrdənèri]
形 並外れた・驚くべき, (会議などが) 臨時の

▸ extraordinarily 副 並はずれて

• a man of **extraordinary** talent（並外れた才能の持ち主） ➲talent (363)

• an **extraordinary** meeting（臨時会議）

1745 **fashionable** [fǽʃənəbl]
形 流行の, 高級な

▸ fashion (244)

• **fashionable** clothes[hairstyles]（流行の服[ヘアスタイル]）

• a **fashionable** restaurant（高級レストラン）

1746  **conservative** [kənsə́ːrvətiv]
形（見積もり・服装などが）控えめな, 保守的な
（⇔ progressive *(1259)*）

▸ conserve (2378)

• **Conservative** estimates are 300 million yen.
（控えめに見積もって3億円です） ➲estimate (867)

• a **conservative** party（保守政党）

1747 **ambitious** [æmbíʃəs] | 形 (計画などが)**野心的な, 大望をいだいた**

▶ ambition 名 野心, 大望

- an **ambitious** project (野心的な[大がかりな]事業)
- an **ambitious** person (野心家)

1748 **capable** [kéipəbl] | 形 (〜が)**できる**(of), **有能な**

▶ capability 名 能力　▶ capacity (1214)

- This computer is **capable** of understanding human languages.
  (このコンピュータは人間の言葉を理解することができる) ➲human (88)
- He is a **capable** clerk. (彼は有能な事務員です) ➲clerk (583)

♣ 潜在的な能力や性能についていう。

名詞 ⑪

1749 **instance** [ínstəns] | 名 **例・場合**, 《for instance で》**例えば**

- In this **instance**, I'm afraid we are unable to meet your needs.
  (この場合ですと, ご要望には沿いかねると思われます)
- The ZX model, for **instance**, is becoming one of our most popular bicycles.
  (例えば ZX 型はわが社でかなり人気の高い自転車になりつつあります)

♣ for instance は for example (320) よりもくだけた言い方。

1750 **concept** [kánsept] | 名 **概念・考え**

▶ conception 名 考え　▶ conceive 動 (考えなどを)思いつく

- a new **concept** in structural design (構造設計の新しい概念) ➲structure (561)

1751 **insight** [ínsàit] | 名 **洞察(力)**

- The article gives us an **insight** into Buddhism.
  (その記事は仏教への深い洞察を与えてくれる)

1752 **vision** [víʒən] | 名 **視力, 未来像**

▶ visual (1645)　▶ twenty-twenty vision「正常視力」

- I have twenty-twenty **vision**. (私の視力は正常です)
- What our company needs is a clear **vision**.
  (わが社に必要なのは, 明確な未来図だ)

1753  **principle** [prínsəpl] 名 主義・信条, (制度・思想などの)原理

- It's against my **principles**.(それは私の主義に反する)
- the **principle** of democracy(民主主義の原理)

1754  **investigation** [invèstəgéiʃən] 名 調査, 検査

▸ investigate 動 (~を)調査する　▸ investigator 名 捜査官, 調査員
- Here are the results of our **investigation**.
(これが我々の調査の結果です)　➲ result (171)

1755  **allowance** [əláuəns] 名 手当(金), 許容(量)

- a family[transportation] **allowance**
(家族[交通]手当)　➲ transportation (484)
- The baggage **allowance** is 30kg per person.
(手荷物の許容量は1人当たり30kgです)　➲ baggage (1463)

1756  **excess** [iksés] 名 超過, 余分　形 超過の, 余分の

▸ excessive 形 過度の　▸ exceed (970)
- an **excess** of imports over exports(輸出額に対する輸入額の超過)
- **excess** baggage(超過手荷物)

1757  **proportion** [prəpɔ́:rʃən] 名 割合・比率, 釣り合い

▸ proportional 形 釣り合った, 比例した
- The **proportion** of people who own their own homes is slowly increasing.
(マイホームを持つ人の割合は徐々に増えている)
- in[out of] **proportion**(釣り合いが取れている[取れていない])

1758  **routine** [ru:tí:n] 名 (日常の)決まった仕事　形 日常の

- one's daily **routine**(毎日の決まった仕事, 日課)
- **routine** work(日常業務)

1759  **mission** [míʃən] 名 任務, 使節団

- He completed[accomplished] the **mission**.
(彼は使命を果たした)　➲ accomplish (1718)
- a trade **mission**(貿易使節団)

250 500 750 1000 1250 1500 1750 2000 2250 2500

1760  **breakthrough** [bréikθrùː] 　名 (科学・技術などの) **大発見・大躍進**

- make a scientific **breakthrough** (科学上の一大発見をする)

動詞 ⑥

1761  **summarize** [sʌ́mərὰiz] 　動 (〜を) **要約する**

▶ summary (555)

- **summarize** the main points (重要な点を要約する)

1762  **minimize** [mínəmὰiz] 　動 (〜を) **最小にする** (⇔ maximize (2111))

▶ minimum (1207)

- **minimize** costs (コストを最小限にする[減らす])

1763 **scan** [skǽn] 　動 (〜を) **ざっと見る[読む]**, (〜を) **スキャンする**

- **scan** a report (報告書をざっと見る)
- **scan** pictures into the computer (写真を(スキャナで)コンピュータに取り込む)

1764 **stun** [stʌ́n] 　動 (〜を) **ぼう然とさせる**, (〜を) **気絶させる**

▶ stunning 形 息をのむほど美しい

- The tragedy **stunned** the whole nation. (その悲劇は全国民に衝撃を与えた)

1765 **simplify** [símpləfὰi] 　動 (〜を) **単純にする・簡略にする** (⇔ complicate (1455))

▶ simplified 形 簡略化された 　▶ simple (594)

- **simplify** the system so that everyone can understand
  (誰でも理解できるようにシステムを簡略化する)

1766 **rearrange** [rìəréindʒ] 　動 (〜の) **配置を変える**, (会議などの) **日程を変更する**

- **rearrange** the seats into a circle (椅子を円形に並べ替える)
- **rearrange** the appointment (予約を変更する)

1767  **command** [kəmǽnd] 　動 (〜を) **命じる**, (〜を) **意のままにする, 見渡す**
名 **命令**

- **command** silence (沈黙を命じる) 　➲ silence (797)

• **command** three languages(3カ国語を操る)
• **command** a nice view of the sea(海のすばらしい景色を見渡す)

1768 **declare** [dikléər]	動 (～を)宣言する・明言する, (～を)申告する

▸ declaration 名 宣言
• **declare** victory(勝利を宣言する)
• (Do you have) anything to **declare**?(何か申告するものはありますか)《税関で》

1769 **boast** [bóust]	動 (～を)自慢する(about, of), (～を)誇りとする 名 誇りとする物

• He's always **boasting** about his accomplishments.
(彼はいつも業績を自慢している) ➲ accomplishment *(1718)*
• The town **boasts** the open-air sculpture museum.
(その町は屋外彫刻美術館を誇りにしている) ➲ sculpture (1609)

1770 **flash** [flǽʃ]	動 ピカッと光る, (考えなどが)ひらめく 名 フラッシュ, 閃光・ひらめき

• The turn signal is **flashing** on the car.
(その車はウインカーを出している) ➲ signal (1806)
• An idea **flashed** into my mind.(ある考えがひらめいた)
• May I use a **flash**?(フラッシュをたいてもいいですか)

1771 **fade** [féid]	動 (色・音・記憶などが徐々に)消える・薄れる

• The ambulance siren **faded** away.(救急車のサイレンが徐々に遠くなっていった)

1772 **dive** [dáiv]	動 (水に)飛び込む, 急降下する　名 急落, 急降下

〔dive - dived[dove] - dived〕
• She **dove** into the pool.(彼女はプールに飛び込んだ)
• The stock market took a **dive** last month.(株式市場は先月急落した)

名 詞 ⑫

1773 **object** [ábdʒikt]	名 物体, (計画・活動などの)目的 動 [əbdʒékt](～に)反対する(to, against)

▸ objection 名 反対, 異議　▸ objective (1778)
• an unidentified flying **object**(未確認飛行物体)《UFO》 ▸ unidentified「未確認の」
• What's the **object** of the exercise?(この運動[活動]の目的は何ですか)
• I have to **object** to your plan.(君の企画には反対せざるを得ない)

1774 **mass** [mǽs] | 名《a ~ of で》大量の…, (物の)かたまり 形 大量の

▶ massive 形 大量の, 巨大な
- a **mass** of information(多くの情報)
- a **mass** transit system(大量輸送システム) ➲transit (1399)

1775 **element** [éləmənt] | 名 (構成)要素

▶ elementary (1048)
- an important[key] **element**(重要な要素)

1776 **layer** [léɪər] | 名 層, 重なり

- The ground was covered with a thick **layer** of snow.
(地面は厚い雪の層で覆われていた)
- Visitors are advised to dress in **layers**.
(観光客は重ね着をすることを強くお勧めいたします) ▸dress in layers「重ね着をする」

1777 **desire** [dizáiər] | 名 願望・欲望 動 (~を強く)望む

▶ desirable (2077)
- have a **desire** to get on in life(出世するという願望を持つ)
- **desire** peace(平和を望む)

1778 **objective** [əbdʒéktiv] | 名 目標・目的 形 客観的な(⇔ subjective「主観的な」)

▶ object (1773)
- achieve our primary **objective**(初期の目的を達する)
- an **objective** opinion(客観的な意見)

1779 **charm** [tʃɑ́ːrm] | 名 魅力 動 (~を)魅了する

▶ charming 形 魅力的な・すてきな
- the **charms** of rural life(田園生活の魅力) ➲rural (2083)
- **charm** the audience(聴衆をうっとりさせる) ➲audience (346)

1780 **passion** [pǽʃən] | 名 (~への)情熱・熱中(for)

▶ passionate 形 情熱的な, 熱烈な
- I have a **passion** for whatever I am doing.
(何であれ, いまやっていることに情熱を持つ)

1781 **luxury** [lʌ́gʒəri] 名 豪華(なもの)・ぜいたく(品) 形 豪華な(= luxurious)

- enjoy the **luxury** of an overseas vacation
  (休暇を海外で過ごすというぜいたくを味わう)
- a **luxury** hotel(豪華なホテル)

1782 **shame** [ʃéim] 名 残念なこと, 恥

▶ shameful 形 恥じるべき
- It's a **shame** the tickets are sold out.
  (チケットが売切れなんて残念だ)
- He has no **shame**.(彼は恥知らずだ)

1783 **gratitude** [grǽtət(j)ù:d] 名 感謝(の気持ち)

- I would like to express my deepest **gratitude** to all of you.
  (すべての皆さまに心から感謝申し上げます)

1784 **compliment** [kámpləmənt] 名 賛辞 動 [kámpləmènt](～を)ほめる

▶ complimentary (1199)
- Thank you for the **compliment**.(ほめてくださってありがとう)
- **compliment** a staff member(スタッフ(の1人)をほめる)

♣ 文法用語の complement「補語」と混同しないように注意。

形容詞 ⑥

1785 **liquid** [líkwid] 形 液体の, 流動性の(⇔ solid (1551)) 名 液体

- **liquid** hydrogen(液体水素)
- **liquid** assets(流動資産) ➲ asset (1997)

1786 **steep** [stí:p] 形 (坂などが)険しい, 急な

- a **steep** path(険しい道)
- a **steep** rise in prices(価格の急騰)

1787 **overwhelming** [òuvə(rh)wélmiŋ] 形 圧倒的な

▶ overwhelm 動《be ~ ed で》(感情に)圧倒される, (相手を)圧倒する
- an **overwhelming** majority(圧倒的多数) ➲ majority (1557)

1788 **cautious** [kɔ́:ʃəs] 形 慎重な,《be ～で》慎重である

▶ cautiously 副 慎重に　▶ caution (1568)

- a **cautious** approach(慎重なアプローチ[取り組み])
- He is **cautious** about making any commitment at this time.
  (彼はいま, 言質を与えることに慎重だ)　➲commitment (749)

1789 **passive** [pǽsiv] 形 受け身の・消極的な (⇔ active (1494))

- take a **passive** attitude(消極的な態度を取る)

1790 **incredible** [inkrédəbl] 形 信じられない, 途方もない

▶ incredibly 副 驚くべきことに

- An **incredible** thing has happened.(信じられないことが起きた)

1791 **delicate** [délikət] 形 繊細な, (問題などが)微妙な, 精密な

▶ delicacy 名 繊細さ

- **delicate** skin(きめの細かい肌)
- a **delicate** issue[matter](デリケートな問題)
- a **delicate** instrument(精密な器具)　➲instrument (604)

1792 **remarkable** [rimɑ́:rkəbl] 形 注目すべき・目覚ましい

▶ remark (1638)　▶ remarkably 副 驚くほど, 著しく

- He has done a **remarkable** job managing this office.
  (彼はこの事務所運営に当たって目覚ましい仕事ぶりを発揮している)　➲manage (309)

1793 **noticeable** [nóutəsəbl] 形 (違い・変化などが)目立つ・顕著な

▶ noticeably 副 目立って, 著しく　▶ notice (67)

- a **noticeable** improvement(顕著な[目覚ましい]進歩)

1794 **magnificent** [mægnífəsnt] 形 壮大な・雄大な, すばらしい

▶ magnificence 名 壮大

- a **magnificent** view over the bay(湾の向こうに広がる壮大な景色)
- a **magnificent** performance(すばらしい演奏)

♣「すばらしい」の意味では wonderful の強意語。

1795 **terrific** [tərífik] 形 すばらしい・すごい

- a **terrific** performance（すばらしい演奏）

♣「すばらしい」の意味では wonderful の強意語。

1796 **stable** [stéibl] 形（物・経済などが）安定した,（容態が）安定した

▸ stabilize 動（～を）安定させる　▸ stability 名 安定（性）

- keep a laptop computer **stable** on the desk
（ノートパソコンを机の上に安定させる） ➲laptop (981)
- He is in **stable** condition.（彼は安定した状態である）

名詞 ⑬

1797 **crisis** [kráisis] 名 危機・重大局面

▸ critical (1347)

- an energy **crisis**（エネルギー危機）

1798 **disaster** [dizǽstər] 名 災害, 惨事

▸ disastrous 形 悲惨な, 破滅的な

- natural **disasters**（自然災害）
- an air **disaster**（航空惨事）

1799 **threat** [θrét] 名（～を）脅かすもの・脅威（to),（～の）恐れ（of）

▸ threaten 動（～を）脅迫する,（～の）恐れがある

- The issue will pose a serious **threat** to national security.
（その問題は国家の安全保障に対して重大な脅威をもたらすだろう） ➲pose (2106)
- an increased **threat** of terrorism（増大するテロの恐れ）

1800 **hardship** [hɑ́ːrdʃip] 名 苦難

- endure **hardship**（苦難に堪える） ➲endure (1674)
- face **hardship**（苦難に直面する[立ち向かう]） ➲face (355)

1801 **burden** [bə́ːrdn] 名 負担・重荷　動（負担・重荷を）負わせる

- the tax **burden**（税負担）
- He is **burdened** with many debts.
（彼は大きな負債を負っている） ➲debt (1536)

1802 **battle** [bǽtl] | 名 **闘い, 戦い** 動 **闘う, 戦う** (= fight)

- a **battle** for freedom (自由のための闘い) ➲freedom (846)
- **battle** a recession (不況と闘う) ➲recession (2053)
- **battle** against the disease (病と闘う)

1803 **shelter** [ʃéltər] | 名 **避難(所)** 動 (～から)**避難する** (from)

- a basement **shelter** (地下避難所) ➲basement (1843)
- **shelter** from a storm (嵐から避難する)

1804 **obstacle** [ɑ́bstəkəl] | 名 **障害(物)**

- an **obstacle** to progress (進歩を妨げるもの)

1805 **trigger** [trígər] | 名 **引き金・誘因** 動 (～を)**引き起こす・誘発する**

- pull the **trigger** (引き金を引く)
- the **trigger** for the violence. (暴力行為への引き金)
- **trigger** a reaction (反応を誘発する)

1806 **signal** [sígnl] | 名 **信号, 合図** 動 (～に・～を)**合図する**

▶ sign (68)

- He ignored the traffic **signals**.
  (彼は交通信号を無視した) ➲ignore (1620)
- He **signaled** (for) me to come in. (彼は私に入るよう合図した)

1807 **diagram** [dáiəgræ̀m] | 名 **図(表)**

- See the **diagram** on p. 4. (4 ページの図をご覧ください)

1808 **headline** [hédlàin] | 名 (新聞・雑誌などの)**見出し, 表題**

- Have you seen today's **headlines**? (今日の見出しを見たかい?)

動詞 ⑦

1809  **consume** [kəns(j)úːm] | 動 (～を)**消費する** (⇔ produce (326))

▶ consumption 名 消費 ▶ **consumer** (886)

- **consume** one's energy (精力を使い果たす)

1810  **absorb** [əbzɔ́:rb] | 動 (～を)**吸収する**, 《be ～ed で》(～に)**夢中になる** (in)

- **absorb** knowledge like a dry sponge (乾いたスポンジのように知識を吸収する)
- He is completely **absorbed** in the novel. (彼はその小説に熱中している)

♣ be absorbed の absorbed は形容詞扱い(分詞形容詞)。

1811  **engage** [ɪngéidʒ] | 動 (興味・関心を)**引く**, 《be ～d で》(～に)**従事している** (in), (～と)**婚約している** (to)

▸ engagement 名 約束, 婚約

- **engage** customers' interest (顧客の関心を引きつける)
- We are **engaged** in the export of gourmet foods.
  (私たちは美食家向けの食品輸出の仕事をしています) ➲gourmet (2401)

♣ be engaged の engaged は形容詞扱い(分詞形容詞)。

1812  **capture** [kǽp(t)ʃər] | 動 (注意・関心などを)**とらえる**, 〔カメラ・ビデオなどに〕(～を)**とらえる**

- It **captured** everyone's attention. (それはみなの注意を引きつけた)
- Every action was **captured** on videotape. (すべての行動はビデオに記録された)

1813  **scatter** [skǽtər] | 動 (～を)**まき散らす**, 《be ～ed》(～が)**散らばっている**

- The wind **scattered** the leaves. (風が木の葉をまき散らした)
- Toys were **scattered** around the room. (おもちゃが部屋に散らばっていた)

♣ be scattered の scattered は形容詞扱い(分詞形容詞)。

1814 **heal** [hí:l] | 動 (傷などが)**治る**・(人・傷などを)**治す**

- It will take two weeks for his arm to **heal**.
  (彼の腕が治るには 2 週間かかるだろう)

1815  **adapt** [ədǽpt] | 動 (～を…に)**適応[適合]させる** (to, for), (新しい環境に)**順応する** (to)

▸ adaptation 名 適応

- **adapt** the products to the changing market
  (変化する市場に製品を適合させる)
- **adapt** to the Japanese way of life (日本の生活習慣に順応する)

1816  **dissolve** [dizálv] | 動 **溶ける**・(～を)**溶かす**, (組織・議会などを)**解散する**

- Sugar **dissolves** in water. (砂糖は水に溶ける)
- **dissolve** the Lower House (衆議院を解散する)

1817 **overcome** [òuvərkʌ́m]	動 (~を)克服する・(~に)打ち勝つ

〔overcome - overcame - overcome〕

- **overcome** the difficulty（困難に打ち勝つ）

1818 **trace** [tréis]	動〔ルート・軌跡などをたどって〕(人・物を)見つけ出す, (~を)たどる 名 跡

- **trace** the lost baggage（紛失した手荷物を(たどって)見つけ出す）
- It was gone without a **trace**.（それは跡形もなく消えた）

1819 **collapse** [kəlǽps]	動 崩れる, 卒倒する 名 崩壊

- All the houses **collapsed** in the earthquake.
（地震ですべての家が倒壊した）
- She fainted and **collapsed**.（彼女は気を失って倒れた） ➲ faint (2006)
- price **collapse**（価格破壊, 値崩れ）

1820 **differ** [dífər]	動 (~と)異なる(from), (~と)意見が違う

▸ difference (657)

- Customs **differ** from one country to another.
（習慣は国によって異なる）

形容詞 ⑦

1821 **widespread** [wáidspréd]	形 広く行き渡った・普及した

- the **widespread** use of computers（コンピュータ利用の普及）

1822 **fluent** [flú:ənt]	形 流ちょうな, 流れるような

▸ fluently 副 流ちょうに, 滑らかに

- He is **fluent** in English. [= He speaks **fluent** English.]
（彼の英語は流ちょうだ）

1823 **aggressive** [əgrésiv]	形 積極的な, 攻撃的な

▸ aggression 名 攻撃(性)

- an **aggressive** salesperson（積極的な販売員）
- **aggressive** behavior（攻撃的な行動）

1824 **gorgeous** [gɔ́ːrdʒəs]

形 豪華な, すてきな

- This room looks **gorgeous**.(この部屋は豪華ですね)
- She's really **gorgeous**.(彼女は本当に魅力的だ)

1825 **precious** [préʃəs]

形 貴重な, 高価な

- **precious** memories(大事な思い出) ➲memory (1037)
- **precious** jewelry(高価な宝石類)

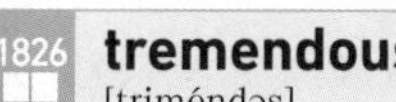

1826 **tremendous** [triméndəs]

形 ものすごい, すばらしい

- need a **tremendous** amount of money and time
(莫大な費用と時間がかかる)

♣「ものすごい」の意味では enormous (790) よりも強意。「すばらしい」の意味では wonderful の強意語。

1827 **desperate** [déspərət]

形 必死の, 絶望的な

▸ desperately 副 必死に, 絶望的に ▸ despair 名 絶望 動 (~に)絶望する

- make a **desperate** effort(必死の努力をする)

1828 **distinguished** [distíŋgwiʃt]

形 (仕事・業績などが)優れた, (人が)有名な・著名な

▸ distinguish 動 (~を…と)区別する(from)

- a long and **distinguished** career
(長年にわたる優れた[輝かしい]経歴)
- a **distinguished** conductor(著名な指揮者)

♣「有名な・著名な」の意味では famous が日常語。

1829 **memorable** [mémərəbl]

形 記憶に残る・忘れられない

▸ memory (1037)

- a **memorable** experience(忘れられない経験)

1830 **marine** [məríːn]

形 海洋の

- **marine** products(海産物)
- **marine** insurance(海上保険)

1831 
continuous [kəntínjuəs]　形 絶え間ない・連続した

▶ continuously 副 絶え間なく, 連続して　▶ continue (264)
- **continuous** economic growth（連続した経済成長）

1832 
continual [kəntínjuəl]　形 頻繁な, 絶え間のない

▶ continually 副 頻繁に　▶ continue (264)
- There were **continual** interruptions all day.（一日中絶え間なく邪魔が入った）　➲ interruption *(1571)*

♣ continual は好ましくないことが「繰り返し起こる」意味。 ➲ continuous (1831)

名詞 ⑭

1833 
recreation [rèkriéiʃən]　名 レクリエーション, 娯楽

▶ recreational 形 レクリエーションの（ための）
- What do you do for **recreation**?（レクリエーションには何をしますか）
- a **recreation** room（娯楽室）

1834 
vacancy [véikənsi]　名 空き部屋, （職・地位などの）空席・欠員

▶ vacant 形 （部屋が）空いている, （職・地位が）空席の
- No **vacancy**.（満室）《掲示》
- There are three **vacancies** on the staff.（スタッフに 3 名の欠員があります）

1835
landlord [lǽn(d)lɔ̀ːrd]　名 家主・大家（⇔ tenant (1338)）

▶ landlady 名 （女性の）家主・大家
- The **landlord** has put the rent up again.（大家はまた家賃を上げた）

1836
salon [səlάːn]　名 （服飾・美容などの）店

- a hair[beauty] **salon**（美容院）

1837
dishwasher [díʃwὰːʃər]　名 食器洗い機

▶ dish (529)
- put the dishes in the **dishwasher**（（汚れた）食器を食器洗い機に入れる）

1838 **plug** [plʌ́g] | 名 (排水口の)栓, プラグ　動 (プラグを)差し込む(in)

- Put the **plug** in and fill the bath.(栓をしてお風呂にお湯を入れなさい)
- **plug** a radio in(ラジオのプラグを差し込む[ラジオをつける])

1839 **filter** [fíltər] | 名 ろ過装置, フィルター　動 (～を)ろ過する, (情報・メールなどを)フィルターにかけて取り除く(out)

- an air **filter**(空気ろ過器)
- **filter** drinking water(飲み水をろ過する)
- **filter** (out) unwanted emails(不要な E メールをフィルタリングする)

1840 **grill** [gríl] | 名 焼き網, (焼き肉専門の)レストラン　動 焼き網で焼く(= barbecue「バーベキューコンロで焼く」)

▶ grilled 形 グリルで焼いた
- cook chicken on the **grill**(チキンを焼き網で焼く)
- **Grill** the steak for about five minutes.
(ステーキを約 5 分間, 網焼きにします)

♣ gill は《米》では直火の上に置く「焼き網」の意味。 調理器具の「グリル」の意味は《英》で,《米》では broiler という。

1841 **mess** [més] | 名 乱雑(な状態), へま　動 (～を)台無しにする

▶ messy 形 散らかった, 汚い
- The house is a total **mess**.(その家はまったく散らかっている)
- I'm afraid I'm going to make a **mess** of it.
(へまをやるんじゃないかと心配なんだ)

1842 **trash** [trǽʃ] | 名 ごみ

- a pile of **trash**(ごみの山)　➲ pile (627)
- a **trash** can(ごみ箱)

♣ 部屋で出る紙くずなど(乾燥したもの)。 台所の生ごみは garbage (729)。

1843 **basement** [béismənt] | 名 地階, 地下室

- a **basement** car park(地下駐車場)

1844 **mineral** [mínərəl] | 名 鉱物　形 鉱物を含んだ

- **mineral** resources(鉱物資源)　➲ resource (439)
- I'd like a glass of **mineral** water.(ミネラルウォーターを 1 杯ください)

形容詞 ⑧

1845 **sheer** [ʃíər] 形 まったくの, (サイズ・量などが)とてつもない

- **sheer** luck(まったくの幸運)
- The most impressive thing about Alaska is its **sheer** size.
  (アラスカについて最も印象的なことは, そのとてつもない大きさだ) ➲impressive (1493)

1846 **oral** [ɔ́:rəl] 形 口頭の・口述の(⇔ written「書かれた, 文書の」), 口腔(こうくう)の

- **oral** communication skills(オーラルコミュニケーション能力)
- **oral** health care(口腔ケア[衛生])

♣ 同音の aural「聴覚の, 耳の」に注意。

1847 **meaningful** [mí:niŋfəl] 形 意味を成す・理解できる, 有意義な (⇔ meaningless)

▸ mean (66)
- The data is **meaningful** only to scientists.
  (そのデータは科学者にとってのみ意味がある)
- a **meaningful** relationship(有意義な関係)

1848 **trustworthy** [trʌ́stwə̀:rði] 形 信頼できる, 頼りになる

▸ trust (669)
- a **trustworthy** source of information(信頼できる情報源)

1849 **alike** [əláɪk] 形《be ~で》(外見・考えなどが)よく似ている 副 同じように

- Their opinions are much **alike**.(彼らの意見はよく似ている)
- You and I think **alike**.(あなたと私は同じように考えている[考えが同じだ])

1850 **tasty** [téɪsti] 形 風味がある, おいしい

▸ taste (1443)
- These sausages are very **tasty**.
  (このソーセージはすごく風味がある[おいしい])
- a **tasty** treat for kids(子どもたちにとってのおいしいごちそう) ➲treat (1173)

♣ tasty は「特定の風味・あじわいがある」。delicious (377) は味・香りなどすべてを含めて「おいしい」。

1851  **ripe** [ráip] 形 (果実が)熟した, (~の)機が熟した(for)

- The melon was perfectly **ripe**.(そのメロンは完熟していた)
- The time is **ripe** for change.(いまこそ変革の時だ)

1852  **tropical** [trá:pɪkəl] 形 熱帯(地方)の, (気候が)熱帯性の

- **tropical** fish(熱帯魚)
- **tropical** plants(熱帯植物)
- a **tropical** climate(熱帯性気候) ➲climate (1471)

1853  **self-service** [sèlfsə́:rvəs] 形 セルフサービスの 名 セルフサービス

- a **self-service** restaurant(セルフサービスのレストラン)
- **self-service** gas station(セルフ(サービスの)ガソリンスタンド)

1854  **horrible** [hɔ́:rəbl] 形 ひどい・ひどく不快な, 恐ろしい・ぞっとする

▶ horror 名 恐怖, (映画・小説などの)ホラーもの

- The weather was **horrible** yesterday.
(きのうはひどい[悪い]天気だった)
- a **horrible** smell(ひどく不快なにおい)
- a **horrible** accident(ぞっとするような事故)

♣ terrible (1130), awful (1131) よりも強い感情を伴う。

1855  **improper** [imprápər] 形 不正な, 不適切な(⇔ proper (737))

- **improper** conduct(不正行為)
- It would be **improper** to discuss the case at this point.
(その事例について現時点で話し合うのは適切でないだろう)

1856  **old-fashioned** [óuldfǽʃənd] 形 時代遅れの, 旧式の, 昔ながらの

- **old-fashioned** clothes(流行遅れの服)
- **old-fashioned** ideas(旧式な[昔ながらの]考え)
- good **old-fashioned** home cooking
(昔ながらの[昔懐かしい]家庭料理)

♣ 肯定的な意味合いでも使う。 ➲outdated (2449)

副詞 ①

1857 **overnight** [òuvərnáit] | 副 一晩(中)　形 [óuvərnàit] 夜通しの・一晩の

- Do I have to stay **overnight**?(1 泊する必要がありますか)
- an **overnight** delivery service(翌日配達便)

1858 **lately** [léitli] | 副 近ごろ, 最近

- Have you seen any movies **lately**?
  (近ごろ何か映画を見たかい?)

♣ lately は現在完了形で使い, 過去時制の文では使わない。 ➲ recently (282)

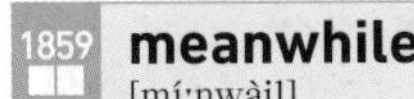

1859 **meanwhile** [mí:nwàil] | 副 その間(に), それまで(の間) (= in the meantime)

- She took the dogs out. **Meanwhile**, I fed the cats.
  (彼女は犬たちを外に連れ出した。その間に私は猫たちにエサをやった)

1860 **eventually** [ivén(t)ʃuəli] | 副 最終的には

▸ eventual 形 最終的な
- She will **eventually** appreciate your point of view.
  (彼女は最終的には君の考えを正しく評価するだろう) ➲ appreciate (255)

1861 **obviously** [ábviəsli] | 副 明らかに

▸ obvious 形 明らかな
- **Obviously**, you are right.(明らかにあなたが正しい)

1862 **aboard** [əbɔ́:rd] | 副 (乗り物に)乗って

- Welcome **aboard**!(ご乗車[搭乗]ありがとうございます)

♣ aboard は on board と同意。board (145) 参照。

1863 **accidentally** [æksədéntəli] | 副 誤って, 偶然に

▸ accidental 形 偶然の　▸ accident (774)
- I have **accidentally** deleted the file.
  (誤ってファイルを消してしまった) ➲ delete (1578)

♣ by accident とほぼ同義になる。

1864 **consequently** [kάnsəkwèntli] | 副 その結果

▶ consequent 形 結果として起こる　▶ consequence (1063)

- **Consequently**, we are forced to raise our prices.
（その結果，わが社の（製品の）価格を上げざるを得ません）

1865 **altogether** [ɔ̀ːltəgéðər] | 副 まったく，全部で

- That's another matter **altogether**.（それはまったく別問題である）
- You owe me $100 **altogether**.（君に貸しているのは全部で 100 ドルだ）

1866 **furthermore** [fə́ːrðərmɔ̀ːr] | 副 その上，さらに

- Cycling to work is quicker than driving. **Furthermore**, it's a lot cheaper.
（自転車通勤は自動車通勤より速い。その上，ずっと安い）

1867 **surprisingly** [sərpráiziŋli] | 副 驚くほど，意外に（も）

▶ surprising 形 驚くべき

- The test was **surprisingly** easy.（テストは驚くほど簡単だった）

1868 **hopefully** [hóupfəli] | 副 願わくば，できれば

▶ hopeful 形 希望に満ちた，見込みのある・有望な

- **Hopefully**, I'll finish my work today.
（できれば今日中に仕事を終えたい）

名詞 ⑮・形容詞 ⑨

1869 **spirit** [spírət] | 名 精神，《~s で》気分，蒸留酒

▶ spiritual 形 精神的な（⇔ material (102)）

- independent **spirit**（独立精神）　➲ independent (1600)
- Try to keep your **spirits** up.（元気を出せ，がんばれ）

1870 **emotion** [imóuʃən] | 名 感情

▶ emotional 形 感情的な・感動的な　▶ emotionally 副 感情的に

- I'm afraid to let my **emotions** show.
（私は自分の感情を表に出したくない）

1871 **sympathy** [símpəθi] — 名 同情, 共感

▶ sympathize 動 同情する (with), 共鳴する (with)

- Please accept my **sympathies**.(お悔み申し上げます)
- I have great **sympathy** for his ideas.(彼の考えに大賛成だ)

1872 **substitute** [sʌ́bstət(j)ùːt] — 名 (〜の)代用品・代理人 (for) 動 (〜を…の)代わりに使う (for)

▶ substitution 名 代用, 置換

- a sugar **substitute**(砂糖の代用品)
- **substitute** honey for sugar[= **substitute** sugar with honey] (砂糖の代わりにはちみつを使う)

1873 **score** [skɔ́ːr] — 名 得点, 点数 動 (得点・点数を)取る

- What's the **score**?(得点は何対何ですか)
- Her SAT math **score** was 750 points. (彼女の SAT での数学の点数は 750 ポイントだった)
- He **scored** 80% on the English exam.(彼は英語の試験で 80%を取った)

1874 **garment** [gɑ́ːrmənt] — 名 衣服

- a bridal **garment**(花嫁の衣装)

♣ clothes *(498)* が日常語。garment は主に衣料品メーカーが商品に対して使う。

1875 **stripe** [stráɪp] — 名 縞, ストライプ

- red and black **stripes**(赤と黒のストライプ)
- a shirt with vertical[horizontal] **stripes** (縦[横]じまのシャツ)

➲ horizontal *(1729)*

1876 **mild** [máild] — 形 穏かな, (程度の)軽い

- a **mild** climate(穏かな気候)
- I have a **mild** cold[fever]. (軽い風邪を引いている[発熱がある])

➲ fever (1082)

1877 **pure** [pjúər] — 形 純粋な, まったくの (= complete (43))

▶ purely 副 純粋に

- **pure** gold[silver](純金[銀])
- I found it by **pure** accident.(まったくの偶然でそれを見つけた)

1878 
bound [báund] 形《be ~ to do で》**きっと~する・~する義務がある, ~行きの**(for)

- The coming days are **bound** to be difficult for you.
 (あなたはこれからきっと大変でしょう)
- He was **bound** by the contract to make payments on the 25th of each month.(彼は契約によって毎月25日に支払いをする義務があった) ➲contract (415)
- a plane **bound** for Narita(成田行きの飛行機)

♣ bound は bind の過去分詞が形容詞になったもの(分詞形容詞)。bound には「(ボールなどが)バウンドする」の意味もあるが, bounce「跳ね返る・バウンドする」がふつう。

1879 
nuclear [n(j)ú:kliər] 形 **原子力の, 核の**

- a **nuclear** power plant[station](原子力発電所)
- **nuclear** fission[fusion](核分裂[融合]) ▸fission「核分裂」, fusion「核融合」

1880 
mental [méntl] 形 **精神の・心の**(⇔ physical (647))

▸ mentality 名 知性, 精神
- Walking is good for both physical and **mental** health.
 (歩くことは心身両方の健康に良いことである)

動詞 ⑧

1881 
bump [bʌ́mp] 動 **ぶつかる・(~を)ぶつける**(against, into) 名 **衝突, こぶ**

- He **bumped** into me.(彼は私にぶつかった)
- **bump** one's head against the wall(壁に頭をぶつける)
- He got a **bump** on his side head.(彼は側頭部にたんこぶを作った)

1882 
disable [diséibl] 動 (機械を)**動かなくする,**《be ~d で》**身体に障がいを負う**

▸ disabled 形 身体障がいのある
- **disable** the security system(セキュリティシステムを停止する)
- He was permanently **disabled** in the war.
 (彼は戦争で身体に一生の障がいを負った) ➲permanently (1595)

1883 
deprive [dipráiv] 動 (~から…を)**奪う**(of)

- Her illness **deprived** her of the chance to go to college.
 (彼女は病気のために大学に行けなかった)

250 500 750 1000 1250 1500 1750 2000 2250 2500

1884 **react** [ri(:)ǽkt] | 動 (〜に)反応する(to), (〜に)作用する(on)

▶ reaction 名 反応

- She **reacted** angrily to his words.
  (彼女は彼の言葉に立腹した様子を見せた)

1885 **transform** [trænsfɔ́:rm] | 動 (〜を…に)変える(to, into)

▶ transformation 名 変化, 変容

- Computers have **transformed** our lives.
  (コンピュータは我々の生活を一変させた)
- **transform** simple ingredients into a fine meal
  (シンプルな食材を上質な料理に変える)

1886 **compose** [kəmpóuz] | 動《be 〜d で》(〜で)構成される(of), (文章や曲を)作る

▶ composer 名 作曲家　▶ composition 名 構成, 作曲[作文]

- Japan is **composed** of four major islands.
  (日本は 4 つの主要な島で構成されている)

1887 **constitute** [kɑ́nstət(j)ù:t] | 動 (〜に)あたる・等しい, (〜を)構成する

- The company's action **constitutes** a crime.
  (その会社の行為は犯罪にあたる)
- Ten members **constitute** a quorum.
  (10 名が定足数である)　➡ quorum「定足数」

1888 **attain** [ətéin] | 動 (目的などを)達成する, (〜に)到達する

▶ attainment 名 達成

- **attain** one's aim[goal](目的を達する)
- **attain** the age of ninety(90 歳に達する)

1889 **proclaim** [proukléim] | 動 (〜を)宣言する, 公布する

▶ proclamation 名 宣言

- **proclaim** peace(平和を宣言する)

1890 **uncover** [ʌnkʌ́vər] | 動 (隠されているものを)発見する, (〜の)覆いを取る (⇔ cover (181))

- **uncover** new evidence(新しい証拠を発見する)　➡ evidence (1106)

1891 **march** [mɑ́ːrtʃ] 動 行進する, 堂々と歩く 名 行進, 行進曲

- They're **marching** on the street.
  (彼らは通りを行進している)

1892 **safeguard** [séifgɑ̀ːrd] 動 (~を…から)保護する(against) 名 予防(手段)

▶ guard (632)
- **safeguard** the environment(自然環境を保全する)
- a **safeguard** against accidents(事故の予防策)

前置詞①

1893 **despite** [dispáit] 前 ~にもかかわらず

- Sales this year were about the same as the last year, **despite** our continued efforts.
  (私たちの不断の努力にもかかわらず今年の売上は昨年とほとんど同じだった)

1894 **via** [váiə] 前 ~経由で(= by way of)

- fly to Paris **via** London(ロンドン経由でパリへ飛ぶ)

1895 **alongside** [əlɔ́ːŋsàid] 前 ~に沿って, ~と一緒に 副 そばに, 並んで

- Umbrellas have been placed **alongside** the pool.
  (パラソルがプールに沿って設置されている)
- work **alongside** a mentor(メンターと一緒に働く) ➲ mentor (1241)

1896 **beneath** [bɪníːθ] 前 ~の(すぐ)下に[の]

- The ground began to shake **beneath** my feet.
  (足元の地面が揺れ始めた)

♣ under の堅い語。

トラック 4-29

名詞 ①

1897 **enterprise** [éntərpràiz] 名 事業, 企業

- a major **enterprise**（主要[大]企業）

1898 **employer** [emplɔ́iər] 名 雇い主（⇔ employee (385)）

▶ employ (864)

- **employer**-employee relations（雇用者対従業員の関係） ➲relation (1186)

1899 **workforce** [wə́ːrkfɔ̀ːrs] 名 従業員(数), 労働力［労働人口］

- We have a **workforce** of 500 employees.
  （当社は 500 人の従業員を抱えている）
- a skilled **workforce**（熟練労働力）

1900 **payroll** [péiròul] 名 給与支払い簿［業務］,《on the ～で》雇われて

- **payroll** department（給与支払い部［課］）
- We have 127 employees on the **payroll**.
  （わが社で雇用している従業員は 127 名です）

1901 **paycheck** [péitʃèk] 名 給与支払い小切手, 給料

- a monthly **paycheck**（月給支払い小切手）
- The bonus will be added to your next **paycheck**.
  （ボーナスは次回の給与に加算されます）

1902 **portfolio** [pɔːrtfóuliòu] 名 書類かばん［ケース］,（選考用に提出する）〔写真・絵などの〕作品集, 有価証券（一覧表）

- carry a black leather **portfolio**（黒革の書類かばんを持ち歩く）
- submit a work **portfolio** and a résumé（作品集と履歴書を提出する）
- an investment **portfolio**（投資目録）

1903 **attendant** [əténdənt] 名 接客係, 案内係

▶ attend (398)

- a shop **attendant**（店員）
- a flight **attendant**（客室乗務員）

1904  **conductor** [kəndʌ́ktər]　名 案内人, 車掌, 指揮者

▸ conduct (445)
- a tour **conductor**（ツアーコンダクター，添乗員）
- a train **conductor**（列車の車掌）

1905  **tailor** [téilər]　名（紳士服の）仕立屋　動（～を）必要性［目的］に合わせて用意する

- a **tailor** shop（洋服店）
- The music class is **tailored** to children.
（その音楽クラスは子ども向けに作られている）

♣ 婦人服の「仕立て屋」は dressmaker という。

1906  **attorney** [ətə́ːrni]　名 弁護士

- a defense **attorney**（被告の弁護士）

1907  **carrier** [kǽriər]　名 配達人・運輸［運送・輸送］会社

- a mail **carrier**（郵便配達員）
- a discount **carrier**（割引航空会社）

1908  **courier** [kúriər]　名 宅配便

- send the documents by **courier**
（書類を宅配便で送る）

動詞 ①

1909  **polish** [pálɪʃ]　動（～を）磨く,（文章などに）磨きをかける　名 磨き剤［粉］

- **polish** a floor with wax（ワックスで床を磨く）
- His presentation needs more **polishing**.
（彼の提案はもっと練り上げなければならない）
- shoe[furniture] **polish**（靴墨［家具磨き剤］）

1910 **wipe** [wáip]　動（～を）拭く・ぬぐう,（～を）拭き取る（off, away）

- The man is **wiping** a windowpane.
（男性が窓ガラスを拭いている）　▸ windowpane「窓ガラス」
- **wipe** one's tears away（涙を拭く）

1911 **sweep** [swíːp] 動（～を）掃く

〔sweep - swept - swept〕

- The man is **sweeping** the floor.
（男性が床を掃いている）

1912 **crack** [krǽk] 動（～を）割る［割れる］ 名 割れ目・ひび

- The wine glass was **cracked**.
（そのワイングラスは割れていた）
- **Cracks** appeared at the bottom of the tank.
（タンクの底に割れ目ができた） ➲appear (526)

1913  **neglect** [niglékt] 動（～を）無視する・ほうっておく，（仕事・義務などを）怠る 名 無視，怠慢

- **neglect** his advice（彼の助言を無視する）
- The customer had **neglected** to pay the shipping fee.
（その顧客は配送料の支払いを怠っていた）

1914  **evaluate** [ivǽljuèit] 動（～を）評価する

▸ evaluation 名 評価

- **evaluate** antique furniture（アンティーク家具を評価する）

1915 **entitle** [entáitl] 動（～に…の［…する］）資格［権利］を与える

- Membership **entitles** you to use the swimming pool.
（会員になるとプールを利用できます）
- JetMate members are **entitled** to special rates.
（ジェットメイトの会員には特別（割引）料金が適用されます）

♣ be entitled の entitled は形容詞（分詞形容詞）と考えてもよい。

1916  **designate** [dézignèit] 動（～を…に）指名［指定］する

▸ designation 名 指名・指定

- The building was **designated** as a temporary hospital.
（そのビルは仮設病院に指定された）
- Smoking is allowed only in **designated** areas.
（喫煙は指定された場所でのみ許される）
- a **designated** hitter（指名打者《略》DH）

♣ designated は形容詞（分詞形容詞）と考えてもよい。

1917 **resign** [rizáin] 動 (役職・地位などを)**辞職する・辞任する** (from)

▶ resignation 名 辞職[辞任], 辞表

- He has **resigned** from our company.
（彼はわが社を退職しました）
- I have decided to **resign** my position as head of ABC bank.
（私は ABC 銀行頭取の職を辞すことを決めました）

♣ resign は自分の意志で辞める。retire (358) は定年などで辞める。

1918 **devote** [divóut] 動 (時間・労力などを…に)**当てる・注ぐ・ささげる** (to)

▶ devoted 形 献身的な　▶ devotion 名 献身

- **devote** summer vacation to report writing
（夏休みをレポート作成に当てる）

♣ dedicate (1724) と類義。dedicate の方が《フォーマル》で「献身する・ささげる」の意味合いが強い。

1919  **cooperate** [kouápəreit] 動 (～と・～を)**協力する** (with, in, for, to do)

▶ cooperation 名 協力　▶ cooperative 形 協力的な

- **cooperate** with them to resolve this matter
（この件を解決するために彼らと協力する）　➲ resolve (1231)

1920  **persist** [pərsíst] 動 (～に)**固執する・～し続ける** (in, in doing), (好ましくない状態が)**続く・持続する**

▶ persistence 名 固執　▶ persistent (2114)

- **persist** in one's views (自説に固執する)
- He **persisted** in asking her to marry him.
（彼は彼女に自分と結婚してくれと言い続けた）
- If the problem **persists**, contact the product manufacturer.
（問題が解決しない場合は、製品メーカーに連絡してください）

名詞 ②

1921  **auction** [ɔ́:kʃən] 名 **競売・オークション**

- sell[buy] goods at an **auction**
（競売で品物を売る[買う]）

1922  **specification** [spèsəfikéiʃən] 名《～s で》**仕様(書)・明細(書)**

▶ specify 動 (～を)指定する・明記する　▶ specific (546)

250 500 750 1000 1250 1500 1750 2000 2250 2500

- technical **specifications**
（技術仕様書）

➲technical (937)

1923 **placement** [pléismənt]　名 職業紹介, 配置

- (job) **placement** agency（職業紹介会社）
- the **placement** of fire extinguishers（消火器の配置）

▸ fire extinguisher「消火器」

1924  **directory** [dəréktəri]　名 名簿・住所録, (建物などの)案内板

- a telephone **directory**（電話帳）
- put one's name on the building **directory**
（ビルの案内板に名前を載せる）

1925  **input** [ínpùt]　名 (提供される)意見・アドバイス, 入力　動 (~を)入力する

〔input - input - input〕
- We welcome your **input**.（皆さんのご意見をお待ちしています）
- keyboard[voice] **input**（キーボード[音声]入力）
- **input** data into a computer（コンピュータにデータを入力する）

1926 **output** [áutpùt]　名 生産高, 出力　動 (~を)生産する, (~を)出力する

〔output - output - output〕
- increase the **output** to 50,000 per month
（生産高を月5万台に上げる）
- **output** to a printer（プリンターに出力する）

1927  **commission** [kəmíʃən]　名 手数料, (音楽家・デザイナーなどへの)制作依頼　動 (制作・調査などを)依頼する

- a ten percent **commission** on net prices（正価の10%の手数料）
- **commission** an artist to design the company logo
（会社ロゴのデザインをアーティストに依頼する）

1928  **consent** [kənsént]　名 同意・承諾　動 (~に)同意する・(~を)承諾する (to)

- give **consent**（同意[承諾]する）
- sign a **consent** form（同意書にサインする）
- **consent** to their proposal（彼らの提案を承諾する）

1929  **seal** [síːl]
名 封印, 印章
動 (容器・入り口などを)密封する, (~に)封をする

- Please put the **seal** here.(ここに封印を押してください)
- The box was firmly **sealed** with tape.
(箱はテープでしっかりと密封されていた)
- **seal** the envelope(封筒に封をする)

1930 **tag** [tǽg]
名 (付け)札, 付箋　動 (~に)札を付ける

- attach the price **tags**(値札を付ける)
- The items were **tagged** for the sale.
(商品にはセール用の値札が付けられていた)

1931 **span** [spǽn]
名 期間, 長さ　動 (期間・距離に)及ぶ・わたる

- in a **span** of twenty years(20 年の間に)
- The studies **spanned** 30 years.(研究は 30 年の長きにわたった)

1932 **duration** [d(j)uəréiʃən]
名 継続期間・持続時間

- the **duration** of the project(プロジェクトの継続期間)
- Internet access charges for the **duration** of the flight
(フライト時間中のインターネット接続料)

形容詞 ①

1933  **spacious** [spéiʃəs]
形 広々とした

▶ space 名 空き, 空間, 宇宙
- a **spacious** room(広々とした部屋)

1934  **lightweight** [láitwèit]
形 (重さが)軽い・軽量の

- a **lightweight** camera(軽量のカメラ)
- It's **lightweight** and fits into any bag.
(それは軽量で, どんなバッグにも収まります)

1935 **costly** [kɔ́(:)s(t)li] 形 (予想以上に)費用のかかる, 損失[犠牲]の大きい

▶ cost (53)
- It was more **costly** than expected.
  (それは予想以上に高くついた)
- One mistake could be very **costly**.
  (1つの誤りが大きな損失になりかねない)

1936 **affordable** [əfɔ́:rdəbl] 形 (価格が)手ごろな

▶ afford (1532)
- an **affordable** price(手ごろな価格)
- **affordable** housing(手ごろな(価格の)住宅)

♣「入手できる範囲の」の意味。

1937 **serial** [síəriəl] 形 連続的な, 続き物の

▶ series (947)
- a **serial** number(通し番号)
- a **serial** drama(連続ドラマ)

1938 **comprehensive** [kɑ̀mprihénsiv] 形 包括的な・総合的な

▶ comprehension (1392)
- a **comprehensive** plan(総合的計画)

1939 **adjacent** [ədʒéisnt] 形 (~の)隣の・隣接した(to)

- The stadium is **adjacent** to the station.
  (球場は駅に隣接している)
- **adjacent** parking lots(隣接した[近隣の]駐車場)

♣ 文脈によって「近くの・近隣の」の意味にもなる。

1940 **overdue** [òuvərd(j)ú:] 形 (支払い・返却などの)期限が過ぎた, (到着が)遅れて

▶ due (92)
- The bill is two months **overdue**.
  (その請求書は支払い期限を2カ月過ぎている)
- The equipment we ordered is two days **overdue**.
  (注文した機器(の到着)が2日遅れている)

1941 **applicable** [æplikəbl] | 形 (~に)適用できる, 該当する

▸ apply (159)
- Please note that discount rates **applicable** to computers vary by type.
  (コンピュータに適用される割引率はタイプによって異なりますのでご注意ください)
- If **applicable**, ...(もし該当する場合は…)

1942 **alternate** [ɔ́:ltərnət] | 形 代わりの・代替の, 1つおきの, 交互の

- Motorists are advised to seek **alternate** routes.
  (車を運転される方は代替ルートを探してください) ▸ motorist「車を運転する人」
- on **alternate** days (1日おきに, 隔日に)

♣「代わりの」は alternative (1256) と同義。

1943 **rear** [ríər] | 形 後の・後部の 名 後ろ, 背後 (⇔ front (201))

- a **rear** door[seat] (後部ドア[座席])
- The car is parked in the **rear** of the garage.
  (その車はガレージの後方に止めてある)

1944 **defective** [diféktiv] | 形 欠陥[欠点]のある

▸ defect 名 欠陥・欠点
- a **defective** product (欠陥商品)

名詞 ③

1945 **blueprint** [blú:prìnt] | 名 設計図, (行動)計画・青写真

- a construction **blueprint** (建築設計図)
- a **blueprint** for change (変革への青写真)

1946 **sketch** [skétʃ] | 名 素描・スケッチ, 概略(図) 動 (~の)略図を描く[概略を述べる] (out)

- They are drawing **sketches**. (彼らはスケッチをしている)
- a rough **sketch** (簡単な図) ➲ rough (1549)
- **sketch** out the sales plan
  (販売計画の概略を述べる)

1947 **guideline** [gáidlàin] 名《~s で》指針

- **guidelines** for applicants（募集要項） ➲applicant (860)

1948 **perspective** [pərspéktiv] 名（総体的）見方・観点

- see things from a different **perspective**（異なった視点からものを見る）

1949 **innovation** [inəvéiʃən] 名 革新・刷新，斬新な考え

▶ innovate 動 刷新する ▶ innovative 形 革新的な
- technological **innovation**（技術革新） ➲technological (1699)

1950 **transition** [trænzíʃən] 名（別の形態・状態への）移行・転換（期）

▶ transit (1399) ▶ transitional 形 過渡期の
- **transition** to a new phase（新たな局面への移行）
- a society in **transition**（転換期にある社会）

1951 **publicity** [pʌblísəti] 名 世間の注目・評判，広報・宣伝

▶ public (46)
- receive **publicity**（世間の注目を集める[評判になる]）
- word-of-mouth **publicity**（口コミによる宣伝） ▶ word-of-mouth「口コミの」
- the **publicity** department（広報部）

♣ publicity は「宣伝（すること）」。その具体的なものが an advertisement (193)。

1952 **bulk** [bʌ́lk] 名《in bulk で》大量に 形（注文などが）大量の・大口の

▶ bulky 形 かさばる，ずう体の大きい
- buy in **bulk**（大量に買う）
- **bulk** orders（大量の[大口の]注文）

1953 **dimension** [diménʃən] 名 寸法・大きさ，次元

- product **dimensions**（製品サイズ）
- the **dimensions** of the room（部屋の寸法）
- a figure in three **dimensions**（3 次元[立体]の像）

1954  **component** [kəmpóunənt] 名 構成要素・部品

- assemble **components**（部品を組み立てる） ➲assemble (1275)
- internal **components**（内蔵部品）

1955 **portion** [pɔ́ːrʃən] 名 部分,（食物の）1 人前（of）

- A large **portion** of the money has been spent on advertising.
（その資金の大部分は広告費に費やされている）
- one **portion** of roast beef（1 人前のローストビーフ）

1956  **segment** [ségmənt] 名 部分・区分

- This quarter, revenue growth was achieved across all business **segments**.
（今期はすべての事業区分で増収を達成した）
- Genes are **segments** of DNA.
（遺伝子は DNA の部分である） ➲gene (1680)

動 詞 ②

1957  **fulfill** [fulfíl] 動（夢・目的などを）実現する,（義務・役割などを）果たす

▸ fulfillment 名 実現, 遂行
- **fulfill** one's dream（夢を実現する）
- **fulfill** a contract（契約を履行する） ➲contract (415)

1958  **await** [əwéit] 動〔人が〕（～を）待つ,〔物・事が〕（人を）待ち受ける

▸ long-awaited 形（長く）待ち望んでいた・待望の
- I will **await** your instructions.
（ご指示をお待ちいたします） ➲instruction (483)
- An even greater surprise **awaited** us.（さらにもっと大きな驚きが待ち受けていた）

♣ 熱望するものを待っている。

1959  **misunderstand** [mìsʌ̀ndərstǽnd] 動（～を）誤解する

〔misunderstand - misunderstood - misunderstood〕
▸ misunderstanding 名 誤解
- Their intentions may have been **misunderstood**.
（彼らの意図は誤解されたようだ） ➲intention *(479)*

1960 **bid** [bíd] | 動 (入札で値を)**つける**(for, on) 名 **入札**

〔bid - bid - bid〕 ▶ bidder 名 入札者, 競り手

- They **bid** the highest price for the house.
（彼らはその家に最高値をつけた）
- win the **bid** to build the river dam（河川ダム建設を落札する）

1961 **insert** [insə́ːrt] | 動 (～を…に)**挿入する**(in, into) 名 (新聞・雑誌などの)**折り込み広告**

- **insert** lenses into frames（レンズをフレームに挿入する）

1962 **digest** [daidʒést] | 動 (～を)**消化する** 名 [dáidʒest] **要約**

▶ digestion 名 消化・吸収 ▶ digestive 形 消化の

- I can't **digest** milk.（私は牛乳を消化できない）
- a weekly **digest** of the news（週１回のニュースダイジェスト）

1963 **convert** [kənvə́ːrt] | 動 (～を…に)**変える・替える[変わる]** (into, to)

▶ conversion 名 変換

- **convert** an attic into a bedroom
（屋根裏部屋を寝室に変える[改装する]） ▶ attic「屋根裏部屋」
- **convert** dollars into yen（ドルを円に替える）

1964 **compile** [kəmpáil] | 動〔資料・データなどから〕(辞書・レポートなどを)**編集する・編纂する**

- **compile** a dictionary（辞書を編集する）

1965 **illustrate** [íləstrèit] | 動 (～を)〔例・図表などで〕**説明する**, (本などに)**挿絵[図・写真]を入れる**

▶ illustration 名 実例, 挿絵 ▶ illustrated 形 イラスト[写真]の入った

- **illustrate** the theory with several examples
（いくつかの例を挙げて理論を説明する） ▶ theory「理論」
- **illustrate** children's books（児童書に挿絵を描く）

1966 **reorganize** [rìːɔ́ːrgənàiz] | 動 (～を)**再編成する**

▶ reorganization 名 再編成

- **reorganize** the production system
（製造システムを再編成する）

1967 

integrate [íntəgrèit]	動 (~を)**統合する**(with)

▸ integration 名 統合　▸ integrated 形 統合された

• A Bank will be **integrated** with B Bank as of January 2002.
（2002 年 1 月より A 銀行は B 銀行に統合されるだろう）

1968 

facilitate [fəsílətèit]	動〔物・事が〕(~を)**容易にする・円滑にする**

▸ facility (395)

• The new online system will **facilitate** the product delivery process.
（新しいオンラインシステムは製品配送プロセスを容易[円滑]にするでしょう）

名 詞 ④

1969 

faculty [fǽkəlti]	名 (大学の)**学部・教授陣, 才能・能力**

• a **faculty** meeting（教授会）
• a **faculty** for management（経営の能力）

♣ 特定の分野・技能の才能(先天的・後天的なものを含む)。 ➲ ability (362)

1970 

rival [ráivl]	名 **競争相手**　動 (~に)**匹敵する**

• a **rival** company（競争会社）
• No one could **rival** him.（誰も彼には及ばなかった）

1971 

profile [próufail]	名 (人・事の)**プロフィール**・(簡単な)**紹介** 動〔マスメディアなどが〕(人を)**紹介する**

• a brief **profile** of the author（著者の略歴）
• a company **profile**（会社の概要）
• **profile** a local movie theater
（地元の映画館を紹介する）

1972 

patron [péitrən]	名 (店などの)**ひいき・常連客**, (芸術家・事業などの)**後援者**

▸ patronage (2413)

• the **patrons** of the department store（デパートの顧客）
• a **patron** of the arts（芸術の後援者）

♣ 店の一般の「客」は customer (4)。

PART 4 LEVEL B1 LEVEL B2

1973 **acclaim** [əkléim] 
名 賞賛　動 (～を)賞賛する

- receive critical **acclaim**(批評家の賞賛を受ける) ➲critical (1347)
- Their products and services are widely **acclaimed**.
  (その会社の製品とサービスは幅広く賞賛されている)

1974 **incentive** [inséntiv] 
名 刺激・奨励(金)

- tax **incentives**(税制優遇措置)
- **incentives** for installing solar panels
  (ソーラーパネル設置に対する奨励金)

1975 **assessment** [əsésmənt] 
名 評価, 査定

▸ assess 動 評価する, 査定する　▸ self-assessment 名 自己評価[査定]
- an environmental **assessment**(環境影響評価[環境アセスメント])
- an **assessment** of damages(損害(額)の査定) ➲damage (1237)

1976 **recipient** [risípiənt] 
名 受取人, 受賞者

▸ receive (24)
- a scholarship **recipient**(奨学金の受給者[奨学生])
- a **recipient** of the Nobel Prize(ノーベル賞受賞者)

1977 **hospitality** [hὰspətǽləti]
名 親切なもてなし, (顧客の)接客

- Thank you very much for your **hospitality** this evening.
  (今晩のおもてなしをありがとうございました)
- the **hospitality** industry
  (接客業)《ホテルやレストランなど》

1978 **banquet** [bǽŋkwət] 
名 晩餐会, 宴会

- a wedding **banquet**(結婚披露宴)

1979 **specialty** [spéʃlti] 
名 (店などの)得意料理, 専門

- local **specialties**(郷土料理)
- a **specialty** store(専門店)

1980 **reminder** [rimáindər]

名 思い出させるもの・思い出の品，（思い出させるための）通知・注意，催促状

▶ remind (310)
- a **reminder** of happier days（幸福な日々の思い出の品）
- an appointment **reminder**（予約の通知）
- If payment has already been made, please disregard this **reminder**.
（もし支払いがお済みでしたら，この催促状は読み捨ててください）

➲disregard (2180)

動詞 ③

1981 **advocate** [ǽdvəkèit]

動（主義などを）主張［支持］する
名 [ǽdvəkət] 提唱者

- **advocate** free speech（言論の自由を唱道する）
- gun-control **advocates**（銃規制を唱える人々）

1982 **attribute** [ətríbjuːt]

動（～が…の）おかげであると考える（to）
名 [ǽtrəbjùːt] 特質・属性

▶ attributable 形（～に）帰すことができる（to）
- **attribute** the company's success to their hard work
（会社の成功は彼らの勤勉な労働の賜と思う）
- a unique **attribute**（特異な特性）

➲unique (1204)

1983 **comply** [kəmplái]

動（要求・規則などに）応じる・従う（with），（規則・基準などに）準拠する

▶ compliance (2412)
- I cannot **comply** with the terms of payment.
（その支払い条件には応じかねます）

➲term (930)

- **comply** with safety standards（安全基準に準拠する）

1984 **enhance** [enhǽns]

動（質・価値などを）高める

▶ enhancement 名 向上，改良・改善
- **enhance** the quality of life（生活の質を向上させる）

1985 **boost** [búːst]

動（数量・価格などを）押し上げる・増大させる
名 上昇

- **boost** the value of stocks（株の価値を高める）
- a price **boost**（物価上昇）

1986  **drain** [dréin] | 動 (液体が)**流れ出る**・(液体を)**排出する** 名 **排水口・排水管**

▶ drainage 名 排水設備

- My sink isn't **draining** properly.(シンクがきちんと排水されない)
- a blocked **drain**(詰まった排水管)

1987 **dispose** [dispóuz] | 動 (不要物などを)**処分する**(of)

▶ disposal 名 処分　▶ disposable 形 使い捨ての

- **dispose** of the property(財産を処分[整理]する)　➲ property (440)

1988  **leak** [líːk] | 動 (液体・容器などが)**漏れる**・(液体などを)**漏らす** 名 **漏れ**

▶ leakage 名 漏れること

- Gas is **leaking** out of the main valve.
  (ガスがメインバルブから漏れている)
- We have a water **leak**.(水漏れしている)

1989 **incur** [inkə́ːr] | 動 (損害・損失などを)**招く・負う**

- The loss was **incurred** by a delay in production.
  (製造の遅れが損失を招いた)

1990 **activate** [ǽktəvèit] | 動 (機械などを)**作動させる**, (～を)**促進する・活性化する**

▶ active (1494)

- This switch **activates** the alarm.
  (このスイッチで警報装置が作動する)

1991 **utilize** [júːtəlàiz] | 動 (～を)**利用する・活用する**

▶ utility (1993)

- The new computer system is not being fully **utilized** yet.
  (新しいコンピュータシステムはまだ十分に活用されていない)

1992  **discontinue** [dìskəntínjuː] | 動 (定期的な活動・製品などを)**中止する・中断する** (⇔ continue (264))

- Five bus routes will be **discontinued**.
  (5つのバス路線が廃止されるだろう)

名詞⑤

1993 **utility** [juːtíləti] | 名 公共施設《ガス・水道・電気など》

▶ utilize (1991)
- **utility** charges(公共料金，光熱費) ➲charge (420)
- a **utility** bill(公共料金(の請求書)) ➲bill (156)

1994 **residence** [rézidəns] | 名 (大きな)邸宅，居住

▶ residential (1248)
- the ambassador's official **residence**(大使の公邸)
- a **residence** tax(住民税)
- permanent **residence**(永住(権)) ➲permanent (1595)

1995 **microwave** [máikrəwèiv] | 名 電子レンジ(= a microwave oven)，マイクロ波 動 (～を)電子レンジで調理[加熱]する

- be heated in a **microwave** oven(電子レンジで温める)

1996 **circumstance** [sə́ːrkəmstæ̀ns] | 名《～s で》(周囲の)状況，環境

- It's the best we can do under the **circumstances**.
(この状況下では，それが私たちにできる最善のことです)

1997 **asset** [æset] | 名《通例～s で》財産・資産，《比喩的に》(会社の)宝・人材

- current[liquid] **assets**(流動資産) ➲liquid (1785)
- Alex has been a major **asset** to the company.
(アレックスは会社の重要な宝でした) ➲major (212)

1998 **compensation** [kɑ̀mpənséiʃən] | 名 賠償[補償](金)

▶ compensate 動 補償する
- pay 70 million yen in **compensation**(7000万円の補償金を支払う)

1999 **statistics** [stətístiks] | 名 統計(学)

▶ statistical 形 統計の ▶ statistically 副 統計的に
- population **statistics**(人口統計) ➲population (723)

2000 **telecommunication** [tèləkəmjù:nikéiʃən] | 名《~s で》**遠距離通信・電気通信**

▸ communication (535)

• a **telecommunications** satellite（通信衛星）

♣ tele- は「遠…」「遠距離…」などを意味する接頭辞。

2001 **panel** [pǽnl] | 名 **角板・パネル,**（討論・審査などを行う）**専門家（一団）**

• install a solar **panel**（ソーラーパネルを設置する） ➲install (422)

• a **panel** discussion（パネルディスカッション）

• the **panel** of judges at the film festival
（映画祭の審査員団）

2002 **congestion** [kəndʒéstʃən] | 名（場所・交通の）**混雑・渋滞**（= jam (662)）

▸ congested 形 混雑した, 渋滞した

• traffic **congestion**（交通渋滞）

• airport **congestion**（空港の混雑）

2003 **excursion** [ikskə́:rʒən] | 名（団体の）**小旅行・遠足**

• go on a half-day **excursion**（半日の小旅行に行く）

2004 **ridge** [rídʒ] | 名 **尾根, 畝**（うね）

• We could see climbers on the **ridge**.
（尾根に登山者たちがいるのが見えた）

形容詞 ② ・ 副詞 ①

2005 **typical** [típikəl] | 形 **典型的な, 普通の・通常の**

▸ typically 副 一般的には・通例, 典型的に ▸ type (76)

• Enjoy a **typical** Japanese meal.
（代表的な日本料理をお楽しみください）

• On a **typical** night, I play video games for about three hours.
（普通の夜は 3 時間ぐらいテレビゲームをやります）

♣「典型的」は見方を変えれば「普通」ということ。
➲regular (211), average (591), common (689), normal (690), ordinary (1547)

2006 **faint** [féint] 形 かすかな, ぼんやりした 動 失神する

- I don't have the **faintest** idea.(まるで見当がつかない)
- She **fainted** at the sight of her own blood.
  (彼女は自分の血を見て気を失った)

2007 **intense** [inténs] 形 激しい, 強烈な

▶ intensity 名 強烈さ ▶ intensify 動 激しくする[なる]
- The competition here is very **intense**.
  (ここでは競争がとても激しい)
- **intense** pain(激痛)

2008 **unemployed** [ʌ̀nimplɔ́id] 形 失業している, 《the ~で》失業者

▶ unemployment 名 失業
- the long-term **unemployed**(長期失業者)

2009 **totally** [tóutəli] 副 完全に, まったく

▶ total (892)
- I'm **totally** exhausted.(くたびれ果てた) ➲ exhaust (2040)

2010 **closely** [klóusli] 副 密接に・緊密に, 綿密に

▶ close (20)
- I look forward to working **closely** with you.
  (一緒に[緊密に]仕事ができることを楽しみにしています)
- We will **closely** study the proposal and get back to you soon.
  (ご提案を詳しく検討してすぐにご返事いたします)

2011 **newly** [n(j)ú:li] 副 最近・近ごろ, 新しく

- The store was **newly** opened.(その店は最近オープンした)
- **newly** developed products(新たに開発された製品)

2012 **occasionally** [əkéiʒənəli] 副 ときどき

▶ occasional 形 時折りの ▶ occasion (1562)
- **Occasionally**, these things happen.
  (時折こういうことが起こるものです)

2013 **barely** [béərli] 副 かろうじて・やっと, 〔否定〕ほとんど~ない

▶ **bare** 形 裸の・むき出しの, かろうじての

- He was **barely** able to walk.（彼は歩くのがやっとだった）
- I could **barely** understand what he was saying.
（彼が何を言っているのか，ほとんど理解できなかった）

♣「かろうじて」は，あることが否定［できない］に極めて近いということ。 ➲narrowly *(1100)*
「ほとんど～ない」は **hardly** (1152), **scarcely** (2353) よりも否定の意味が弱い。
「かろうじて」「ほとんど」どちらの意味にとるかは文脈による。

2014 **largely** [lɑ́ːrdʒli] | 副 大部分は，主に

- The delay was **largely** because of[due to] bad weather.
（遅れは主に悪天候によるものだった）

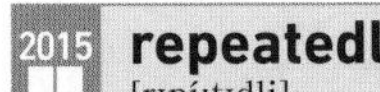

2015 **repeatedly** [rɪpíːtɪdli] | 副 繰り返し（て）

▶ **repeat** (808)　▶ **repeated** *(808)*

- play the video **repeatedly**
（ビデオを繰り返して再生する）

2016 **electronically** [ɪlèktrɑ́ːnɪkəli] | 副 電子的に，コンピュータ［インターネット］を用いて

▶ **electronic** (938)

- purchase a ticket **electronically**
（チケットをネットで購入する）

♣ 上の例文は **purchase a ticket online** の言い換え。 ➲online (41)

PART 5

2017-2522

Level B2　346 語

Level C　160 語

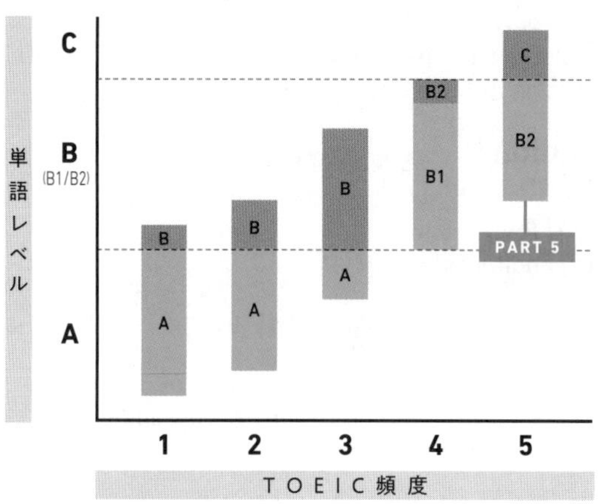

トラック 5-1

名詞 ①

2017 **entrepreneur** [ɑ̀:ntrəprənə́:r] 名 起業家, 事業家

• a student **entrepreneur**（学生起業家）

2018 **commerce** [kɑ́mərs] 名 商業, 通商

▶ commercial (895)

• electronic **commerce**（電子商取引, インターネットによる通信販売《略》EC）

• international **commerce**（国際貿易） └ electronic (938)

2019 **turnover** [tə́:rnòuvər] 名 売上[取引]高, (商品などの)回転率

• annual **turnover**（年間売上[取引]高）

2020 **margin** [mɑ́:rdʒin] 名 利ざや, (ページの)余白

▶ marginal 形 わずかな, 重要でない

• a high[low] profit **margin**（高い[低い]利幅）

2021 **patent** [pǽtnt] 名 特許(権) 動 (～の)特許を取る

• obtain a **patent** for the invention（発明の特許を取る） obtain (960)

• The hologram is a **patented** technology developed by 3DCD.
（ホログラムは 3DCD 社が開発した特許技術である）

2022 **expenditure** [ikspénditʃər] 名 支出, 経費

▶ expend 動 費やす

• cut **expenditures**（支出を切り詰める）

2023 **auditor** [ɔ́:dətər] 名 監査役・会計検査官

▶ audit (1357)

• The accounts were certified by an external **auditor**.
（会計簿は外部の監査役により監査された） external (2080)

2024 **résumé** [rézəmèɪ] 名 履歴書, 要約・レジュメ

• I have enclosed my **résumé** and cover letter.

(履歴書とカバーレターを同封いたしました)

♣ resume とつづることもあるので, resume (451) と混同しないように注意。

2025 **appraisal** [əpréizl]	名 評価・査定(= evaluation *(1914)*, assessment (1975))

▶ appraise 動 (~を)評価[査定]する ▶ appraiser 名 鑑定士
- an **appraisal** of an antique clock(アンティーク時計の査定) ➲antique (1460)

2026 **dividend** [dívidènd]	名 配当(金)

- pay a **dividend** of 5%(5%の利益配当をする)

2027 **franchise** [frǽn(t)ʃaiz]	名 フランチャイズ[チェーン]店, フランチャイズ[一手販売権]

- a fast-food **franchise**(ファストフードのチェーン店)

2028 **mode** [móud]	名 (生活・活動などの)様式・やり方, (機械などの)モード《動作の状態》

- a **mode** of life(生活様式)
- It can be set in the automatic **mode**.(それは自動運転モードにセットできます)

動 詞 ①

2029 **browse** [bráuz]	動 (本・雑誌などを)拾い読みする, (店などを)ぶらぶら見て歩く, (ウェブサイトなどを)閲覧する 名 ぶらぶら見て歩くこと, 拾い読み

▶ browser 名 (インターネット用の)ブラウザ, 閲覧ソフト
- **browse** (through) a catalog(カタログをざっと見る)
- **browse** (in) a bookstore(書店の中を見て回る[立ち読みする])
- **browse** the Web(ウェブ(のあちこちを)を見る)

2030 **publicize** [pʌ́bləsàɪz]	動 (情報・イベントなどを)公表する・宣伝する

▶ public (46) ▶ publicity (1951)
- **publicize** an upcoming event(間近に迫った行事を宣伝する) ➲upcoming (889)

2031 **cater** [kéitər]	動 (~に)仕出しをする, (要望などに)応える

▶ catering 名 ケータリング《仕出し業》 ▶ caterer 名 ケータリング業者
- **cater** weddings and parties(結婚披露宴やパーティーの仕出しをする)
- **cater** to the customers needs(顧客のニーズに応える)

2032 **commute** [kəmjúːt] 動 通勤する

▶ commuter 名 通勤[通学]者

- How do you **commute** to work?(何で通勤していますか)

2033 **dispatch** [dispǽtʃ] 動 (荷物などを)発送する, (人を)派遣する 名 発送, 派遣

- All orders will be **dispatched** within 24 hours.
  (ご注文はすべて 24 時間以内に発送いたします)
- **dispatch** engineers(エンジニアを派遣する)

2034 **sail** [séil] 動 出航[出港]する, 航海する 名 帆, 航海

- The ship **sails** for Seattle on April 11.(その船は 4 月 11 日にシアトルに向けて出港する)
- That ship's **sail** is torn.(その船の帆はちぎれている) ➲tear (805)
- We set **sail** for Honolulu tomorrow.(明日ホノルルに向けて出航します)

2035 **remodel** [rìːmɑ́dl] 動 (~を)改造する・改築する

- **remodel** the bathroom(浴室をリフォームする)

2036 **reform** [rifɔ́ːrm] 動 (~を)改革する・改善する 名 改革・改善

- **reform** the education system(教育制度を改革する)
- tax **reform**(税制改革)

♣ reform は「改築」の意味では使わない。

2037 **reimburse** [rìːimbə́ːrs] 動 (経費などを)払い戻す・返済する

▶ reimbursement 名 償還, 払い戻し

- You will be **reimbursed** for travel expenses.
  (あなたの旅費分は払い戻されます)

2038 **jeopardize** [dʒépərdàiz] 動 (生命・財産などを)危険にさらす

▶ jeopardy 名 危険

- Don't **jeopardize** your future career.
  (君の将来を危険にさらすな) ➲career (861)

2039 **spin** [spín]
動 回転する・(~を)回転させる　名 回転

〔spin - spun - spun〕

- **spin** the wheel(車輪を回転させる)
- put **spin** on the ball(ボールに回転を与える)

2040 **exhaust** [igzɔ́:st]
動 (~を)疲れさせる, (~を)使い果たす
名 (空気・ガスの)排出, 排気ガス

▸ exhaustion 名 疲労

- You look **exhausted**.(疲れているようだね)
- Our stock is nearly **exhausted**.(うちの在庫はもう切れかかっている)
- turn on the **exhaust** fan(排気ファン[換気扇]を回す)

♣ (be) exhausted は形容詞扱い(分詞形容詞)。

形容詞 ①

2041 **overhead** [óuvərhèd]
形 頭上の　副 頭上に　名 間接費・諸経費

- Please watch the **overhead** signs.(頭上の標示をご覧ください)
- an **overhead** projector(オーバーヘッドプロジェクター)
- cut **overhead** (costs[expenses])(経費を切り詰める)

2042 **concrete** [kánkri:t]
形 コンクリート製の, 具体的な　名 コンクリート

- **concrete** walls(コンクリートの壁)
- **concrete** examples(具体例)

2043 **contemporary** [kəntémpərèri]
形 現代の　名 現代の[同時代の]人

- **contemporary** music(現代音楽)

2044 **sophisticated** [səfístikèitid]
形 洗練された, 精巧な

- a **sophisticated** lady[gentleman](洗練された女性[男性])
- a **sophisticated** computer system(精巧なコンピュータシステム)

2045 **acid** [ǽsid]
形 酸味のある, 酸性の　名 酸

- have an **acid** taste(酸味がある)
- **acid** rain(酸性雨)
- amino **acid**(アミノ酸)

2046	**keen** [kíːn]	形 (趣味・仕事などに)**熱心な**, (興味・関心などが)**強い**, (感覚・感性が)**鋭敏な**

- be **keen** on tennis(テニスに熱中している)
- have a **keen** interest in science(科学に強い興味を持つ)
- She has a **keen** sense of style.(彼女は流行に敏感だ) ➲sense (676)

2047	**hollow** [hɑ́lou]	形 **中身のない, 中空の** 名 **窪み**

- a **hollow** promise(空約束)
- the **hollow** of your hand(掌)

2048	**revolutionary** [rèvəl(j)úːʃənèri]	形 **革命的な**

▶ revolution 名 革命, 回転 ▶ revolve 動 回転する
- This product is **revolutionary** in many respects.
(この製品はいろいろな点で革命的だ) ➲respect (1374)

2049	**conventional** [kənvénʃənl]	形 **従来の, 慣例的な**

▶ convention (974)
- **conventional** methods(従来の方法)

2050	**economical** [èkənɑ́mikəl]	形 **経済的な・節約になる**

▶ economically 副 経済的に ▶ economic (1255) ▶ economy (1311)
- **economical** travel(節約した旅行)
- It's more **economical** to buy in bulk.(まとめて買った方がより経済的だ)

2051	**urban** [ə́ːrbn]	形 **都会の** (⇔ rural (2083))

- **urban** life(都会生活, アーバンライフ)
- an **urban** area(都市部・市街地)

2052	**elegant** [éləgənt]	形 **優雅な, 簡潔で明快な**

- **elegant** fashions(上品な流行)
- an **elegant** solution(鮮やかな解決(策)) ➲solution (274)

名詞 ②

2053  **recession** [riséʃən] 名 景気後退, 不景気

- The Japanese economy has been in **recession**.
  (日本経済は不況に陥っている)

2054  **downturn** [dáuntə̀ːrn] 名 (景気・物価などの) 下落・後退(⇔ upturn「上昇」)

- an economic **downturn**(経済下降[後退])

2055  **deficit** [défəsit] 名 赤字(⇔ surplus (2419))

- The government ran up huge **deficits**.(政府は赤字を大きく増やした)
- trade **deficit**(貿易赤字)　└▸ run up「(借金を) 重ねる」

2056  **penalty** [pénəlti] 名 罰金, 刑罰

▸ penalize (2255)
- a **penalty** of $100 for late payment(滞納に対する100ドルの罰金)
- a light[heavy] **penalty**(軽い[重い]罰)

2057  **layoff** [léiɔ̀(ː)f] 名 一時解雇, レイオフ

▸ lay off 動 (一時) 解雇する
- There have been **layoffs** in the car industry.
  (自動車業界ではレイオフが行われた)

2058  **closure** [klóuʒər] 名 閉店・廃業, 閉鎖・封鎖

▸ close (20)
- the **closure** of a branch office(支社の閉鎖)

2059  **setback** [sétbæ̀k] 名 敗北, 挫折

- They suffered a major **setback** in the election.
  (彼らは選挙で大敗北を喫した)

2060  **getaway** [gétəwèi] 名 逃走・逃亡, 短い休暇・小旅行, 保養地

- make a **getaway** in a stolen car(盗難車で逃走する)
- a weekend **getaway** to the mountains(山への週末旅行)

- a popular weekend **getaway**（人気のある週末の保養地）

2061 **takeover** [téikòuvər] 名 企業買収・乗っ取り

- a **takeover** bid（株式公開買い付け《略》TOB）

♣ take over で「～を乗っ取る」の意味。

2062 **lawsuit** [lɔ́:sù:t] 名 訴訟

- file a **lawsuit**（訴訟を起こす）（= sue）

2063 **deputy** [dépjəti] 名 代理人・副…

- a **deputy** general manager（部長代理, 副部長）

2064 **delegate** [déligət] 名 代表

▶ delegation 名 代表団

- **delegates** from Japan to the conference（会議の日本代表たち）

動詞 ②

2065 **chop** [tʃáp] 動（～を）切り刻む（up）,（～を）たたき切る（down）

- **chop** an onion finely（タマネギを細かく刻む） ➲ finely (205)

2066 **bind** [báind] 動（～を）結ぶ・縛る

〔bind - bound - bound〕 ▶ binding 名 製本 形 拘束力がある・義務的な

- A child **binds** a married couple together.（子はかすがい）《ことわざ》

2067 **deduct** [didʌ́kt] 動（～を）差し引く・控除する

▶ deduction 名 差引き, 控除 ▶ deductible 形 控除できる

- **deduct** 10% income tax from the total amount of payment
（支払い総額から10%の所得税を差し引く）

2068 **grasp** [grǽsp] 動（～を）つかむ,（～を）理解する 名 理解（力）

- He **grasped** her hands tightly.
（彼は彼女の両手をしっかりと握りしめた） ➲ tightly (694)
- **grasp** the true meaning of the problem（問題の真意を把握する）

2069 **impose** [impóuz] 動（税などを…に）**課す**(on),（～を…に）**押しつける**(on)

▶ imposition 名 課税, 負担
- A special tax is **imposed** on gasoline.（ガソリンは特別税が課せられている）
- Don't **impose** your values on me.（君の価値観を私に押しつけるな）

2070 **multiply** [mʌ́ltəplài] 動（大幅に）**増加させる［する］**,（数を）**掛ける**

▶ multiplication 名 掛け算
- The problems have **multiplied** enormously.（問題が途方もなく増えてきた） ➲ enormously *(790)*
- Three **multiplied** by five is fifteen.（3 × 5 ＝ 15）

2071 **exclude** [iksklúːd] 動（～を）**締め出す・除外する**(from)（⇔ include (61)）

▶ exclusion 名 排除, 除外　▶ exclusive (1405)
- Some information was **excluded** from the report.（その報告書からは一部の情報が除外されていた）

2072 **shrink** [ʃríŋk] 動 **縮む・（～を）縮ませる, 減少する・（～を）減少させる**

〔shrink - shrank - shrunk〕　▶ shrinkage 名 収縮（量・率）, 減少（量・率）
- **shrink** in the wash（洗濯すると縮む）
- **shrink** the budget deficit（財政赤字を削減する） ➲ deficit (2055)

2073 **snap** [snǽp] 動（～を）**ポキンと折る・折れる**,（写真を）**撮る**

- **snap** a photo[picture]（写真を撮る）
- **snap** a stick in two（棒切れを 2 つに折る） ➲ stick (1481)

2074 **alter** [ɔ́ːltər] 動（～を）**作り変える・手直しする**

▶ alteration 名 変更・修正　▶ alternate (1942)
- **alter** one's schedule（予定を変更する）

2075 **erase** [iréis] 動（文字などを）〔消しゴムなどで〕**消す**

- **erase** the wrong answer（間違った答えを消す）

♣ コンピュータのファイルやデータを「消す」意味もあるが, **delete** (1578) がふつう。

2076 **omit** [oumít] 動（～を）**除外する・省く**

- **omit** the details（詳細は省く）

形容詞②

2077 **desirable** [dizáiərəbl] 形 望ましい(⇔ undesirable「望ましくない」)

▶ desire (1777)
- **desirable** location(望ましい立地) ➲location (390)
- **desirable** outcomes(望ましい結果) ➲outcome (2272)

2078 **regardless** [rigɑ́ːrdləs] 形 (〜に)かかわらず(of)

▶ regard (971)
- Anyone can apply, **regardless** of age.
(年齢にかかわらずどなたでも応募できます)

2079 **voluntary** [vɑ́ləntèri] 形 自発的な, ボランティアの・無償の

▶ voluntarily 副 自発的に, 無償で　▶ volunteer (459)
- a **voluntary** resignation(任意[希望]退職)
- a **voluntary** organization(ボランティア団体)

2080 **external** [ikstə́ːrnl] 形 外側の, 外部からの(⇔ internal (1343))

- an **external** wall(外壁)
- **external** demand(外需) ➲demand (1174)

2081 **fundamental** [fʌ̀ndəméntl] 形 基本的な　名《〜s で》基本(原理)

- a **fundamental** difference in opinion(基本的な見解の違い)
- **fundamentals** of English grammar(英文法の基礎)

2082 **modest** [mɑ́dəst] 形 謙虚な, 控えめな

- He is **modest** about his success.(彼は成功を鼻にかけない)
- a **modest** request(控えめな要望)

2083 **rural** [rúərəl] 形 田舎の・田園の(⇔ urban (2051))

- **rural** life(田園生活)
- a **rural** area(田園地帯・田舎)

2084 **payable** [péiəbl] 形《be ~で》支払うべき・支払いが必要で

▶ pay (110)
- Charges are **payable** within 30 days of the order date.
（料金は注文日から 30 日以内にお支払いください）

2085 **relevant** [réləvənt] 形（~に）関連がある(to)（⇔ irrelevant「無関係の」）

- data **relevant** to the research（研究に関係のあるデータ） ➲ data (438)

2086 **consistent** [kənsístənt] 形（言動が）首尾一貫した，（意見・情報などが…と）一致している(with)

▶ consistently 副 一貫して ▶ consistency 名 一貫性，堅さ
- He is **consistent** in his actions and words.
（彼の行動と言葉には一貫性がある）
- His statements were not **consistent** with the fact.
（彼の発言は事実と一致していなかった）

2087 **reluctant** [rilʌ́ktənt] 形 ～したがらない(to do)，しぶしぶの

▶ reluctantly 副 いやいやながら，しぶしぶ ▶ reluctance 名 気の進まないこと
- Some companies are **reluctant** to increase wages.
（一部の企業は賃上げに消極的だ）
- give a **reluctant** answer（しぶしぶ返事をする）

2088 **ample** [ǽmpl] 形 十分な・豊富な（⇔ scanty「乏しい」）

▶ amplify 動（～を）拡大させる
- You will have **ample** time to do it later.（それをやる時間が後ほど十分あります）

名詞 ③

2089 **airfare** [éərfèər] 名 航空運賃

▶ fare (697)
- 40% off the standard **airfare**（通常航空運賃の 40%割引）

2090 **toll** [tóul] 名 通行料，長距離通話料

▶ toll-free (2399)
- highway **tolls**（高速道路の通行料）
- **toll** call（市外通話）

2091 **cargo** [ká:rgou] 名 貨物・積み荷

- a **cargo** plane[ship](貨物輸送機[貨物船])

2092 **freight** [fréit] 名 貨物輸送, 貨物運賃・運送料, 貨物・積み荷

- air **freight**(航空貨物便)

♣「貨物・積み荷」の意味では cargo と同義。

2093 **fleet** [flí:t] 名 (乗り物の)集団, (1組織の)全車両[全航空機・全船舶]

- fishing **fleets**(漁船団)
- expand its **fleet** of trucks((会社の)トラック数を拡大する)

2094 **anchor** [ǽŋkər] 名 錨, ニュースキャスター, 支えとなる人[物] 動 投錨する

- drop **anchor**(投錨[停泊]する)
- a news **anchor**(ニュース番組のアンカー, ニュースキャスター)

♣「ニュースキャスター」は anchorperson ともいう。

2095 **intersection** [ìntərsékʃən] 名 交差(点)

▸ intersect 動 (〜と)交差する, (〜を)横切る

- Turn right at the next **intersection**.(次の交差点で右へ曲がってください)

2096 **pavement** [péivmənt] 名 (舗装した)道路(面)

- Don't brake on icy **pavement**.(凍結した舗装路でブレーキを踏まないこと)

2097 **corridor** [kɔ́:rədər] 名 廊下

- It's the third door down that **corridor**.(その廊下を行って3つ目のドアです)

2098 **pedestrian** [pədéstriən] 名 歩行者 形 歩行者用の

- A sidewalk is crowded with **pedestrians**.(歩道は歩行者で混雑している)
- a **pedestrian** crossing(横断歩道 = crosswalk)

2099 **compartment** [kəmpɑ́:rtmənt] 名 区画, (列車の) 仕切った客室

- overhead **compartments** of the airplane (飛行機の頭上収納スペース)
- a luggage **compartment** (荷室, トランク)

2100 **module** [mɑ́dʒu:l] 名 モジュール, 構成単位

- a lunar **module** (月(面)着陸船)

♣ モジュール=単独の機能を持ち, 全体の構成要素として他のモジュールと組み合わせることのできるもの。

動詞 ③

2101 **strive** [stráiv] 動 努力する・励む

〔strive - strove - striven〕

- We will **strive** to meet these demands by the deadline.
(期日までにこれらの需要に応じるよう努力します) ➲demand (1174), deadline (418)

2102 **cite** [sáit] 動 (～を) 引用する, (例・論拠などを) 挙げる

▸ citation 名 引用

- **cite** a passage from the book (その本から一節を引用する) ➲passage (1061)

2103 **steer** [stíər] 動 (～を) 操縦する・(～の) 舵を取る

▸ steering 名 操縦

- **steer** the car[boat] (車を運転する[船の舵を取る])

♣ 車のハンドルを a steering wheel という。handle (522) は「取っ手」のこと。

2104 **execute** [éksəkjù:t] 動 (職務などを) 実行する

▸ execution 名 遂行, 執行 ▸ executive (491)

- **execute** an order (注文を履行する)

2105 **retreat** [ritrí:t] 動 (事業・計画などから) 撤退する・後退する
名 撤退, 慰安・静養(先)

- The company decided to **retreat** from the consulting business.
(その会社はコンサルタント事業から撤退することを決めた)
- the company **retreat** (社員慰安旅行)
- a summer **retreat** (避暑地)

2106  **pose** [póuz]
動 (問題などを)**引き起こす**, (人が)**ポーズを取る**
名 **ポーズ**

- The problem is minor and **poses** no danger.
(その問題はさして重要でなく危険を引き起こすことはない) ➡minor (1593)
- Could you **pose** with us, please?(一緒に写真を撮らせてください)

2107 **kneel** [ní:l]
動 **ひざまずく・ひざをつく**(down)

〔kneel - knelt - knelt〕
- She **knelt** down on the floor to pray.
(彼女は祈るために床にひざまずいた) ➡pray (1021)

2108 **pitch** [pítʃ]
動 (ボールを)〔打者に〕**投げる・投球する**
名 **投げること, 投球**

▶ pitcher 名 投手・ピッチャー
- **pitch** a fast ball(速球を投げる)

2109 **demolish** [dimáliʃ]
動 (~を)**取り壊す**

▶ demolition 名 取り壊し, 解体
- **demolish** the existing buildings and construct new facilities
(既存の建物を取り壊し, 新しい施設を建設する)

2110 **infer** [infə́:r]
動 (~を)**推論する・推測する**

▶ inference 名 推論・推測, (推論による)結論
- What can you **infer** from the available data?
(入手できるデータからどんなことが推測できますか)

2111 **maximize** [mǽksəmàiz]
動 (~を)**最大にする**(⇔ minimize (1762))

▶ maximum (1342)
- set prices to **maximize** profits(利益が最大になるように価格を決める)

2112  **adhere** [ədhíər]
動 (規則などを)**固守する・守る**(to),
(~に)**付着[粘着]する**

▶ adherence 名 固持, 遵守(to)
- **adhere** to the rules[principles](規則[原則]を守る)
- This glue would not **adhere** to the plastic surface.
(この接着剤はプラスチックの表面にはくっつかない)

形容詞③

2113  **crucial** [krúːʃl] 形 極めて重要な

▶ crucially 副 決定的に
- Your support is **crucial** to our success.
（あなたのご支援は私たちが成功するために不可欠です）

2114  **persistent** [pərsístənt] 形（好ましくない状態が）持続する，しつこい

▶ persist (1920)
- a **persistent** headache（長引く頭痛）
- a **persistent** salesperson（しつこい販売員）

2115  **optimistic** [àptəmístik] 形 楽観的な（⇔ pessimistic「悲観的な」）

▶ optimism 名 楽観［楽天］主義
- an **optimistic** expectation（楽観的な予想） ➲expectation *(117)*

2116  **dim** [dím] 形 薄暗い，（記憶が）おぼろげな

- a **dim** room（薄暗い部屋）
- have a **dim** memory（おぼろげながら覚えている）

2117  **satisfactory** [sætisfǽktəri] 形 満足な

▶ satisfy (568)
- I hope everything is **satisfactory**.
（すべてが満足のいくものであることを願っています）

2118  **prospective** [prəspéktiv] 形 予想される・見込みのある

▶ prospect 名 見込み・見通し
- a **prospective** customer（見込み客）

2119 **attentive** [əténtiv] 形 注意深い (to)，気を配って (to)

▶ attentively 副 注意深く　▶ attention (273)
- an **attentive** audience（謹聴する聴衆）
- She is very **attentive** to her hairstyle.
（彼女はヘアスタイルに非常に気を配っている）

2120 **preliminary** [prilímənèri]　形 予備的な, 準備の

- enter into **preliminary** negotiations with ...
  (…との予備交渉に入る)　➡ negotiation *(911)*

2121 **random** [rǽndəm]　形 無作為の・任意の, 《at ~で》手当たり次第に・でたらめに

- in **random** order(順不同に)
- read books at **random**(手当たり次第に本を読む)

2122 **thoughtful** [θɔ́:tfəl]　形 思いやりのある, 思慮深い

▸ thought 名 思いやり
- That's very **thoughtful** of you.(それはご親切にありがとう)

2123 **interactive** [ìntərǽktiv]　形 双方向の, 対話式[型]の

▸ interaction (1544)
- **interactive** television systems(双方向のテレビシステム)
- **interactive** teaching(対話式の授業)

2124 **hazardous** [hǽzərdəs]　形 危険な・有害な

▸ hazard 名 危険
- **hazardous** wastes(有害廃棄物)

名詞 ④

2125 **lifetime** [láiftàim]　名 生涯, (物の)寿命

- **lifetime** employment(終身雇用)
- the **lifetime** of a car(車の寿命)

2126 **spouse** [spáus]　名 配偶者, 夫[妻]

- include your **spouse** in the purchase agreement
  (購入契約に配偶者を入れる)

2127 **nursery** [nə́ːrsəri] 名 託児所, 種苗園

- **nursery** school(保育園)
- a **nursery** specialized in roses(バラ専門の種苗園)

2128 **discipline** [dísəplin] 名 しつけ, 規律　動 (～を)しつける

▶ disciplined 形 訓練された
- home[family] **discipline**(家庭でのしつけ)
- keep **discipline**(規律を守る)

2129 **apprentice** [əpréntis] 名 徒弟, 見習生

▶ apprenticeship 名 見習い [徒弟]《身分・期間》
- an **apprentice** chef(見習いシェフ) ➲chef (296)

2130 **tuition** [t(j)u(ː)íʃən] 名 授業料(= tuition fee)

- college **tuition**(大学の授業料)

2131 **pension** [pénʃən] 名 年金

▶ pensioner 名 年金受給者
- live on a **pension**(年金暮らしをする)

2132 **diploma** [diplóumə] 名 (高校・大学の)卒業証書, 卒業資格

- a graduation **diploma**(卒業証書)

2133 **memorial** [məmɔ́ːriəl] 名 記念品 [碑・館]　形 記念の・追悼の

- a war **memorial**(戦争記念碑・慰霊碑)
- a **memorial** service(告別式・追悼式)

2134 **genius** [dʒíːnjəs] 名 天分・天賦の才, 天才

- have a **genius** for music(音楽の非凡な才能がある)
- Who is the greatest **genius** of all time?(この世の最も偉大な天才は誰だろうか)

♣ 芸術・科学など特定の分野の驚異的な才能・才能を持つ人の意味。
➲ability (362), talent (363)

2135 **veteran** [vétərən] | 名 老練な人・ベテラン　形 老練な

- He is a 20-year **veteran** of our company.（彼はわが社で20年のベテランです）
- a **veteran** worker（ベテラン労働者）

2136 **legend** [lédʒənd] | 名 伝説, 伝説的人物

▸ legendary 形 伝説的な
- a famous Greek **legend**（有名なギリシャ伝説）

動詞 ④

2137 **abandon** [əbǽndən] | 動 (〜を)捨てる・見捨てる, 断念する・あきらめる

▸ abandoned 形 見捨てられた
- **abandon** one's post（地位を捨てる）
- **abandon** a plan（計画を断念する）

♣「断念する」は give up が日常語。

2138 **waive** [wéiv] | 動 (料金・手数料などを)無料にする, (権利などを)放棄する

- As an apology, we will **waive** your delivery charge.
（お詫びとして, 配送料を無料とさせていただきます）　➲ apology *(311)*
- She **waived** her right to appeal.
（彼女は控訴する権利を放棄した）　➲ appeal (1360)

2139 **detect** [ditékt] | 動 (〜を)見つける・見抜く

▸ detective 名 探偵　▸ detector 名 探知器
- **detect** alcohol in the blood（血液中のアルコールを検出する）
- **detect** a plot（策略を見抜く）　➲ plot (2204)

2140 **descend** [disénd] | 動 (〜を)降りる(⇔ ascend「登る」), (先祖から)伝わる(from)

▸ descent 名 下降
- The people are **descending** the stairs.（人々は階段を降りている）
- **descend** from generation to generation（代々伝わる）　➲ generation (636)

2141 **interfere** [ìntərfíər] | 動 (〜に)口出しする(in), (〜を)妨げる(with)

▸ interference 名 干渉, 妨害

• Do not **interfere** in other people's business.
（他人のことに口出しするな） ➲ business (2)

• I'm not going to **interfere** with your work.（君の仕事をじゃまするつもりはないよ）

2142 **squeeze** [skwíːz]
動（～を）絞る，
（～を…から）絞り出す［取る］（from, out of）

• **squeeze** a lemon（レモンを絞る）
• **squeeze** toothpaste from a tube（チューブから歯磨きを絞り出す）

2143 **obey** [oubéi]
動（～に）従う，（規則などを）守る

▸ obedience 名 服従，従順　▸ obedient 形 従順な
• When old, **obey** your children.（老いては子に従え）《ことわざ》
• **obey** the law（法律を守る）

2144 **soak** [sóuk]
動（～を水などに）浸す，（～を）びしょ濡れにする

▸ soaking 形 ずぶぬれの，びしょぬれの
• **soak** a sponge in water（スポンジを水に浸す）
• I was thoroughly **soaked** by the shower.（にわか雨でずぶ濡れになった）

2145 **carve** [kɑ́ːrv]
動（～を…から［～で…を］）彫る・彫刻する

• **carve** a Buddha from wood（木から仏像を彫る）
• **carve** a Buddha on the stone（石に仏像を彫る）
• **carve** wood into a Buddha（木で仏像を彫る）

2146 **sustain** [səstéin]
動（～を）維持する・持続させる，
（損害・傷などを）こうむる

▸ sustained 形 持続的な　▸ sustainable (2500)
• **sustain** economic growth（経済成長を維持する）
• **sustain** damage（損害をこうむる）

2147 **exaggerate** [igzǽdʒərèit]
動（～を）誇張する・大げさに言う

▸ exaggeration 名 誇張
• **exaggerate** the matter（問題を誇張して言う）

2148 **undertake** [ʌ̀ndərtéik]
動（仕事などを）引き受ける，（計画などに）着手する

〔undertake - undertook - undertaken〕
• **undertake** a task（仕事を引き受ける）

• **undertake** a big project（大きなプロジェクトに着手する）

♣「引き受ける」は assume (1379) が同意語。

形容詞④

2149 **superb** [supə́ːrb] 形 すばらしい，豪華な

• The meals were **superb**.（食事は最高でした）

♣ super（最高）である。wonderful や excellent (142) の強意語。

2150 **anonymous** [ənɑ́nəməs] 形 匿名の，（作者などが）名前を明かさない

• an **anonymous** letter（匿名の手紙）
• choose to remain **anonymous**（匿名を選択する）

2151 **mandatory** [mǽndətɔ̀ːri] 形 義務的な・必須の

• Attendance at the event is **mandatory**.（イベントへの参加は必須です）
• the **mandatory** retirement age（定年）

2152 **compatible** [kəmpǽtəbl] 形 互換性がある・共用できる

• a personal computer **compatible** with a Mac
（Mac と互換性のあるパソコン）

2153 **forthcoming** [fɔ̀ːrθkʌ́miŋ] 形 来たる・今度の

• the **forthcoming** election（今度の選挙）

2154 **lengthy** [léŋ(k)θi] 形 長く続く，（演説などが）長ったらしい

► length (1285)
• a **lengthy** period in the hospital（長期の入院期間）
• very **lengthy** discussions（とても長ったらしい議論）

2155 **invaluable** [invǽljuəbl] 形（計り知れないほど）貴重な

► valuable (1303)
• Your advice has been **invaluable**.
（あなたのご助言は非常に貴重なものでした）

2156 **nationwide** [néiʃənwàid] | 形 全国的な　副 全国的に

- a **nationwide** campaign（全国キャンペーン）
- We have 60 stores **nationwide**.（わが社は全国に 60 店舗を持っております）

2157 **stern** [stə́ːrn] | 形 厳格な・厳しい

- take **stern** measures（断固とした処置を取る）

♣ severe (1550) と同義（severe の方は冷酷さがある）。

2158 **yearly** [jíərli] | 形 年に一度[1 回]の　副 年に一度[1 回], 毎年

- **yearly** pay increases（年に一度の賃上げ）

2159 **duty-free** [d(j)ùːtifríː] | 形 副 免税の[で]　名 免税品, 免税店

- a **duty-free** shop（免税店）
- **duty-free** goods（免税品）
- buy beverages **duty-free**（免税で飲み物を買う）　➲ beverage (998)

2160 **last-minute** [lǽstmínət] | 形 土壇場での

- a **last-minute** change（土壇場での変更）

♣ last minute は「土壇場」の意味。at the last minute「土壇場で」

名 詞 ⑤

2161 **physician** [fizíʃən] | 名 （内科）医

- a family **physician**（家庭医）

♣ 外科医は surgeon。

2162 **therapy** [θérəpi] | 名 治療, （物理・精神）療法

- gene **therapy**（遺伝子治療）　➲ gene (1680)
- group **therapy**（集団療法）

2163 **dose** [dóus] | 名 （1回分の）服用量, （飲み薬の）一服

- a **dose** of powdered medicine
（1 回分の粉薬）　➲ medicine (775)

2164 
allergy [ǽlərdʒi]
名 (～に対する)アレルギー(to)

▶ allergic 形 アレルギー(性)の
- I have an **allergy** to pollen. [= I'm allergic to pollen.]
  (花粉に対してアレルギーがある)

2165 
instinct [ínstiŋ(k)t]
名 本能, 直感・勘

▶ instinctive 形 天性の, 本能的な
- He has a good **instinct** for business.
  (彼は商売に対する天性の勘を持っている)

2166 
breakdown [bréikdàun]
名 故障, 内訳・明細(書)

- a **breakdown** in the control system (コントロールシステムの故障)
- a **breakdown** of operating costs (営業経費の内訳)

2167 
barrier [bǽriər]
名 障害・障壁, 防壁

- a language **barrier** (言葉の壁)
- a trade **barrier** (貿易障壁)

2168 
audition [ɔːdíʃən]
名 (歌手・俳優などの)オーディション　動 オーディションを受ける・(人に)オーディションをする

- have an **audition** for the dance team (ダンスチームのオーディションを受ける)
- She **auditioned** for the leading role. (彼女は主役のオーディションを受けた)

2169 
amateur [ǽmətʃùər]
名 アマチュア・素人
形 アマチュアの (⇔ professional (93))

- an **amateur** in music (音楽のアマチュア)
- I am an **amateur** compared to you.
  (あなたに比べれば, 私なんか素人ですよ)　➲ compare (567)
- an **amateur** photographer (アマチュア写真家)

2170 
costume [kɑ́ːst(j)uːm]
名 衣装, (民族・時代などに特有の)服装

- in **costume** ((演劇用の)衣装を着て)
- a Halloween **costume** (ハロウィーンの衣装)
- national **costume** (民族衣装)

2171	**attire** [ətáiər]	名 衣装・服装

- Reservations and formal **attire** are required.
  （予約のうえ正装でお越しください）

♣ clothes *(498)* の《フォーマル》な語で，儀式などにふさわしい服装。

2172	**cosmetic** [kɑzmétik]	名《~s で》化粧品　形 化粧（用）の，美容の

- a **cosmetics** company（化粧品会社）

動詞 ⑤

2173	**cope** [kóup]	動（困難な事などを）うまく処理する（with）

- **cope** with the continued economic crisis
  （長引く経済危機に対処する）　➲crisis (1797)

2174	**tackle** [tǽkəl]	動（問題・仕事などに）取り組む，（~に）タックルする

- **tackle** a problem（問題に取り組む）
- **tackle** a thief（泥棒にタックルする）

2175	**surge** [sə́ːrdʒ]	動（急激に）高まる，（どっと）押し寄せる　名 急増

- **surging** oil prices（急騰する石油価格）
- the recent **surge** in imports（最近の輸入の急増）

2176	**conform** [kənfɔ́ːrm]	動（規則・慣習などに）従う（to）

- **conform** to regulations（規則を守る）

2177	**distract** [distrǽkt]	動（注意などを）そらす

▸ distraction 名 気を散らすもの，気晴らし
- **distract** one's attention（人の注意をそらす）

2178	**divert** [dəvə́ːrt]	動（流れ・進路などを）変える，（資金などを）転用する

▸ diversion 名 気晴らし
- **divert** traffic away from the city center（車の流れを市の中心部からそらせる）
- **divert** more money to advertising campaigns
  （広告キャンペーンにより多くの資金を振り向ける）

2179	**stimulate** [stímjəlèit]	動 刺激する, 激励する

▶ stimulation 名 刺激, 激励　▶ stimulus 名 刺激[励み]《複》stimuli
- **stimulate** the economy (景気を刺激する[活性化させる])

2180	**disregard** [dìsrigɑ́:rd]	動 (~を)無視する　名 無視

▶ regard (971)
- **disregard** a warning (警告を無視する)

2181	**unload** [ʌnlóud]	動 (積荷・乗客を)降ろす (⇔ load (559))

- **unload** cargo from a ship (船から荷を降ろす)

2182	**glare** [gléər]	動 (~を)にらみつける (at), ぎらぎら光る

- She **glared** at him accusingly. (彼女は彼を非難してにらみつけた)
- The sun **glared** down on us. (太陽が頭上でぎらぎら照りつけた)

2183	**deteriorate** [ditíəriərèit]	動 悪化する・劣化する

▶ deterioration 名 悪化, 劣化
- The discussion **deteriorated** into an argument.
(討論は悪化して口論になった)

♣ get worse が日常語。

2184	**decay** [dikéi]	動 腐る, 衰える　名 腐敗, 衰退

- a **decaying** tree (朽ちかけている木)
- the **decay** of morals (モラルの荒廃) ➲ moral (1654)

形容詞 ⑤

2185	**needy** [ní:di]	形 非常に貧しい, 困窮した, 《the ~で》貧しい人々

▶ need (16)
- **needy** families (貧困家庭)
- donate to the **needy** (貧しい人々に寄付をする)

2186	**unreliable** [ʌ̀nrɪláɪəbl]	形 信頼できない, 当てにならない

▶ reliable (1301)

• **unreliable** bus service
（当てにならないバスの運行）
• The buses here are often **unreliable**.
（ここのバス（の運行）は当てにならないことが多い）

2187 intent [intént]
形 熱中した・集中した　名 意図（= intention *(479)*）

▶ intend (479)
• an **intent** gaze（凝視，熱い視線）
• He denied any **intent** to hide the error.
（彼は間違いを隠す意図については否定した）　➲deny (1668), hide (1074)

♣ intent も intention も「意図・意思」の意味だが intent の方が改まった語。また悪いことの場合には intent を使う。with intent「故意に」。

2188 skillful [skílfəl]
形 熟練した，上手な

▶ skill (179)
• a **skillful** surgeon[carpenter]
（腕のいい外科医[大工]）

♣ skillful には「才能がある」という意味合いがある。これに対して skilled *(179)* は経験を積んだことによる「熟練」という意味合いがある。

2189 tender [téndər]
形 柔らかい，優しい・思いやりのある

• a **tender** steak（柔らかいステーキ）
• **tender** words（優しい言葉）

2190 upright [ʌ́pràit]
形 直立した　副 直立して

• Please keep your seats in an **upright** position.
（座席は立てたままにしておいてください）　➲position (57)

2191 ethnic [éθnik]
形 人種の，民族的な

• an **ethnic** conflict（民族紛争）　➲conflict (1417)
• **ethnic** cuisine（民族料理）　➲cuisine(2388)

2192 vital [váitl]
形 極めて重要な，生命の［にかかわる］

▶ vitality 名 生命力・活力　▶ vitalize 動 活気づける
• His experience is **vital** to the new project.
（彼の持つ経験がその新しい企画には不可欠だ）
• a **vital** injury（致命的なけが）　➲injury (1582)

2193 **genuine** [dʒénjuin] | 形 本物の(= real (207), ⇔ false (1135)), 心からの

- **genuine** leather(本革)
- **genuine** affection(心からの愛情) ➲affection (1655)

2194 **fierce** [fíərs] | 形 (感情・競争などが)激しい, どう猛な

- **fierce** competition(激烈な競争)
- a **fierce** animal(猛獣)

2195 **tough** [tʌ́f] | 形 (仕事などが)骨の折れる, (人が)手ごわい, 堅い

- Things are really getting **tough**.(事態は本当に厳しくなってきている)
- He is a **tough** customer.(彼はがんこな客だ)
- This meat is **tough**.(この肉は硬い)

2196 **spare** [spéər] | 形 予備の, 余分な 動 (時間などを)割く 名 予備品

- a **spare** tire(予備タイヤ)
- He jogs in his **spare** time.(彼は余暇にジョギングをする) ➲jog (1713)
- Can you **spare** a few minutes?(ちょっと時間を空けられますか) ➲minute (80)

名詞 ⑥

2197 **minister** [mínəstər] | 名 大臣

- the Prime[Foreign] **Minister**(総理[外務]大臣)

2198 **controversy** [kɑ́ntrəvə̀ːrsi] | 名 論争

▶ controversial 形 議論の余地ある

- a **controversy** over a direct election system
  (直接選挙制度についての論争) ➲election (1372)

2199 **obligation** [ɑ̀ːblɪgéɪʃən] | 名 義務, 責任

▶ obligate 動 (～に…することを)義務づける(to do)

- legal[moral] **obligations**
  (法律上[道徳上]の義務) ➲legal (1254), moral (1654)
- This service is free and there is no **obligation** to buy.
  (このサービスは無料で, 購入する義務はありません)

2200 **morale** [mərǽl] 名 (集団の)士気

- measures designed to boost the **morale** of the staff
(スタッフの士気を高めることを目的にした方策) ➲boost (1985)

♣ moral (1654) と混同しないよう注意。

2201 **courtesy** [kə́ːrtəsi] 名 礼儀正しさ, 好意 形 無料の・サービスの

▶ courteous 形 礼儀正しい
- treat customers with **courtesy** (礼儀正しく接客する)
- Thank you for the **courtesy** extended to me. (ご好意に感謝いたします)
- the **courtesy** bus ((ホテルなどの)無料送迎バス)

2202 **query** [kwíəri] 名 質問

▶ inquiry (952)
- Please contact us if you have any **queries**.
(ご質問がございましたら当社へお問い合わせください)

♣ question の《フォーマル》な語。

2203 **tactic** [tǽktik] 名《通例~s で》駆け引き・戦術

▶ tactical 形 駆け引きの, 戦術的な
- negotiating **tactics** (交渉戦術) ➲negotiate (911)

♣「戦略」は strategy (276)。

2204 **plot** [plát] 名 (小説などの)筋, (土地の)小区画

- The **plot** of the novel was boring. (その小説の筋はつまらなかった)
- a vegetable **plot** (小さな菜園)

2205 **hint** [hínt] 名 暗示・ヒント 動 ほのめかす

- Will you give me a **hint**? (ヒントを出してくれますか)
- What are you **hinting** at? (何のことを言っているの?)

♣ 間接的・暗示的に解答を示すもの。 ➲clue (1107)

2206 **motion** [móuʃən] 名 運動・動き, 動議

- The machine was in **motion** when he opened the door.
(彼がドアを開けたとき, その機械は作動中だった)
- an outdoor **motion** sensor (屋外用モーションセンサー) ➲sensor (2439)
- I'd like to make a **motion**. (動議を申し立てたいのですが)

2207 **poll** [póul] 名 世論調査, 投票(結果) 動 世論調査をする

- Recent **polls** indicate that 60% are undecided.
  (6割の人々が誰に投票するか決めていないと世論調査は示している) ➲indicate (65)

2208 **ballot** [bǽlət] 名 (無記名の)投票 動 投票する

- an absentee **ballot**(不在者投票(用紙)) ▸absentee「欠席者」

動詞 ⑥

2209 **isolate** [áisəlèit] 動 (〜を)孤立させる, (〜を)分離する

▸ isolation 名 分離, 隔離
- The village was **isolated** by the earthquake.(その村は地震で孤立した)

2210 **cease** [síːs] 動 (〜を)やめる, 終わる

- **cease** operations(営業[業務]を停止する) ➲operation (933)
- The shaking continued for a while and then **ceased**.
  (振動はしばらく続きそして止んだ)

2211 **dominate** [dɑ́mənèit] 動 (〜を)支配する

▸ dominant 形 支配的な
- **dominate** the market(市場を支配する)

2212 **prevail** [privéil] 動 〔考え方・習慣などが〕(〜に)広がっている(in, among), (〜に)打ち勝つ(over, against)

▸ prevailing 形 行き渡っている, 支配的な ▸ prevalent 形 普及[流行]している
- Such ideas **prevail** among young people these days.
  (そのような考えが近ごろ若い人の間に広がっている)
- **prevail** over our rivals(競争相手に打ち勝つ) ➲rival (1970)

2213 **shed** [ʃéd] 動 (涙・血などを)流す, (光などを)発する

〔shed - shed - shed〕
- **shed** bitter tears(悔し涙を流す)
- The moon **shed** a pale light.(月が青白く輝いていた)

2214 **conceal** [kənsíːl] 動 (〜を)隠す(⇔ reveal (814))

▸ concealment 名 隠すこと
- **conceal** the truth(真実を隠す)

2215 **hail** [héil] | 動 (~を)呼び止める 名 あられ・ひょう

- **hail** a cab[taxi](タクシーを呼び止める)
- A lot of **hail** fell last night.(昨夜ひょうがたくさん降った)

2216 **excel** [iksél] | 動 (~に)秀でている(at, in)

▶ excellent (142)
- **excel** at foreign languages(外国語に秀でる)

2217 **flip** [flíp] | 動 (平らなものを)ひっくり返す,
(本のページなどを)〔パラパラ〕めくる

- **flip** (over) a pancake(パンケーキをひっくり返す)
- **flip** through the pages of a book(本のページをパラパラめくる)

2218 **disrupt** [disrʌ́pt] | 動 (交通・会合などを)混乱させる・中断させる

▶ disruption 名 混乱, 中断
- **disrupt** the conference(会議を混乱させる)

2219 **subside** [səbsáid] | 動 (嵐・感情などが)静まる・収まる

- Gradually, the storm **subsided**.(次第に嵐は静まった)

2220 **testify** [téstəfài] | 動 (法廷などで)証言する・証明する

▶ testimony 名 証言, 証拠
- **testify** at the trial(裁判で証言する)
- **testify** to his innocence(彼の無罪を証言[証明]する)

形容詞 ⑥

2221 **portable** [pɔ́ːrtəbl] | 形 持ち運びできる・携帯用の 名 携帯用機器

- a **portable** telephone(携帯電話)

2222 **sensitive** [sénsətiv] | 形 (~に)敏感な・神経質な(to, about)
(⇔ insensitive「鈍感な」)

▶ sense (676) ▶ sensible (2231)
- My eyes are very **sensitive** to light.(私の目は光にとても敏感だ)
- She is very **sensitive** about her weight.(彼女は体重をひどく気にしている)

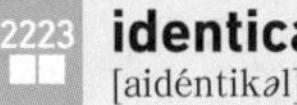

2223 **identical** [aidéntikəl] 形 まったく同一の，そっくりそのままの

▸ identify (1183) ▸ identity (1567)
- The houses are **identical**.（それらの家はまったく同じだ[そっくりだ]）

2224 **integral** [íntəgrəl] 形（全体にとって）不可欠な

- Art is an **integral** part of children's education.
（美術は子どもの教育にとって不可欠である）

♣ 不可欠の部分を構成している。

2225 **secondary** [sékəndèri] 形 第2の，2次的な

- a **secondary** industry（第 2 次産業）
- That's a **secondary** matter.（それは 2 次的な問題だ）

2226 **informal** [infɔ́:rml] 形 形式ばらない，非公式の（⇔ formal (1252)）

- The atmosphere at the party was very **informal**.
（パーティーはとてもくだけた雰囲気だった） ➲atmosphere (1515)

2227 **gross** [gróus] 形 総計の（⇔ net (696)） 動（～の）総収益を上げる 名 総計・総売上

- **gross** income（総収入，総所得）
- We **grossed** $10,000 at the show.（そのショーで 1 万ドルの収益を上げた）

2228 **odd** [ád] 形 変な，はんぱの，奇数の（⇔ even「偶数の」）

- The bird was acting in a very **odd** way.（その鳥はとても変な動作をしている）
- do **odd** jobs（はんぱ仕事[雑役]をする）
- **odd** numbers（奇数）

2229 **underground** [ʌ́ndərgràund] 形 地下の 副 地下に

- an **underground** parking lot（地下駐車場）

2230 **intellectual** [ìntəléktʃuəl] 形 知的な，知性の 名 知識人

▸ intellect 名 知性（のある人）
- an **intellectual** conversation（知的な会話）

- **intellectual** development（知力の発達） ➲development *(304)*

♣ intelligent (1092) 参照。

2231 **sensible** [sénsəbl] 形 分別のある・賢明な

▶ sense (676) ▶ sensitive (2222)

- You were **sensible** to refuse the proposal.
（その提案を拒否したとは君も賢明だった）

2232 **swift** [swíft] 形 迅速な, 即座の

▶ swiftly 副 素早く

- take **swift** action（迅速な行動をとる）

名詞 ⑦

2233 **criticism** [krítəsìzm] 名 批評, 批判

▶ critic (1368) ▶ criticize *(1368)*

- literary[drama] **criticism**（文芸[演劇]批評） ➲literary *(1633)*

2234 **periodical** [pìəriádikəl] 名 定期刊行物 形 定期的な (= periodic)

▶ periodically 副 定期的に ▶ period (266)

- a weekly[monthly] **periodical**（週刊[月刊]誌）
- **periodical**[periodic] inspections（定期点検） ➲inspect (965)

2235 **circulation** [sə̀ːrkjəléiʃən] 名 循環, 発行部数, 流通

▶ circulate 動 循環する・(~を)循環させる, 流通する・(~を)流通させる

- blood **circulation**（血液の循環）
- The magazine has a **circulation** of 40,000.
（この雑誌の発行部数は4万部です）

2236 **theme** [θíːm] 名 主題・テーマ

- This year's Earth Day **theme** is clean energy.
（今年の「地球の日」のテーマはクリーンエネルギーです）
- a **theme** park（テーマパーク）

♣ subject (59) を通して示されるアイデアやメッセージのことで, ふつう抽象的な言葉で表現される。

250 500 750 1000 1250 1500 1750 2000 2250 2500

2237 **framework** [fréimwə̀ːrk]　名 (理論・判断の)**枠組み**, (建物などの)**骨組み**

- the **framework** for our research (我々の研究の枠組み)

2238 **diversity** [dəvə́ːrsəti]　名 **多様性**, **相違**(点)

- cultural **diversity** (文化の多様性)

2239 **ratio** [réiʃou]　名 **比率・割合** (= proportion (1757))

- The **ratio** of nursing staff to doctors is 2:1.
  (看護職員の医師に対する割合は 2 対 1 である)

2240 **preview** [prívjùː]　名 **試写会**, **予告編**　動 (〜の)**試写[試演]を見る**

- a sneak **preview** (非公式の試写会)　▸ sneak「内密の」

2241 **parade** [pəréid]　名 **行列・パレード**　動 (通りなどを)**行進する**

- a street **parade** (街頭行進)
- The players **paraded** around the stadium.
  (選手たちは競技場を一回り行進した)　➲ stadium (702)

2242 **privilege** [prívəlidʒ]　名 **特権・特典**, **恩恵**　動 (〜に)**特権[恩恵]を与える**

▸ privileged 形 特権[特典]のある, 《be 〜 to do で》(〜できて)光栄に思う
- Members have the **privilege** of using the parking lot.
  (会員には駐車場を利用する特典がある)
- I hope you will allow me the **privilege** of an interview.
  (特別にインタビューさせていただけるといいのですが)

2243 **spur** [spə́ːr]　名 (行動の)**刺激・動機**　動 (変化・行動などに)**拍車をかける**

- a **spur** to action for many people (多くの人を行動に駆り立てる動機)
- Lower interest rates would **spur** investment.
  (より低い金利が投資を促すであろう)

2244 **dissatisfaction** [dì(s)sætisfǽkʃən]　名 **不満・不平** (⇔ satisfaction (568))

▸ dissatisfy 動 失望させる　▸ dissatisfied 形 不満な, 不満を抱いている
- show **dissatisfaction** (不満を示す)

動詞 ⑦

2245 allocate [ǽləkèit] 動 (～を)割り当てる・配分する

▸ allocation 名 割当て(分)
- **allocate** $10,000 for the research(調査に1万ドルを当てる)

2246 tow [tóu] 動 (～を)牽引する

- **tow** a vehicle(車両を牽引する)

2247 terminate [tə́ːrmənèit] 動 (～を)終了させる

▸ termination 名 終了　▸ terminal (1185)
- **terminate** a contract(契約を終了させる[解約する・解除する])

2248 escort [iskɔ́ːrt] 動 (～に)付き添う・(～を)護衛する
名 [éskɔːrt] 付添い・護衛

- The children were **escorted** by their parents.(子どもたちは親に付き添われていた)
- a police **escort**(護衛警察官)

2249 nominate [nɑ́mənèit] 動 (～を…(の候補)に)指名する(for, as), (～を…に)任命する(to, as)

▸ nomination 名 指名・推薦
- be **nominated** for an Academy Award(アカデミー賞にノミネートされる)
- She was **nominated** (as) club president.(彼女はクラブの会長に任命された)

2250 diagnose [dàiəgnóus] 動 (病気を…と)診断する(with, as)

▸ diagnosis 名 診断(結果), 分析 (《複》diagnoses)
- be **diagnosed** with diabetes(糖尿病と診断される)　▸ diabetes「糖尿病」

2251 foster [fɑ́stər] 動 (～を)育成する・促進する　形 里子[親]の

- **foster** closer relationships(より親密な関係を育成する)　➡ relationship (1540)
- a **foster** child[parent](養子[里親])

2252 embrace [embréis] 動 (～を)抱きしめる, (提案などを)受け入れる・歓迎する

- She **embraced** her son tenderly.(彼女は息子を優しく抱きしめた)
- **embrace** the new idea(新しい考えを歓迎する)

2253 

disconnect [dìskənékt] | 動（機器などの）電源［接続］を切る，（物を）切り離す

▶ connect (1222)
- pull the plug and **disconnect** the machine（プラグを抜いてマシンの電源を切る）
- I've been **disconnected**.（（話し中に）電話が切れてしまった）

2254 

reconsider [rìːkənsídər] | 動（決定などを）考え直す・再考する

▶ consider (231)
- He asked her to **reconsider**.（彼は彼女に考え直してくれるように頼んだ）
- **reconsider** the decision（決定を再考［再検討］する）

2255 

penalize [píːnəlàɪz] | 動（～を）罰する・罰を与える，（選手などに）ペナルティを科す

▶ penalty (2056)
- be **penalized** for not paying taxes（税金の未納で罰せられる）

♣ punish よりも罪の軽い行為（規則違反など）に対するもの。

2256 

signify [sígnəfàɪ] | 動〔物・事・記号などが〕（～を）意味する・表す

▶ significant (544)
- It **signified** the end of an era.（それは一時代の終焉を意味していた）

形容詞 ⑦

2257 

authentic [ɔːθéntik] | 形 本物の，信用［信頼］できる

▶ authenticate 動 本物と鑑定する
- **authentic** Italian food（本格的なイタリア料理）
- **authentic** information（信用できる情報）

2258

consecutive [kənsékjətiv] | 形 連続した

- three **consecutive** quarters（3四半期連続）

2259

considerate [kənsídərət] | 形 思いやりがある

▶ consider (231)
- She is **considerate** of elderly people.
（彼女は高齢者への思いやりがある）

2260 **confidential** [kὰnfidénʃl] | 形 内密の, 親展の

▶ confidence *(849)*
- Please keep the information **confidential**.(その情報は秘密にしておいてください)
- **Confidential**(親展)《封筒の表書き》

2261 **prestigious** [prestí:dʒəs] | 形 一流の・名声のある

▶ prestige 名 名声
- a **prestigious** company(一流会社)

2262 **decent** [dí:snt] | 形 まあまあの・かなりの, きちんとした

▶ decently 副 きちんと, 上品に
- a **decent** living(まともな暮らし)
- **decent** clothes(きちんとした服装)

2263 **chronic** [kránik] | 形 (病気が)慢性の(⇔ acute「急性の」), (問題などが)慢性的な

▶ chronically 副 慢性的に
- **chronic** disease(慢性病)

2264 **transparent** [trænspǽrənt] | 形 透明な

▶ transparency 名 透明(性・度)
- **transparent** plastic(透明プラスティック)

2265 **exotic** [ɪgzá:tɪk] | 形 異国情緒の・エキゾチックな, (動・植物などが)外来の 名 外来の物, 《生物》外来種(= exotic species)

- **exotic** travel destinations(異国情緒あふれる旅の目的地)
- **exotic** plants(外来植物)

2266 **unreasonable** [ʌnrí:znəbl] | 形 不合理な・不当な(⇔ reasonable (1456))

- an **unreasonable** claim(不当な要求)

2267 **unauthorized** [ənɔ́:θəràɪzd] | 形 無許可の・無認可の(⇔ authorized *(1430)*)

- **Unauthorized** use for commercial purposes is prohibited.
(商用目的での無断利用は禁止されています)　➲ commercial (895), prohibit (2308)

2268 **straightforward** [strèitfɔ́ːrwərd] 形 (説明などが)**明快な, 率直な**

- **straightforward** directions(明快な説明[指示])
- He is a **straightforward** person.(彼は率直な人だ)

名詞 ⑧

2269 **coverage** [kʌ́vəridʒ] 名 **報道**, (保険の)**保証範囲[額]**, (主題・テーマの)**扱い・内容**

▸ cover (181)

- media[press] **coverage**(メディア[新聞]報道)
- I want to change my insurance **coverage**.(保険の保証額を変更したいのですが)
- For more detailed **coverage**, see Chapter Six.
  (より詳しい扱い[内容]は第 6 章を見てください)

2270 **transcript** [trǽnskript] 名 (会話・発言などの)**筆記録**, (大学などの)**成績証明書**

- a **transcript** of the trial(裁判の記録)
- send a college **transcript**(大学の成績証明書を送る)

2271 **merit** [mérət] 名 **長所**(⇔ demerit「短所」)

- The plan has both **merits** and demerits.
  (その企画には長所もあるが短所もある)

2272 **outcome** [áutkʌ̀m] 名 (物事の)**結果, 成果**

- a desirable[an undesirable] **outcome**(望ましい[望ましくない]結果)
  ➲ desirable (2077)
- learning **outcome**(学習成果)

2273 **equivalent** [ikwívələnt] 名 **同等のもの** 形 (~と)**同等の**(to)

- What is the English **equivalent** for this Japanese?
  (この日本語と同義の英語は何ですか)
- an MBA or **equivalent** degree(MBA もしくは同等の学位) ➲ degree (316)

2274 **necessity** [nəsésəti] 名 **必要(性)**, 《~ies で》**必需品**

▸ necessary (209)

- There is no **necessity** for you to consult with him.

（あなたは彼に相談する必要はありません）
- daily **necessities**（生活必需品）

2275 **indicator** [índikèitər]　名 表示(器), 指標

▶ indicate (65)
- a speed **indicator**（速度計）
- an economic **indicator**（経済指標）

2276 **mechanism** [mékənìzm]　名 装置, 仕組み・メカニズム

▶ mechanize 動（～を）機械化する
- a car's steering **mechanism**（自動車のハンドル装置）　➲ steering *(2103)*
- the **mechanism** of earthquakes（地震のメカニズム）

2277 **correspondence** [kɔ̀:rəspɑ́ndəns]　名 通信, 一致

▶ correspond 動（～に）一致する(to, with),（～に）相当する(to)
▶ correspondent 名 通信員・特派員
- business **correspondence**（商業通信）
- There's no **correspondence** between the two.
（二者間に一致するものはない）

2278 **biotechnology** [bàiouteknɑ́lədʒi]　名 生物工学・バイオテクノロジー

▶ biology (1679)
- the **biotechnology** industry（バイオテクノロジー産業）

♣ bio- は「生物・生命」という意味の接頭辞。「bio(生物)-logy(学問)」で「生物学」の意味。

2279 **species** [spí:ʃi(:)z]　名《単複同形》(生物の)種

- **species** preservation（種の保存）　➲ preservation *(1434)*
- Endangered **Species** Act
（絶滅の危機に瀕した種の法《略》ESA）　➲ endangered (1136)

2280 **heritage** [hérətidʒ]　名（文化的）遺産

- preserve the world's **heritage**（世界遺産を保存する）　➲ preserve (1434)

動詞 ⑧

2281	**dine** [dáin]	動 (~で・~と) **食事をする** (at, with)

▶ dinner 名 夕食, 晩さん

- **dine** at a fine restaurant (高級レストランで食事をする)
- Won't you come and **dine** with us? (食事においでになりませんか)

2282	**export** [ikspɔ́ːrt]	動 (~を) **輸出する** (⇔ import (1279)) 名 [ékspɔːrt] **輸出**, 《~s で》**輸出品**

- These goods are **exported** all over the world.
  (これらの品物は世界中に輸出されている)
- I'm in charge of **export** sales. (私が輸出販売の責任者です) ➲ charge (420)

2283	**excite** [iksáit]	動 (人を) **興奮させる**, 《be ~d で》**興奮する**

▶ excitement 名 興奮 ▶ exciting (550)

- This novel will thrill and **excite** you!
  (この小説はあなたをわくわくさせ, 興奮させるだろう!) ➲ thrill (1321)
- No wonder you are **excited**! (君が興奮するのも当然だ)

♣ be excited の excited は形容詞扱い (分詞形容詞)。

2284	**ease** [íːz]	動 (問題・苦痛などを) **緩和する・改善する** 名 **容易さ**

- **ease** traffic congestion (交通渋滞を緩和する)
- **ease** the pain (痛みを和らげる)
- the software's convenience and **ease** of use
  (ソフトウェアの利便性と使いやすさ)

♣ 一時的な対応によって緩和する。

2285	**relieve** [rilíːv]	動 (問題・苦痛などを) **取り除く・緩和する**, 《be ~d で》(~に) **安心する・ほっとする** (at, to do)

▶ relief (1422)

- Take this medicine to **relieve** the pain.
  (この薬を飲めば痛みがなくなります) ➲ medicine (775)
- He was **relieved** at [to hear] the news. (彼はその知らせにほっとした)

♣ 原因を取り除くことによって緩和する。be relieved の relieved は形容詞扱い (分詞形容詞)。

2286 	**amaze** [əméiz]	動 (人を) **驚かせる**, 《be ~d で》(~に) **驚く・びっくりする** (at, to do, that)

▶ amazement 名 驚き ▶ amazing (1490)

- His response **amazed** me.(彼の返答は私を驚かせた[返答に驚いた])
- We were quite **amazed** at the results.(その結果にはまったく驚いた)

♣ be amazed の amazed は形容詞扱い(分詞形容詞)。

2287 □□	**spray** [spréɪ]	動 (~に・~を)**吹きつける**, (液体が)**噴き出す** 名 **スプレー**(液・缶)

- **spray** the screen with lens cleaner[= **spray** lens cleaner on the screen](スクリーンにレンズクリーナーを吹きつける)
- a hair **spray**(ヘアスプレー(缶))

 2288	**skip** [skíp]	動 (~を)**飛ばす・省く**, (途中を飛ばして~へ)**飛ぶ**, **軽く跳ぶ**

- I don't think you should **skip** breakfast.(朝食を抜くのは良くないと思うよ)
- Let's **skip** to question ten.(問題 10 へ飛びましょう)

 2289	**yield** [jíːld]	動 (利益・結果などを)**生み出す・もたらす** 名 **産出高**

- I'm certain it'll **yield** very positive results.
(それは必ず非常にポジティブな結果をもたらすものと確信している)
- the annual **yield** of wheat(小麦の年間収穫量) ➲annual (888)

 2290	**cast** [kǽst]	動 (視線などを)**向ける**, (光・影を)**投げかける** 名 《集合的に》**出演者・配役**

〔cast - cast - cast〕

- She **cast** an envious look at her friend.
(彼女は友だちに羨望のまなざしを向けた) ➲envious *(1023)*
- The tree **casts** a long shadow on the lawn.
(その木は芝生に長い影を落としている)
- the **cast** of the film(その映画の出演者[キャスト])

 2291	**originate** [ərídʒənèit]	動 (~から)**始まる・起源とする**(in, from), (~を)**考案する**

▶ origin (1606)

- a custom **originating** in Chinese culture(中国文化に起源をもつ慣習)
- **originate** a plan(起案する)

 2292	**clarify** [klǽrifài]	動 (意味などを)**明らかにする・明確にする**

▶ clarification 名 解明

- Let me **clarify** several important points.
(いくつかの重要な点を明らかにしたいと思います)

名詞 ⑨

2293 **condominium** [kɑ̀ndəmíniəm]　名 **分譲マンション**（《略》condo）

- a one-room **condominium**（ワンルームマンション）

2294 **premise** [prémis]　名《~s で》**敷地・構内, 前提**

- Alcohol is not permitted on the **premises**.
（敷地内での飲酒は禁止されています）

2295 **boundary** [báund(ə)ri]　名 **境界（線）, 限界・範囲**

- the **boundary** between two villages（村境）
- **boundaries** of human knowledge（人間の知識の範囲）　➲knowledge (513)

2296 **width** [wídθ]　名 **幅,（幅の）広さ**

▶ wide *(828)*　▶ widen *(828)*
- The **width** of the shelf is 45 cm.（棚の幅は 45cm です）

♣ 長さは length (1285)。

2297 **peak** [pí:k]　名 **最高点・ピーク, 山頂**

- Our profits reached a **peak** in the third quarter.
（第 3 四半期にわが社の利益は最高に達した）
- Snow covered the **peak** of the mountain.（山頂は雪に覆われていた）

2298 **altitude** [ǽltət(j)ù:d]　名 **高度,**《~s で》**高地**

- fly at an **altitude** of 10,000 meters（高度 1 万メートルを飛行する）

2299 **province** [prɑ́vins]　名《the ~s で》（大都市に対して）**地方・田舎**

▶ provincial 形 地方の, 州の
- The play is touring the **provinces**.（その芝居は地方巡業中です）

♣ 大都市に対して「地方」という意味で, 必ずしも「田舎・田園地帯」ではない。

2300 **substance** [sʌ́bstəns]　名 **物質,（本質的な）内容・実質**

▶ substantial 形 かなりの, 実質的な　▶ substantially 副 かなり, 実質的に

- a poisonous **substance**（有毒物質）
- His speech lacked **substance**.（彼のスピーチには中身がなかった）

2301 **carbon** [kɑ́ːrbən] ｜ 名 **炭素, 二酸化炭素**（= carbon dioxide）

- **carbon** emissions（二酸化炭素排出量）
- **carbon**(-)neutral（二酸化炭素排出量ゼロの）
- **carbon** monoxide（一酸化炭素）

2302  **vacuum** [vǽkjuəm] ｜ 名 **電気掃除機**（= vacuum cleaner）, **真空**（状態） 動（電気掃除機で）**掃除する**

- a **vacuum** (cleaner)（電気掃除機）

2303  **beam** [bíːm] ｜ 名 **光線**,（建築物の）**梁・桁**　動 **にっこりほほえむ**

- a **beam** of light（一筋の光）
- wood ceiling **beams**（木製の天井梁）
- She **beamed** at her friends.（彼女は友だちににこやかにほほえみかけた）

2304  **glow** [glóu] ｜ 名（ほのかな）**光・輝き** 動（ほのかな）**光を放つ**,（目・顔が）**輝く**

- the **glow** of sunset[sunset **glow**]（夕焼け）
- **glow** with happiness（幸せで輝く）

♣ 炎を出さずに静かに燃える・光る。

動 詞 ⑨

2305 **assert** [əsə́ːrt] ｜ 動（～を）**断言する・言い張る**,（権利などを）〔強く〕**主張する**

▸ assertion 名 断言, 主張　▸ assertively 副 はっきりと

- He **asserted** that it was not true.（彼はそれが事実ではないと断言した）

♣ 根拠はないが言い張る。

2306  **justify** [dʒʌ́stəfài] ｜ 動（～を）**正当化する**,《be ~ied で》**正当である・当然である**

▸ justification 名 正当化　▸ justice 名 正義・公正

- Nothing can **justify** this kind of behavior.
  （どんな理由があってもこんなふるまいは正当だとは言えない）　➲behavior (1064)
- She was fully **justified** in complaining to her boss.
  （彼女が上司に文句を言うのは当然のことだった）

♣ be justified の justified は形容詞扱い（分詞形容詞）。

2307	**assure** [əʃúər]	動（～を）**保証する**

▶ assurance 名 保証, 確信
- We can **assure** delivery within three weeks of your order.
（ご注文から 3 週間以内の配達を保証いたします）

♣ 確実であると言って安心させる（100%ではないこともある）。guarantee (969) は確実であることを約束［契約］する。

2308	**prohibit** [prouhíbət]	動〔法律などが〕（～を）**禁止する**

▶ prohibition 名 禁止
- Smoking is **prohibited** in this room.（この部屋は禁煙です）

♣ 受け身形で使うことが多い。

2309	**refrain** [rifréin]	動（～（すること）を）**控える・慎む**（from (doing)）

- Please **refrain** from using your mobile phone in this area.
（このエリアでの携帯電話の使用はご遠慮ください）

2310	**suspend** [səspénd]	動（～を）**一時停止［中止］する**,（～を）**吊るす**

▶ suspension 名 一時停止, 停職［停学］
- The game was **suspended** because of the rain.（試合は雨のため中断した）
- **suspend** a lamp from the ceiling（天井からランプを吊るす）

2311	**discard** [diskáːrd]	動（不要な物を）**廃棄する・捨てる**

▶ discarded 形 廃棄された
- **discard** old books（古本を捨てる）

2312	**withdraw** [wiðdrɔ́ː]	動（預金を）**引き出す**, （活動などから）**撤退する・退く**（from）

〔withdraw - withdrew - withdrawn〕 ▶ withdrawal 名（預金の）引き出し, 撤退
- **withdraw** money from the account（口座から預金を引き出す）
- **withdraw** from the project（プロジェクトから撤退する）

2313	**reinforce** [rìːinfɔ́ːrs]	動（～を）**補強する・強化する**

▶ reinforcement 名 補強・強化
- **reinforce** one's argument with researched facts
（調査による事実で議論を補強する）

- **reinforced** concrete（鉄筋コンクリート）

2314 **customize** [kʌ́stəmàiz] 動（～を）カスタマイズする・〔必要に応じて〕変更する

▸ customized 形 カスタマイズされた　▸ customizable 形 カスタマイズできる

- The software is easy to **customize**.
（そのソフトは簡単にカスタマイズができる）

2315 **detach** [ditǽtʃ] 動（～を）引き離す・分離する

- You can **detach** the handle from the bag.
（バッグから取っ手を取りはずせます）

2316 **extract** [ikstrǽkt] 動（～を）引き抜く・抜き出す,（～を）抽出する
名 [ékstrækt] 抽出（物）

- **extract** a cash card from a wallet（キャッシュカードを財布から取り出す）
- **extract** essential oils from flowers（花から精油をしぼり取る）
- lemon **extract**（レモンエキス）

名詞 ⑩ ・ 形容詞 ⑧

2317 **stationery** [stéiʃənèri] 名 文房具, 事務用品

- a **stationery** store（文房具屋）

2318 **gear** [gíər] 名 歯車,《複合語で》～用具［装置］

- change **gears**（ギアチェンジする）
- climbing[fishing] **gear**（登山［釣り］用具）
- safety **gear**（安全装置）

2319 **circuit** [sə́ːrkət] 名 回路

- integrated **circuits**（集積回路《略 IC》）
- **circuit** boards（回路基板）

2320 **suburb** [sʌ́bəːrb] 名《the ～s で》郊外

▸ suburban 形 郊外の, 郊外にある

- They moved to the **suburbs**.（彼らは郊外に移り住んだ）

2321 **blossom** [blάsəm]
名 (果樹に咲く)花, 開花　動 開花する

- cherry **blossoms** (桜の花)
- The cherry trees are in (full) **blossom**. (桜が満開だ)
- The cherry trees are beginning to **blossom**. (桜が咲き始めている)

2322 **inclusive** [inklú:siv]
形 (料金などが) (～を) 含んだ (of),
すべてを含んだ (= all-inclusive)

- The cost is $200, **inclusive** of meals. (料金は食事込みで 200 ドルです)
- an **inclusive** charge (いっさい込みの料金)

2323 **advisory** [ədváizəri]
形 助言的な・諮問[顧問]の　名 警報・注意報

▶ advise (329)
- an **advisory** committee[board] (諮問委員会)
- storm **advisories** (暴風警報)

2324 **advisable** [ədváizəbl]
形 推奨される, 賢明な

▶ advise (329)
- It is **advisable** to book your hotel in advance.
(ホテルを前もって予約することをお勧めします)

2325 **plausible** [plɔ́:zəbl]
形 (説明などが) 妥当な・もっともらしい

- a **plausible** explanation (もっともな説明)

2326 **underway** [ʌ̀ndərwéi]
形 (事が) 進行中で・始まって

- The project got **underway** today. (そのプロジェクトは今日始まった)

2327 **lucrative** [lú:krətiv]
形 金になる・もうかる (= profitable (2341))

- **lucrative** business deals (もうかる取引)

2328 **waterproof** [wɔ́:tərprù:f]
形 防水の・耐水の　動 (～に) 防水加工をする

- a **waterproof** mobile phone (防水携帯電話)

名詞 ⑪

2329 **chip** [tʃíp] 名 切片, (IC)チップ

- potato **chips**(ポテトチップ)
- integrated circuit **chips**(集積回路チップ[IC チップ])

♣ ホテル・タクシーなどでの「チップ」は tip (582)。

2330 **grain** [gréin] 名 穀物, (穀物の)粒, 木目

- export[import] **grain**(穀物を輸出[輸入]する)
- **grains** of rice(米粒)

2331 **gum** [gʌ́m] 名《~s で》歯茎, (チューイン)ガム(= chewing gum)

- Your teeth and **gums** are healthy.(あなたの歯と歯茎は健康です)

2332 **fragrance** [fréigrəns] 名 良いにおい[香り]

▸ fragrant 形 良い香りの

- the **fragrance** of roses(バラの香り)

♣ smell は良いにおい・香りにも悪臭にも使う。

2333 **flaw** [flɔ́:] 名 (食器などの)傷, (理論・設計などの)欠点・欠陥

▸ flawless 形 完璧な, しみ[傷]のない

- There was a **flaw** in the glass.(そのグラスには傷があった)
- The system had some minor **flaws**.
  (そのシステムにはいくつかの小さな欠陥があった)

2334 **rash** [rǽʃ] 名 発疹 形 軽率な

- develop a **rash** on one's arm(腕に発疹ができる)
- a **rash** and thoughtless action(軽率で思慮のない行為)

2335 **rug** [rʌ́g] 名 敷物・じゅうたん

- a living-room **rug**(居間のじゅうたん)

♣ carpet「カーペット」よりも小さく, 床の一部に敷くもの。mat「マット」は rug よりも小さく, 「足ふき」や物の下に敷く「敷物」。

2336 **hook** [húk]
名 (物を掛ける)かぎ・フック　動 (～を…に)掛ける, (～を…に)〔ケーブルで〕接続する(up)

- Put your coat on the **hook**.(上着は洋服掛けに掛けてください)
- **hook** (up) a computer to the Internet(コンピュータをインターネットに接続する)

2337 **cable** [kéibl]
名 ケーブル線, ケーブルテレビ(= cable television)

- computer **cables**(コンピュータケーブル)
- We need more **cable** to hook up the computers.
(コンピュータを接続するケーブルがもっと必要だ)

2338 **spark** [spáːrk]
名 火花　動 (騒ぎ・興味などを)引き起こす(off)

- The firework showered **sparks** all over the lawn.
(花火の火花が芝生全体に降りそそいだ)　▸ shower「降りそそぐ」
- Their deaths **sparked** off riots.(彼らの死が暴動を引き起こした)

2339 **stain** [stéin]
名 しみ・汚れ, 汚点
動 (～に)しみを付ける・汚す[しみが付く・汚れる]

- Can you remove this **stain**?(このしみは取れますか)　➲ remove (922)
- He **stained** his shirt with coffee.(彼はシャツをコーヒーで汚してしまった)

2340 **broom** [brúːm]
名 ほうき, 長柄のブラシ

- clean the floor with a **broom**(ほうきで床を掃除する)
- A new **broom** sweeps clean.
(新しいほうきはきれいに掃ける[新任者は改革に熱心なものだ])《ことわざ》

形容詞⑨・接続詞①

2341 **profitable** [práfətəbl]
形 収益性の高い・もうかる, 有益な

▸ profitability 名 収益性　▸ profit (1170)
- a **profitable** business(もうかる商売)
- a **profitable** discussion(有益な議論)

2342 **alert** [ələ́ːrt]
形 (～に)油断のない(to)　動 警報を出す, 警告する
名 警報・警戒

- be **alert** to any changes in the weather(どんな天候の変化にも注意している)
- **alert** residents that a hurricane is approaching
(ハリケーンが近づいていると住民に警告する)
- a fire **alert**(火災警報)

2343 
flexible [fléksəbl] 形 柔軟な, 融通のきく

▸ flexibility 名 柔軟性
- We're on a very **flexible** schedule.（十分融通のきく予定です）

2344 
distinct [distíŋ(k)t] 形（～と）別個の, はっきりした

▸ distinction 名 区別, 識別　▸ distinctive 形 独特な, 特徴的な
- That is a completely **distinct** matter.（それは完全に別個の問題だ）
- This coffee is **distinct** from all other blends on the market.
（このコーヒーは, 市場に出回っている他のブレンドとは一線を画している）
- **distinct** differences（はっきりした違い）

2345 
freelance [fríːlæns] 形 フリー［自由契約］の
名 フリーランサー（= freelancer）

- a **freelance** writer（フリーのライター）
- work on a **freelance** basis（フリーランスで働く）

2346 
beneficial [bènəfíʃl] 形（～に）有益な（to, for）

▸ benefit (463)　▸ beneficiary 名 受益者,（保険金などの）受取人
- be **beneficial** to one's health（健康に良い）
- be **beneficial** for both our companies（両社にとって有益である）

2347 
prompt [prám(p)t] 形 即座の　動（～に…することを）促す（to, to do）

▸ promptly 副（時間）きっかりに, 即座に
- make a **prompt** reply（即答する）
- You will be **prompted** to enter your password.
（パスワードを入力するよう促されます）

2348 
adequate [ǽdəkwət] 形 十分な（量の）, 適切な（⇔ inadequate「不適切な」）

▸ adequately 副 適切に
- **adequate** funds（十分な資金）
- The first aid was **adequate**.（応急手当は適切だった）　➲ aid (1359)

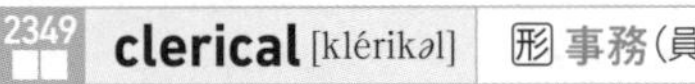

2349 **clerical** [klérikəl] 形 事務(員)の

▸ clerk (583)

- **clerical** staff(事務職員)

2350 **federal** [fédərəl] 形 連邦(制)の

- the **federal** government(連邦政府)

2351 **neat** [níːt] 形 きちんとした, 手際のいい

▸ neatly 副 きちんと

- keep a room **neat** and clean(部屋をきれいに整頓しておく)
- a **neat** work(手際のいい仕事)

♣「きちんとした」の意味では tidy (786) と同義。

2352 **whereas** [(h)weəræ̀z] 接 ところが(それに対して), …であるのに

- Her parents are quite short, **whereas** she's very tall.
（両親はかなり背が低いが, 彼女はとても背が高い）

副詞①・前置詞①

2353 **scarcely** [skéərsli] 副 ほとんど~ない(= hardly (1152))

▸ scarce 形 乏しい(⇔ abundant (1691))

- There's **scarcely** any coffee left.(もうコーヒーがほとんど残っていない)

♣ hardly よりも《フォーマル》。

2354 **somewhat** [sʌ́m(h)wʌ̀t] 副 いくらか, 若干

- The new model is **somewhat** different from the previous one.
（新型は前のものとはやや違っている） ➲previous (894)

2355 **likewise** [láikwàiz] 副 同様に・同じように

- Go and do **likewise**.(行って同じようにしなさい)

2356 **seldom** [séldəm] 副 めったに~ない

- A barking dog **seldom** bites.(吠えるイヌはめったに噛まない)
→口先ばかりの人は実行が伴わない《ことわざ》 ➲bite (1143)

2357 **frankly** [frǽŋkli] 副 率直に, 率直に言って

▶ frank 形 率直な

- Tell me **frankly** what you think.（率直にどう思うか言ってくれ）
- **Frankly**, I don't care what you do.
（率直に言って, 君が何をしようと気にしないよ）

2358 **literally** [lítərəli] 副 文字通りに, 本当に

▶ literal 形 文字通りの

- Don't take what I said **literally**.
（私の言ったことを文字通りにはとらないでくれ）

♣ literary *(1633)* と混同しないように注意。 この使い分けも TOEIC 頻出。

2359 **necessarily** [nèsəsérəli] 副 必然的に,《not ～で》必ずしも（…でない）

▶ necessary (209)

- Income tax laws are **necessarily** complicated.
（所得税法は必然的に複雑なものだ） ➲complicated (1455)
- That is not **necessarily** true.（それは必ずしも真実ではない）

2360 **readily** [rédili] 副 容易に, 快く

▶ ready (48)

- The book is **readily** available.（その本は容易に入手できる）
- She **readily** agreed to go.（彼女は快く行くと言ってくれた）

2361 **beforehand** [bifɔ́:rhæ̀nd] 副 前もって, あらかじめ（⇔ afterward「後で」）

- Please inform us **beforehand** if you are planning to attend.
（出席するおつもりでしたら前もってお知らせください） ➲attend (398)

2362 **versus** [və́:rsəs] 前 ～対…, ～か…

- the Angels **versus** the Mariners（エンゼルス対マリナーズ）
- It's a question of quantity **versus** quality.
（それは量か質かの問題だ）

名詞 ①

2363 **inn** [ín] 名 宿屋・小さな旅館

- We managed to find an **inn** at the foot of the mountain.
  (ようやく山のふもとに宿屋を見つけた)

➲ manage (309)

2364 **annex** [ǽneks] 名 別館 (to)

- build an **annex** to the library (図書館の別館を建てる)

2365 **lounge** [láundʒ] 名 (空港の)待合室・ロビー,
(ホテル・会社などの)休憩室・ラウンジ

- a departure[gate] **lounge** (出発[ゲート]ロビー)
- an employee **lounge** (従業員休憩室)

♣ ホテルなどの「ロビー」は lobby (976)。

2366 **amenity** [əménəti] 名《~ies で》(ホテル・マンションなどの)設備

- All rooms feature modern **amenities** including free internet connection.
  (すべての客室には無料のインターネット接続を含め最新の設備が備わっています)

➲ feature (99), connection *(1222)*

2367 **fixture** [fíkstʃər] 名《~s で》(家屋内の)作り付け設備, 建具

▶ fix (331)

- kitchen **fixtures** (台所設備)
- light **fixtures** (照明設備)

2368 **footwear** [fútwèər] 名 履き物

▶ wear (262)

- have a large selection of **footwear** (履き物の豊富な品揃えがある)

♣ wear の合成語には sportswear「運動着」, underwear「下着」, eyewear「アイウェア(めがね, コンタクトレンズなど)」などがある。

2369 **closet** [klɑ́:zət] 名 クローゼット

- a bedroom **closet** (寝室のクローゼット)
- store winter clothes in the **closet** (冬服をクローゼットに収納する)

2370  **locker** [lɑ́:kər] 名 ロッカー

▶ lock (664)
- **locker** room（ロッカールーム）
- leave one's luggage in the **locker**（手荷物をロッカーに預ける）

2371  **staircase** [stéərkèis] 名（屋内の一続きの）階段《手すりなどを含む》

▶ stair (652)
- go up[down] the spiral **staircase**
（らせん階段を上る[降りる]） ▸ spiral「らせん(状)の」

2372  **hallway** [hɔ́:lwèɪ] 名（建物内の）廊下（= hall, corridor (2097)）, 玄関ホール（= hall）

- The meeting room is down that **hallway** and to your left.
（会議室は廊下を行った左手です）

♣ hall は hallway の意味の他に日本語の「ホール（会館, 大広間）」の意味をもつ。

2373  **walkway** [wɔ́:kwèɪ] 名（建物間の）歩行者用通路

- A covered **walkway** joins the two buildings.
（屋根付きの通路が 2 つの建物をつないでいる）

♣ ふつう地面より高い位置にある。

2374  **detour** [dí:tuər] 名 回り道　動 迂回する・(～を)迂回させる

- make[take] a long[short] **detour**（遠回り[ちょっと回り道]をする）

動詞 ①

2375  **restructure** [rì:strʌ́k(t)ʃər] 動（～を）再構築する・改革する

▶ restructuring 名 再編成, 構造改革
- **restructure** a company（会社の改革をする）

2376 **incline** [ɪnkláin] 動（～へ）心が傾く (to, to do), （～を）傾ける
名 [ínklain] 坂・傾斜

▶ inclination 名 意向, 傾向
- I'm **inclined** to agree with your idea.（君の考えに賛成してもいいな）
- a steep[gentle] **incline**（急な[緩やかな]坂）

♣ slope (1615) の言い換えに使われる。

2377 **brew** [brúː] | 動 (～を)醸造する(up), (茶・コーヒーなどを)入れる

▶ brewery 名 醸造所
- Sake is **brewed** from rice.(日本酒は米から醸造する)
- **brew** (up) a pot of tea(ポット1杯の紅茶を入れる)

2378 **conserve** [kənsə́ːrv] | 動 (～を)保護する・保全する, (資源・エネルギーなどを)大切に使う

▶ conservation 名 保護・保存 ▶ conservative (1746)
- **conserve** energy[water](エネルギー[水]を大切に使う)

♣「保護する・保全する」は preserve (1434) とほぼ同義。

2379 **fluctuate** [flʌ́ktʃuèɪt] | 動 (物価・数値などが)上下する・変動する

▶ fluctuation 名 (物価・数値などの)変動
- Electricity charges **fluctuated** significantly over the past year.
(電気料金はこの1年で大きく変動した) ➲ significantly (544)

2380 **surpass** [səːrpǽs] | 動 (～を)しのぐ・上回る

- **surpass** expectations(予想を上回る)

2381 **scrub** [skrʌ́b] | 動 (～を)ごしごし磨く[洗う]

- **scrub** the floor with a brush(ブラシで床をこする)

2382 **blow-dry** [blóudràɪ] | 動 (髪を)ドライヤーで整える・ブローする 名 ヘアドライヤーで整髪すること・ブロー

▶ blow dryer 名 ヘアドライヤー(= hair dryer)
- have one's hair cut and **blow-dried**
(髪をカットしてブローする[してもらう])

♣ blow「(風が)吹き飛ばす」+ dry「乾かす」。blow dry とすることもある。

2383 **compel** [kəmpél] | 動 (～に…することを)強制する(to do)

▶ compulsion 名 強制 ▶ compelling 形 人をひきつける・抗しがたい
- We are **compelled** to revise our prices.
(価格の改定を余儀なくされました) ➲ revise (449)

2384 **withstand** [wiðstǽnd] 動 (~に)**耐える・持ちこたえる**

〔withstand - withstood - withstood〕

- a building that can **withstand** earthquakes
  (地震に耐えられる建物)

2385 **consolidate** [kənsálidèit] 動 (~を)**統合する**, (権力などを)**強化する**

▶ consolidation 名 合併・統合, 強化

- **consolidate** debts (負債を統合する)
- **consolidate** one's position (地位を固める)

2386 **levy** [lévi] 動 (税などを)**課す**
名 (税・罰金などの)**取り立て・徴収**

- A 15% tax is **levied** on most hotel services.
  (ホテルのほとんどのサービスに 15%の税が課されている)

名 詞 ②

2387 **buffet** [bəféi] 名 (バイキング式の)**食事・立食**, (駅・劇場どの)**軽食堂**

- a **buffet** table (バイキング(料理の)カウンター)
- a complimentary **buffet** dinner for employees
  (社員のための無料バイキング(ディナー))　➡ complimentary (1199)

2388 **cuisine** [kwizíːn] 名 (国・地方などの独特の)**料理(法)**

- The restaurant serves mainly Italian **cuisine**.
  (そのレストランでは主にイタリア料理を出している)

2389 **cookbook** [kúkbùk] 名 **料理本**

- a **cookbook** of Italian recipes (イタリア料理のレシピ本)　➡ recipe (1264)

2390 **pastry** [péistri] 名 (菓子用の)**生地**, **ペストリー(菓子)**

- Roll the **pastry** as thin as you can. (生地をできるだけ薄く延ばしなさい)
- a **pastry** shop (菓子店)

2391 **dairy** [déəri] 名 **酪農(場)**, **乳製品販売店**

- **dairy** products[produce] (乳製品)

2392 **vanilla** [vənílə] 名 バニラ(エッセンス) 形 バニラ風味の

- Add eggs and **vanilla** and stir.(卵とバニラを加え，かき混ぜなさい)
- **vanilla** ice cream(バニラアイスクリーム)

2393 **texture** [tékstʃər] 名 触感・手触り，食感，質感

- the smooth **texture** of silk(シルクの滑らかな手触り)
- a creamy **texture**(クリーミーな食感)

2394 **liter** [líːtər] 名 リットル(《略》l.)

- three **liters** of milk(牛乳 3 リットル)

2395 **checkup** [tʃékʌ̀p] 名 健康診断

- have an annual (medical) **checkup**(年 1 回の健康診断を受ける)

2396 **referral** [rɪfə́ːrəl] 名 (専門医などへの)紹介，(他の機関への)委託

▸ refer (14)

- make a **referral** to specialists(専門医へ紹介する)

2397 **wellness** [wélnəs] 名 健康(な状態)

- **wellness** education(健康教育)
- a **wellness** program(健康維持プログラム)

♣ health の同義語。特に健康教育など，社会的な文脈でよく使う。

2398 **precaution** [prikɔ́ːʃən] 名 用心・警戒(against)

- take **precautions** against fires[an earthquake]
(火事に用心する[地震に備える])

形容詞 ①

2399 **toll-free** [tóulfríː] 形 副 フリーダイヤルの[で]

- call the **toll-free** number(フリーダイヤル番号に電話する)
- Please call us **toll-free** at 800-222-3333.
(フリーダイヤル 800-222-3333 番へお電話ください)

2400 respective [rispéktiv]

形 それぞれの

▶ respectively 副 それぞれ

- All product names are also the trademarks of their **respective** companies.
  （すべての製品名はそれぞれの会社の（登録）商標でもあります） ➲trademark *(252)*

2401 gourmet [guərméi]

形 グルメの　名 美食家

- a **gourmet** restaurant（グルメ向きのレストラン）

2402 civic [sívik]

形 市民の, 市の

▶ civil (1459)

- a **civic** duty（市民の義務） ➲duty (1244)
- a **civic** square（市民広場）

2403 harsh [há:rʃ]

形 厳しい

- the **harsh** realities of life（人生の厳しい現実） ➲reality *(207)*

2404 rigid [rídʒid]

形 厳しい, 厳格な

- **rigid** information control（厳しい情報統制） ➲control (367)

♣ rigid は「堅くて融通性がない」という意味。 ➲rigorous (2504)

2405 comparable [kámpərəbl]

形 (～と)類似の・(～に)匹敵する (to, with)

▶ compare (567)

- **comparable** situations（類似の場合）
- Their products are hardly **comparable** with ours in quality.
  （その製品は品質においてわが社のものとは比べものにならない）

2406 secondhand [sékən(d)hǽnd]

形 中古の, 間接的な

- a **secondhand** shop（中古品店）
- **secondhand** news（また聞きのニュース）

2407 deluxe [dəlʌ́ks]

形 豪華な・デラックスな

- The **Deluxe** rooms can each accommodate up to 3 persons.
  （デラックスルームは 3 名様までご宿泊可能です）

2408  **unused** [ʌnjúːzd]

形 使用されていない，未使用の（⇔ used (1102)）

- Returns must be made within 60 days of purchase and must be in **unused** condition.（返品はご購入から 60 日以内で，未使用の状態に限ります）

♣ be unused [ʌnjúːst] to で「～に慣れていない」の意味になるが，not be used to が自然。

2409  **operational** [ɑ̀ːpəréɪʃənl]

形 業務上の，運営上の，《be ～で》（機械などが）稼動可能な，使用できる

▸ operation (933)

- **operational** costs（業務費，運営費）
- The new facility will soon be **operational**.（新しい施設は間もなく稼動します）

2410  **organizational** [ɔ̀ːrɡənəzéɪʃənl]

形 組織の・組織的な，組織化するための《能力など》

▸ organization (851)

- **organizational** problems（組織上の[構造的な]問題）
- develop **organizational** skills（組織化[組織をうまくまとめる]能力を向上させる）

名詞 ③

2411  **bookkeeping** [búkkìːpiŋ]

名 簿記

- double-entry **bookkeeping**（複式簿記）

2412  **compliance** [kəmpláɪəns]

名（規則などに）従うこと，遵守

▸ comply (1983)

- in **compliance** with the law（法に従って）

2413  **patronage** [pǽtrənidʒ]

名（店などへの）ひいき・愛顧

▸ patron (1972)

- Thank you for your **patronage**.（毎度ごひいきいただきありがとうございます）

2414 **subsidiary** [səbsídièri]

名 子会社　形 補助的[従属的]な

- an overseas **subsidiary**（海外子会社）
- a **subsidiary** role（補助的な役割）

2415  **outsourcing** [àutsɔ́ːrsiŋ]
名 外注・アウトソーシング

▶ outsource 動 (～を)外部委託する
- the **outsourcing** of parts production(部品製造の外部委託)

2416  **prototype** [próutoutàip]
名 (新製品などの)原型, 試作品

- a working **prototype** of the new car
(新車のワーキングプロトタイプ(実働モデル))

2417  **credential** [krədénʃl]
名《～s で》信用を保証するもの・実績, 資格証明書

- She had excellent **credentials** for the job.
(彼女はその職について優れた実績があった)
- press **credentials**(報道関係認定証, 記者証)

2418 **quota** [kwóutə]
名 (生産・販売などの)割当て数[量]

- a sales **quota**(販売割当て数[量])

2419  **surplus** [sə́ːrplʌs]
名 余り, 過剰(⇔ deficit (2055)) 形 余分[過剰]の

- trade **surplus**(貿易黒字)

2420  **speculation** [spèkjəléiʃən]
名 推測, 投機

▶ speculative 形 推測に基いた, 投機的な
- It's all **speculation** at this point.(それは現段階ではすべてが推測だ)
- real estate **speculation**(不動産投機)

2421  **logistics** [lo(u)dʒístiks]
名 ロジスティックス《物資の管理業務》, (商品の)物流

- a **logistics** firm(ロジスティックス[物流]会社)

2422 **depot** [díːpou]
名 貯蔵所・倉庫, (バスなどの)発着場・ターミナル

- a fuel storage **depot**(燃料の備蓄基地) ➲ storage (487)
- a bus **depot**(バス発着場)

♣ 発音注意(語尾の t は発音しない)。

動詞 ②

2423 **thrive** [θráiv] | 動 繁栄する, よく生育[成長]する

▶ thriving 形 繁栄[繁盛]している
- The baseball industry **thrived** in the 1880s.
（野球業界は 1880 年代に成長した）
- plants that **thrive** in tropical rain forests（熱帯雨林の森で生育する植物）

2424 **unveil** [ʌnvéil] | 動（～を）公表[公開]する,（～の）除幕を行う

▶ veil 名 ベール, 覆い隠すもの
- **unveil** plans for a new park（新しい公園の計画を発表する）

2425 **hamper** [hǽmpər] | 動（～を）妨げる・阻む

- Rescue work was **hampered** by aftershocks.
（救助作業は余震によって阻まれた）

2426 **prop** [prɑ́:p] | 動（～に…を）立てかける, もたせかける,（～に）つっかえ棒をする

- The bike is **propped** against a tree.（自転車は木に立てかけられている）
- The door is **propped** open.（ドアは（つっかえ棒で）開け放たれていた）

2427 **convene** [kənví:n] | 動（人・会議などを）召集する・（集会などのために）集まる

▶ convention (974)
- An emergency meeting was **convened** on April 24.
（緊急会議が 4 月 24 日に召集された）

2428  **affiliate** [əfílièit] | 動（～と）提携する (with),（～の）傘下に置かれる (to)
名 支社[店], 子会社

▶ affiliated 形 提携している
- a TV station **affiliated** to ABC（ABC 系列のテレビ局）

♣ ふつう, 自社より大きな組織との協力関係をいう。 ➲partner (510)

2429 **collaborate** [kəlǽbərèit] | 動（科学・芸術などで）共同制作[研究]する (with, on)

▶ collaboration 名 共同制作[研究], 共同作品
- **collaborate** with the university on the project
（そのプロジェクトで大学と共同研究する）

2430 commend [kəménd]　動 (〜を)ほめる・称賛する

▶ recommend (405)

• His book was highly **commended**.
(彼の本は高く評価された)

2431 attest [ətést]　動 (真実性を)証明する(to)

• His success in the business world **attests** to his dedication and skills.
(彼のビジネス界での成功が彼の献身とスキルの高さを証明している)

2432 redeem [ridíːm]　動 (〜を)現金[商品]に換える

▶ redeemable 形 (金券・商品券などが)交換できる

• You can **redeem** the coupon at any store.
(そのクーポンはどの店でも商品と引き換えられます)

• **redeem** the points for discounts on items
(ポイントを商品の割引に交換する)

2433 refurbish [rìːfə́ːrbiʃ]　動 (〜を)〔全面的に〕改装[新装]する

▶ refurbishment 名 (全面的な)改装

• The hotel has been completely **refurbished**.
(そのホテルは全面改装された)

2434 defer [difə́ːr]　動 (決定・支払いなどを)延期する

• The decision has been **deferred** indefinitely.
(決定は無期限に延期された)　▶ indefinitely「無期限に」

名詞 ④

2435 aviation [èiviéiʃən]　名 航空(学・術)

• **aviation** accidents(航空機事故)

2436 carry-on [kǽriɑːn]　名 (機内持ち込みの)手荷物　形 機内持ち込みの

• I packed the book in my **carry-on**.
(私はその本を機内持ち込みの手荷物に入れた)

• **carry-on** luggage(機内持ち込み(の)手荷物)

2437 **clearance** [klíərəns]
名 (通関・離着陸などの)**許可**, (不要な物・在庫品などの)**片付け・一掃**

▶ clear (214)
- customs **clearance** (通関手続き)
- a **clearance** sale (在庫一掃セール)

2438 **automation** [ɔ̀ːtəméiʃən]
名 **自動化**

▶ automate 動 オートメーション化する
- office **automation** (オフィス・オートメーション《略》OA)

2439 **sensor** [sénsər]
名 **感知装置・センサー**

▶ sense (676)
- a light **sensor** (光センサー)

2440 **interface** [íntərfèis]
名 **接点・境界面**《相互に作用を及ぼす領域》

- the user **interface** (ユーザーインターフェース)
- the **interface** between the scientist and society
(科学者と社会の接点)

2441 **fingerprint** [fíŋgərprìnt]
名 **指紋**

- a **fingerprint** identification[recognition] system
(指紋認証システム) ➲ identification *(1183)*, recognition *(967)*

♣ fingerprint authentication とする辞書もあるが, TOEIC では上の 2 語を使っている。

2442 **timeline** [táimlàin]
名 **日程**, **予定**(期間), (歴史)**年表** (= historical timeline)

- set the clear **timeline** for the project
(プロジェクトの明確な日程を設定する)

♣ timeline は時間軸に沿って書かれた予定(表)のイメージ。schedule (11) は「行動・行為」を軸に書かれた予定(表)。

2443 **outage** [áutidʒ]
名 (電気などの)**供給停止期間**, **停電**(期間)

- a power **outage** (停電) (= power failure)

2444 **contingency** [kəntín(d)ʒənsi]
名（将来起こり得る）**緊急事態, 不測の事態**

▶ contingent 形 不慮の
• a **contingency** plan（緊急事態の対応計画）

2445 **directive** [dəréktiv]
名 **指令, 指示書**

▶ direct (141)
• a government **directive** on safety standards（安全基準に関する行政指示）

2446 **oversight** [óuvərsàit]
名 **見落とし,**
（作業などの）**監督・監視**（= supervision *(1385)*）

▶ overlook (1221)
• a letter of apology for the **oversight**（見落としを謝罪する手紙）
• **oversight** of the project（プロジェクトの監督）

形容詞 ②

2447 **compact** [kəmpǽkt]
形 **小型の**《小型で使いやすい》, **コンパクトな**
名 [kámpækt] **小型車**（= compact car）

• Its **compact** design helps save space.（コンパクトなデザインで場所を取りません）

2448 **automotive** [ɔ̀ːtəmóutɪv]
形 **自動車（関連の）の**

▶ auto (1281)
• the **automotive** industry（自動車産業）
• new **automotive** technology（新しい自動車（関連）技術）

2449 **outdated** [àutdéɪtɪd]
形 **旧式の・時代遅れの**（= old-fashioned (1856)）,
期限切れの（= out-of-date）

• **outdated** equipment（旧式の装置）
• **outdated** teaching methods（時代遅れの指導法）

♣ old-fashioned は肯定的にも使うが, outdated は常に否定的な意味合い。

2450 **culinary** [kʌ́lənèri]
形 **料理の, 調理の**

• **culinary** skills（料理の技術）
• a **culinary** school（調理師専門学校）

♣ cooking の《フォーマル》な語。 調理師専門学校の校名によく使われる。

2451 in-house [ínhàʊs] — 形 副 企業内の[で], 社内の[で]

- an **in-house** designer[lawyer](企業内デザイナー[弁護士])
- **in-house** newsletters(社内報)

2452 incomplete [ìnkəmplíːt] — 形 不完全な, 未完成の(⇔ complete (43))

- The report is still **incomplete**.(報告書はまだ不完全[未完成]です)

2453 charitable [tʃérətəbl] — 形 慈善の, チャリティーの

▶ charity (1358)
- a **charitable** organization(慈善団体)
- a **charitable** donation(慈善寄付) ➲ donation *(1177)*

2454 municipal [mjuːnísəpl] — 形 地方自治の・都市[町]の

- a **municipal** government(市政)

2455 wholesale [hóulsèil] — 形 卸売りの 名 卸売り

▶ wholesaler 名 卸売商
- **wholesale** prices(卸売物価)

2456 resistant [rizístənt] — 形《合成語で》耐性のある

▶ resist (1723)
- water-**resistant** paper(耐水紙)
- a child-**resistant** cap(子どもが開けにくい(ボトルの)キャップ)

2457 elaborate [ilǽbərət] — 形 精巧な 動 [ilǽbərèit] 詳しく述べる(on)

- an **elaborate** drawing(精巧に描かれた絵)
- Could you **elaborate** on this, please?
(これについて詳しく述べてくださいますか)

2458 pending [péndiŋ] — 形 未決定の, 係争中の

- a **pending** question(懸案の問題)

名詞 ⑤

2459 **metropolitan** [mètrəpálətn]

名 大都市の・都会の

▶ metropolis 名 主要都市
- a **metropolitan** area (首都圏)

2460 **landmark** [lǽndmɑ̀ːrk]

名 (陸上の)目印, 画期的な出来事

- Are there any **landmarks**? (何か目印はありますか)
- a **landmark** victory (画期的勝利)

2461 **infrastructure** [ínfrəstrʌ̀k(t)ʃər]

名 社会基盤・インフラ

- the country's economic **infrastructure** (国の経済基盤)
- power delivery **infrastructure** (電力供給インフラ)

2462 **irrigation** [ìrigéiʃən]

名 灌漑

▶ irrigate 動 灌漑する
- **irrigation** water (灌漑用水)
- an **irrigation** ditch (灌漑用水路) ▶ ditch「水路」

2463 **reservoir** [rézərvwɑ̀ːr]

名 貯水池, 貯水槽, (機械の)液体貯蔵器

▶ reserve (428)
- a water **reservoir** (貯水池[槽])
- The engine oil **reservoir** (エンジンオイル・タンク)

2464 **cartridge** [kɑ́ːrtrɪdʒ]

名 (プリンターなどの)カートリッジ

- an ink[a toner] **cartridge** (インク[トナー]カートリッジ)

2465 **lumber** [lʌ́mbər]

名 材木, 木材

- building **lumber** (建築用材)

2466  **slate** [sléit]

名 **スレート(板)**
動 《be ~ed で》(~する)**予定である**(to do)

- a **slate** roof(スレート製の屋根)
- Construction is **slated** to begin in early June.
(工事は6月初旬に始まる予定だ)

♣「予定である」は be scheduled のくだけた言い方。細かくは確定していないことが多い。

2467  **hydrogen** [háidrədʒən]

名 **水素**

- Water is composed of **hydrogen** and oxygen.
(水は水素と酸素からできている) ➲compose (1886), oxygen (1710)

2468  **conditioner** [kəndíʃənər]

名 (ヘア)**コンディショナー**,
《air conditioner で》**空調装置・エアコン**

▶ condition (204)
- Body soap, shampoo and **conditioner** are provided free of charge.
(ボディソープ, シャンプー, ヘアコンディショナーは無料提供です)
- turn on the air **conditioner**(エアコンをオンにする)

♣ air-conditioner ともつづるが TOEIC では air conditioner が多い。

2469  **emission** [imíʃən]

名 (光・熱などの)**放出**

▶ emit 動 放出する
- exhaust **emission** control(排ガス規制)

2470 **void** [vɔ́id]

名 **欠如**　形 (契約などが)**無効の**(= null and void)
動 (契約などを)**無効にする**

- fill a **void**(欠如を埋める)
- The contract has become null and **void**.(その契約は無効になった)
- The court **voided** the election results.(裁判所はその選挙結果を無効にした)

動詞 ③

2471  **reassure** [rìːəʃúər]

動 (人を)**安心させる, 不安を取り除く**

- **reassure** customers that their personal information is 100% secure
(顧客に個人情報が100%安全であると安心させる) ➲secure (983)

2472 **diversify** [dəvə́ːrsəfài] | 動 (~を)**多様化する・多角化する**

▶ diversification 名 多様化・多角化
- **diversify** energy sources(エネルギー源を多様化する)
- **diversify** into new fields((多角化して)新部門に手を広げる)

2473 **validate** [vǽlədèɪt] | 動 (パスポート・駐車券などに)**証明印を押す**, (~を)**法的に有効にする[認める]**

▶ valid (1253)
- get one's parking ticket **validated** on the way out
(出るとき駐車券にスタンプを押してもらう)
- The court **validated** the contract.(裁判所はこの契約を正当なものと認めた)

2474 **proofread** [prúːfrìːd] | 動 (文章・印刷物などを)**校正する**

▶ proofreading 名 校正 ▶ proofreader 名 校正者
- **proofread** a report before handing it in
(レポートを提出する前に校正する) ▶ hand in「提出する(= submit)」

2475 **expedite** [ékspədàɪt] | 動 (~を)**早める・迅速化する**(= speed up)

- **expedite** shipping and delivery(出荷と配達を早める)
- **expedite** the decision-making process(意思決定の過程を迅速化する)

2476 **opt** [ɑ́ːpt] | 動 (~(する方)を)**選ぶ・選択する**(for, to do)

▶ option (414)
- We've **opted** for a smaller car.(私たちは小型車を選んだ)
- You can **opt** to store your data on the Cloud.
(データをクラウドに保存することを選択できます)

2477 **disclose** [disklóuz] | 動 (~を)**公表する・あばく**

▶ disclosure 名 公表, 暴露
- **disclose** the truth(真相を明らかにする)

2478 **articulate** [ɑːrtíkjəlèit] | 動 (考えなどを)**的確に表現する**
形 [ɑːrtíkjələt](スピーチ・論文などが)**明確な**

- try to **articulate** what I'm feeling(自分の気持ちを的確に表現しようとする)
- an **articulate** speech(明確な[わかりやすい]スピーチ)

2479 misplace [mìspléɪs] | 動 (～を)間違って置く・置き忘れる

- The mail has been **misplaced**.(その郵便物は誤った場所に置かれていた)
- I **misplaced** my keys somewhere.(鍵をどこかに置き忘れてしまった)

2480 dump [dʌ́mp] | 動 (～を)どさっと置く[降ろす], (ごみなどを)捨てる・処分する 名 ごみ捨て場

▶ dumping 名 (有害廃棄物などの)投棄, 投げ売り・ダンピング
- Illegal chemicals have been **dumped** in the river.
(違法な化学物質が川に捨てられている)

2481 skim [skím] | 動 (上澄みなどを)すくい取る, (～を)ざっと読む

- **skim** off the foam(泡をすくい取る) ▸ foam「泡」
- **skim** (through) the headlines
((新聞の)見出しにざっと目を通す) ➲ headline (1808)

2482 sting [stíŋ] | 動〔昆虫・植物が〕(～を)刺す, 刺激する 名 刺し傷

〔sting - stung - stung〕
- He was **stung** by a wasp.(彼はスズメバチに刺された)
- Cigarette smoke **stings** my eyes.(タバコの煙が目にしみる)

♣ 毒針・とげなどで刺す。「(蚊・クモなどが)刺す」は bite (1143)。

名詞 ⑥

2483 ministry [mínəstri] | 名 (英国・日本などの)省

- the **Ministry** of Finance(財務省) ➲ finance (856)

♣ 米国の「省」は department を使う。the Department of Agriculture(農務省)。

2484 turnout [tə́ːrnàut] | 名 投票者数[率] (= voter turnout), 出席者数

▶ turn out 動 (人が)集まる, 出かける
- Voter **turnout** was 83%.(投票率は 83%だった)

2485 forum [fɔ́ːrəm] | 名 公開討論会・フォーラム, (公の)討論の場

- a **forum** on the environment(環境についての公開討論会[フォーラム])
- right to free speech in public **forums**(公の場における言論の自由)

2486  **pamphlet** [pǽmflət] | 名 小冊子・パンフレット

- a **pamphlet** about healthy eating（健康的な食事に関するパンフレット）

♣ 1 つのテーマについての文章・図などを含む小冊子。booklet (1637) よりページ数が少ないイメージ。日本語の「パンフレット」は brochure (468) に近い。leaflet「リーフレット」は無料配布のチラシ。

2487  **archive** [ɑ́ːrkaɪv] | 名《~s で》記録文書・アーカイブ，(古文書などの) 保管所，(コンピュータの) アーカイブ《保存されたファイル (のまとまり)》

- **archives** of historical material（歴史資料のアーカイブ）
- National **Archives** of Japan（国立公文書館）

2488  **manuscript** [mǽnjəskrìpt] | 名 原稿

- edit a **manuscript**（原稿を編集する） ➲ edit (1225)

2489  **familiarity** [fəmìliǽrəti] | 名 精通《よく知っていること》，親しさ

▸ familiar (639)

- **Familiarity** with networking and computer databases is required.（ネットワークとコンピュータ・データベースに精通していることが必要です）

2490  **donor** [dóunər] | 名 献血者，(移植用臓器の) 提供者

- an organ **donor** card（臓器提供 (意思表示) カード）

2491  **assortment** [əsɔ́ːrtmənt] | 名 各種取り揃えたもの

- a wide **assortment** of merchandise（広範囲の品揃え） ➲ merchandise (877)

2492 **array** [əréi] | 名 列，《an ~ of で》ずらりと並んだ…

- an **array** of computers（ずらりと並んだコンピュータの列）

2493 **accordance** [əkɔ́ːrdns] | 名《in ~ with で》(規則・制度など) に従って・のっとって

▸ accord 名 一致　動 ~と一致する　▸ according (502)

- in **accordance** with international law（国際法に従って）

2494  **fraction** [frǽkʃən]

名《a ~ of で》…**の一部・ほんの少し**(of), **分数**

- For a **fraction** of a second, there was silence.
(ほんの一瞬，沈黙があった)

形容詞 ③

2495  **supreme** [suprí:m]

形 (地位などが)**最高(位)の**, **最高(レベル)の**

- the **Supreme** Court(最高裁判所)
- This is a matter of **supreme** importance.(これは最重要問題だ)

2496  **minimal** [mínəml]

形 **最小限の**, **最低の**(⇔ maximal「最大限の，最高の」)

- The damage caused by the fire was **minimal**.
(火事に起因する損害はわずかだった)

♣ minimum (1207) / maximum (1342) は，与えられた条件[範囲]内での「最小・最大」をいう。minimal / maximal は「少ない・多い」を強調する表現。

2497  **vocational** [voukéiʃənl]

形 **職業訓練[指導]の**, **職業の**

▶ vocation 名 天職・職業
- a **vocational** school(職業訓練学校)
- **vocational** education(職業教育)

2498 **conditional** [kəndíʃənl]

形 **条件付きの**

▶ condition (204)　▶ unconditional 形 無条件の
- a **conditional** acceptance(条件付きの承諾)

2499  **renowned** [rináund]

形 **著名な**, **有名な**

- The area is **renowned** for its wines.(その地域はワインで有名だ)

2500 **sustainable** [səstéinəbl]

形 (農法・製法などが)**持続可能な**

▶ sustain (2146)
- **sustainable** agriculture(持続可能な農業)
- environmentally **sustainable**(環境的に持続可能な)

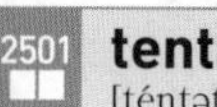

2501 **tentative** [téntətiv] | 形 仮の, 暫定的な

• a **tentative** agreement(暫定的合意)

2502 **edible** [édəbl] | 形 食用になる(⇔ inedible「食用に適さない」)

• **edible** plants(食用植物)

♣ eatable は「(まだ)食べられる状態にある」という意味。

2503 **fertile** [fə́:rtl] | 形 肥沃な(⇔ barren「不毛な」), (創造力などが)豊かな

▸ fertility 名 多産, 豊富

• **fertile** fishing grounds(豊かな漁場)

• a **fertile** writer(多作な作家)

2504 **rigorous** [rígərəs] | 形 厳しい, 厳密な

• pass a **rigorous** examination(厳しい試験に合格する)

♣ rigorous は「厳格で, 厳しい」という意味。rigid (2404) 参照。

2505 **fragile** [frǽdʒəl] | 形 壊れやすい・もろい

• **Fragile**—Handle with Care.(壊れ物 — 取扱注意)

2506 **imaginative** [imǽdʒənətiv] | 形 独創的な, 想像力に富む

▸ imagine (709)

• an **imaginative** solution to the problem
(問題の想像的な解決法)

♣ imaginative と imaginary *(709)* の使い分けは TOEIC 頻出。

名詞 ⑦

2507 **detergent** [ditə́:rdʒənt] | 名 洗剤, 洗浄剤

• laundry **detergent**(洗濯洗剤)

2508 **odor** [óudər] | 名 におい, 臭気

• a liquid without any **odor**(無臭の液体)

♣ 主に不快なにおい。「(快い)香り」は fragrance (2332)。

2509 **token** [tóukn]
名 (~の)しるし, (地下鉄などの)トークン
形 形ばかりの・ほんのわずかな

- Please accept this gift as a small **token** of my appreciation.
  (感謝のささやかなしるしとして, この贈り物を受け取ってください) ➲appreciation *(255)*
- **token** opposition(形ばかりの[わずかな]反対) ➲opposition *(830)*

2510 **cord** [kɔ́ːrd]
名 (電気の)コード, (太い)ひも

- plug in the power **cord**(電源コード(のプラグ)を差し込む) ➲plug (1838)

2511 **strap** [strǽp]
名 革ひも, バンド
動 《be ~ped in で》シートベルトを締めている

- a cellphone **strap**(携帯電話のストラップ)
- Are the children **strapped** in?
  (子どもたちはチャイルドシートを締めた?)

2512 **shred** [ʃréd]
名 (細長い)一片, 切れ端
動 (~を)細く切る, シュレッダーにかける

▸ shredder 名 シュレッダー
- tear a letter to **shreds**(手紙をびりびりに破く)

2513 **autograph** [ɔ́ːtəgræ̀f]
名 (有名人の)サイン　動 (有名人が)(~に)サインする

- Can I have your **autograph**?(サインをもらえますか)

♣ 書類などへの署名は sign (68), signature (1262) を使う。

2514 **maternity** [mətə́ːrnəti]
名 母であること, 妊産婦の時期

- take **maternity** leave(産休を取る) ▸ leave「休暇」

2515 **subordinate** [səbɔ́ːrdənət]
名 部下　形 下位の

- She's my immediate **subordinate**.(彼女は私の直属の部下です)

♣「直属の上司」は superior (1648)。

2516 **faucet** [fɔ́ːsət]
名 (水道などの)蛇口(= tap (809))

- turn on the **faucet**(蛇口をひねって水を出す)

2517  **nourishment** [nɔ́:riʃmənt] | 名 (栄養のある) **食物, 滋養**

▶ nourish 動 養う

- the lack of **nourishment** (栄養不足)

2518 **intake** [íntèik] | 名 **摂取(量), 取り入れ口** (⇔ outlet (1292))

- reduce one's **intake** of sugar
  (砂糖の摂取量を減らす) ➲ reduce (427)
- an air **intake** (空気取り入れ口)

副詞 ①

2519  **reportedly** [ripɔ́:rtidli] | 副 **伝えられるところによれば**

▶ report (35)

- Two soldiers **reportedly** were injured.
  (伝えられるところでは, 兵士2人が負傷した) ➲ injure (839)

2520  **seemingly** [sí:miŋli] | 副 **どうやら** (~のようで), **見たところ** (では)

- a **seemingly** simple task (一見簡単な仕事)

2521  **anytime** [énitàim] | 副 **いつでも** (= at any time)

- Call me **anytime.** (いつでもお電話ください)
- We can leave **anytime** you are ready.
  ((あなたが) 準備ができたらいつでも出発できるよ)

♣ 2 番目の例では接続詞の働き (whenever) をしている。

2522  **halfway** [hǽfwéi] | 副 形 **中途で[の]**, 《meet ... halfway で》(~と) **妥協する**

- Don't give up **halfway.** (途中であきらめるな)
- Let's meet each other **halfway.** (お互いに妥協しよう)

索　　引

英単語の後の（　）内の数字は見出し語の番号です。数字が斜体のものは見出し語の派生語として掲載されているものです。右側の数字は掲載ページを表します。色数字が見出し語，黒数字が派生語の掲載ページです。

B

C

D

E

F

G

H

I

J

K

L

M

N

O

P

S

T

U

V

〔監修者〕ブルース・ハード
米国生まれ。ハワイ大学卒業。元上智大学国際教養学部教授。

〔編著者〕河上　源一
英語教材出版社の編集長を経て、現在、出版企画・編集会社経営。
『TOEIC®テストに　でる順英単語』シリーズは、累計30万部を超えるベストセラーになる。
その他の著書に、『大学入試に　でる順英単語ストラテジー4000』『CD-ROMでそのまま使える英文メール5000』(以上、KADOKAWA)、『大学入試 頻度順英単語』(桐原書店) など多数。

改訂版(かいていばん)　TOEIC®テストに　でる順英単語(じゅんえいたんご)

2023年12月18日　初版発行

編著／河上(かわかみ) 源一(げんいち)　監修／ブルース・ハード

発行者／山下 直久

発行／株式会社KADOKAWA
〒102-8177　東京都千代田区富士見2-13-3
電話 0570-002-301(ナビダイヤル)

印刷所／株式会社リーブルテック

製本所／株式会社リーブルテック

●お問い合わせ
https://www.kadokawa.co.jp/ (「お問い合わせ」へお進みください)
※内容によっては、お答えできない場合があります。
※サポートは日本国内のみとさせていただきます。
※Japanese text only

定価はカバーに表示してあります。

ISBN 978-4-04-606414-1　C0082